afgeschreven

D0310898

Nachtengel

Lupko Ellen

Nachtengel

literaire thriller

Uitgeverij Passage, Groningen

Na Moddergraf, Wraaktocht *en* Herenboer *is* Nachtengel *het vierde boek in een serie waarin Ludde Menkema de hoofdrol speelt.* Nachtengel *is uitstekend zonder kennis van de eerste drie delen te lezen, maar toch is het handig om iets te weten over de ontwikkelingen die aan de gebeurtenissen in dit boek voorafgaan.*

In Herenboer *heeft Ludde Menkema de boerderij van zijn oom in Noord-Groningen overgenomen, na een voor hem verwarrende periode waarin hij als jongeman bij de inlichtingendienst van het leger in Afghanistan en in Joegoslavië werkte, om later journalist in Groningen te worden. Aan het eind van* Herenboer *ziet Ludde zich gedwongen om om politieke redenen asiel aan te vragen in Duitsland. Hij moet daarvoor letterlijk zijn boerderij in de steek laten, vluchtend over het Wad, samen met Farima, zijn gefortuneerde Afghaanse vrouw. Farima heeft een dochter uit een eerder huwelijk; Mahnaz. Ook De Geus, chef van een antiterrorisme-eenheid van de politie, speelt een prominente rol in de eerdere boeken, waarbij de relatie tussen hem en Ludde varieert van tegenstander tot vriend.*

foto auteur: Henx Fotografie
omslagontwerp: Myrthe Heuzinkveld
redactie: Roos Custers
druk: Bariet, Steenwijk

Uitgeverij Passage, Postbus 216, 9700 AE Groningen
www.uitgeverijpassage.nl

ISBN: 97890 5452 272 0
NUR 305

BEGIN MEI

Ludde pakte Ilias onder zijn oksels, zwaaide hem omhoog tot ver boven zijn hoofd, liet hem los en ving hem voor zijn borst weer op. Ilias schaterde van angst en plezier.

Farima legde haar lippenstift neer.

'Er komt een dag dat je hem laat vallen.'

Ludde liet zijn zoontje tot vlak bij Farima's wang zakken. Ilias sloeg zijn armpjes om haar hals en gaf haar een natte zoen die ze met een glimlach accepteerde, maar toen Ludde zich ook naar haar toe keerde trok ze gespeeld geschrokken haar hoofd opzij.

'Ik zoen je niet zolang je een baard hebt, Ludde Ben Menkema,' zei ze, 'dat kriebelt me te veel.'

'Ik scheer hem binnenkort af.'

'Als je dat nu direct doet, hoef ik er vanavond niet meer tegenaan te kijken.'

'Je bent vanavond thuis, begrijp ik.'

'Ja, gelukkig wel, de eerste keer deze week.'

'Mooi,' Ludde liep met Ilias op zijn arm naar de deur, 'ik ga, anders krijg ik op mijn donder in de *Kindergarten*.'

Een kleine man met een doorploegde huid stak met een vragend gezicht een straatkrant op naar De Geus. De Geus schudde zijn hoofd en zette zijn handen achter zich op de leuning van de brug bij het Groninger Museum. Een fietser raakte de schouder van een jonge vrouw toen hij vlak langs haar schoot. Ze begon te schelden. De fietser reed zonder op of om te kijken door. Ondanks de zon was de wind koud, een kou die de afgelopen nacht onverwacht voor hagel had gezorgd waarvan her en der op plekjes waar de zon niet kon komen nog restjes lagen. De Geus duwde zich af tegen de leuning toen een man in een lange regenjas met haastige stappen vanaf de kant van het centrum naar hem toe kwam lopen.

'Dag Henri, mooi dat je er bent.'

'Dag Jorrit,' De Geus drukte de hem toegestoken hand, 'natuurlijk ben ik er.'

'Hoe is het?'

'Goed.'
'Ik wil iets met je bespreken.'
'Dat begreep ik, laten we een eindje lopen.'
'Wacht even.'
De straatkrantverkoper begon breed te grijnzen toen de man die zich had voorgesteld als Jorrit een paar geldstukken uit zijn zak haalde, een krant kocht en die opgerold in zijn binnenzak stak, waarna ze langs het water naar links afsloegen.
'Is dat Mongools, dat mutsje dat hij opheeft?'
'Waar heb je het over?' De Geus keek verbaasd opzij. Jorrit haalde een pakje shag tevoorschijn.
'Dat mutsje van die verkoper, bedoel ik.'
'Geen idee. Waar wild eje het over hebben?'
'Jij komt Bekker toch nog wel eens tegen?'
'Bekker?' de vraag verraste De Geus, 'hoe kom je nou bij Bekker? Ik zie hem af en toe in Utrecht op een vergadering.'
'En jullie zijn nog steeds even goede vrienden?'
'Is dat een grapje?'
'Ik kwam hem tegen in een onderzoek.'
'Een onderzoek naar wat?'
'Een slavernijnetwerk.'
'Gedwongen prostitutie, houdt Bekker zich daarmee bezig?'
'Ja, in dat geval zijn het slavinnen, maar je komt ook mannen tegen, als schoonmaker in een restaurant bijvoorbeeld, of bij tuinders, in de bouw, overal, uitgeknepen als citroenen. Je wilt niet weten wat voor ellende je tegenkomt.'
'En Bekker?'
De Geus' stem klonk ongeduldig.
'Hij importeert meisjes.'
'Als onderdeel van dat netwerk.'
'Nee, bij dat netwerk is hij alleen zijdelings betrokken, hij heeft zijn eigen winkeltje. Hij regelt de inkoop van die meisjes zelf, en de afzet ook. Pas als ze de houdbaarheidsdatum overschrijden werkt hij met anderen samen.'
Jorrit stak zijn sigaret aan. De Geus ging aan de andere kant lopen om de rook te vermijden.
'Hoezo houdbaarheidsdatum? Dat moet je me uitleggen.'
'Bekker haalt meisjes uit Bosnië.'
'Bosnië.'
'Ja, Bosnië, daarom dacht ik aan jou, Henri. Die meisjes zijn altijd jong

en altijd mooi. Hij koopt ze in Sarajevo en verkoopt ze in Nederland, aan de bovenkant van de markt, voor zover hij ze niet eerst zelf gebruikt. Zijn klanten zijn rijk, mensen met goede posities en grote huizen. Als die meiden te oud worden of zich kapot hebben gewerkt, verkoopt hij ze door aan het netwerk waar ik een onderzoek naar doe.'

De Geus liep met een afkeurende trek op zijn gezicht langs een man die naast een hond stond die door zijn achterpoten gezakt in het gras naast het trottoir zat.

'Waarom pak je hem niet op?'

'Geen bewijzen. En die komen er ook niet.'

'Want?'

'Bekker is, vanuit dat netwerk gezien, een incidenteel toeleverancier. Mijn superieuren geven me geen tijd om zijn rol verder uit te zoeken.'

'En toen dacht je aan mij.'

'Ja, omdat jij in Bosnië dat onderzoek naar Bekker leidde, toen je daar als militair zat, dat had toch ook met kinderen en prostitutie te maken?'

De Geus trok in een soort rilling zijn schouders op, alsof hij datgene waar hij aan dacht minder plezierig vond.

'Dat is wel erg algemeen uitgedrukt,' zei hij, 'hij gebruikte ze en smeet ze weer weg. Meisjes van twaalf, dertien, veertien, die leeftijd. Die kon je toen in Sarajevo van de straat oprapen.'

'Je ziet hem nog wel eens zei je, op een vergadering.'

'Ja, met zijn manke loopje en zijn decoratie op zijn revers.'

'Hoe vind je dat?'

'Vervelend.'

'Omdat hij je superieur is.'

'Dat is hij niet, maar hij heeft wel invloed, dat klopt. Ik kan het, om het zacht uit te drukken, niet zo goed verdragen dat zo'n type vrij rond kan blijven lopen. Hij had toen veroordeeld moeten worden.'

'Ben je er ooit achtergekomen waarom dat niet gebeurd is?'

'Geseponeerd wegens gebrek aan bewijs,' De Geus schopte tegen een blikje dat voor zijn voeten lag en pakte het daarna op, 'wat vreemd was, mijn rapport bestond alleen maar uit bewijs.'

'Vrienden op niveau.'

'Misschien. Ik denk niet zo in complotten maar toen kreeg ik wel mijn twijfels.'

Ze stonden stil tegenover het meer dan levensgrote vrouwenbeeld op de hoek van de Herebrug. Jorrit keek op zijn horloge.

'Ik moet weer naar het bureau. Samengevat. Bekker haalt jonge meisjes uit Sarajevo. Hij zet ze aan het werk bij rijke mensen, zogenaamd als au pair. Ze doen onbetaald het huishouden plus vaak ook nog datgene waar de natuur ze geschikt voor heeft gemaakt.'

De Geus kon een lachje niet onderdrukken.

'Waar de natuur ze geschikt voor heeft gemaakt,' herhaalde hij, 'je bedoelt dat ze gedwongen worden tot seks.'

Jorrit maakte een ongeduldige beweging.

'De werkelijkheid is al hard genoeg zonder harde woorden,' hij schoot zijn peuk tussen duim en wijsvinger in het Verbindingskanaal, 'ik heb jouw rapport van toen erop nageslagen. Er zijn overlappingen. Namen komen overeen en,' Jorrit draaide zich nadrukkelijk om naar De Geus, 'volgens mij is dit belangrijk, hij gebruikt een huis bij Sarajevo, als overlaadstation zeg maar, waar hij in jouw tijd ook al gebruik van maakte.'

'En waarom vertel je me dit allemaal?'

'Omdat ik het opvallend vind dat ik mijn onderzoek niet uit mag breiden naar Bekker. Zodra mensen zoals hij in het vizier komen, trekt er ergens iemand een grens.'

'Je suggereert dat je wordt tegengewerkt.'

'Ja.'

'Als dat al zo is kan ik daar ook niet zoveel aan doen.'

'Nee. Daarom dacht ik aan Ludde.'

'Aan Ludde.'

'Die zie jij toch nog?'

'Ja. Hij woont tegenwoordig in Bremen met Farima, zijn Afghaanse vrouw. Ze hebben een zoontje. Wel erg toevallig dat je over hem begint.'

'Hoezo?'

'Ik kreeg gisteren een observatierapport waarin stond dat hij van plan is vanmiddag met een vervalst uiterlijk de grens over te komen.'

'Een vervalst uiterlijk?'

'Hij heeft een baard laten staan. En hij heeft zich op de Reeperbahn een paspoort aangeschaft.'

'Dat klinkt een tikje ondoordacht.'

'Dat is Ludde.'

'Ik las in het *Dagblad* dat hij bezig is met een rechtszaak om Nederland weer in te mogen.'

'Ja. Als hij nu gearresteerd wordt, kan hij dat wel vergeten.'

'Je zou hem kunnen waarschuwen.'

'Dat was ik van plan. Waarom dacht je aan hem?'

'Jullie hebben dat rapport toen toch samen gemaakt?'

'Hij heeft het voor me gecontroleerd.'

'Dus kent hij de situatie. En hij heeft ervaring. Als jij Ludde zover krijgt om voor mij naar Sarajevo te gaan zouden we Bekker alsnog kunnen pakken.'

'Dat zou mooi zijn, dat geef ik toe. Maar ik neem wel een risico als ik me ermee bemoei.'

'Want?'

'Als uitkomt dat ik als politiefunctionaris een bevriende particulier inschakel om een niet officieel onderzoek te doen, terwijl dat jou is verboden, is dat niet bevorderlijk voor mijn positie, en die is al niet zo sterk.'

'Ik hoorde inderdaad dat je dienst wordt opgeheven.'

'Mijn dienst niet, het gaat meer om mijn persoon. Ik heb ook last van superieuren. Ze vinden dat ik me te veel op rechtse terroristen richt.'

'En je conclusie?'

'De conclusie is dat ik Ludde vanmiddag opvang en je vraag aan hem voorleg.'

'Je neemt het risico dus.'

'Ja.'

'Mooi.'

Jorrit stak zijn hand uit naar het blikje dat De Geus nog steeds in zijn hand hield.

'Geef maar, ik gooi het wel weg.'

Ludde nam de Eemstunnel bij Leer en volgde de A31 parallel aan de grens tot aan de afslag naar Wijmeer, waarna hij over een steeds smaller wordend weggetje tot vlak voor Bellingwolde reed. Hij stopte op de Wijmeerstersterbrug over het grenskanaal en keek een tijdje naar het water dat zich stil en ongebruikt aan weerszijden van de brug uitstrekte.

Na het blauwe bordje aan de overkant waarachter Nederland begon, ging hij noordelijk, via Ulsda, en nam vanaf daar elk klein weggetje dat hij kon vinden tot hij boven Warffum Borg Menkema zag liggen. Hij parkeerde in de berm die doorweekt was van het smeltwater van de hagel van de afgelopen nacht. De eiken rondom de boerderij waren met een lichtgroen waas overdekt. De molen draaide. Een groepje kraaien aan de andere kant van de sloot vloog op en liet zich fladderig schreeuwend in de ziltige wind weer zakken in de buurt van een oude man die op een akker een eindje verderop aan het spitten was. Ludde ging op de motorkap zitten en stak een sigaartje op. Na een paar minuten, waarin hij zijn ogen over de borg liet dwalen die opgetild door haar wierde als een schip in een helgele zee van koolzaadvelden lag, gooide hij het sigaartje in de modder voor zijn voeten en stapte weer in. Op de radio werd de muziek onderbroken door een schorre Duitse vrouwenstem die iets zei over andante's.

De auto reed, geleid door haar elektronische systemen, waardig als een koningin de modder uit. Borg Menkema kwam dichterbij. Achter de boerderij van de buurman verscheen een tractor waarboven dieselwalm wegwolkte in de koude lucht. De keurig onderhouden oprijlaan naar de borg voerde langs het voorhuis waarvan de voorname eenzaamheid benadrukt werd door de hoge ramen aan weerszijden van het bordes waarachter niets was te zien. Ludde reed tussen de twee schuren door en stopte op het geasfalteerde plein daarachter.

Vanaf de oprijlaan klonk geronk. De tractor van de buurman kwam tevoorschijn. Achter het stuur zat een korte, stevige, nog jonge man. Hij klom uit de cabine. Ludde liep naar hem toe.

'Dag Mansholt.'

'Moi Ludde, dit is voor het eerst van mijn leven dat ik een Menkema met een baard zie.'

'Ja, ik ben incognito.'

'Ik dacht dat je intussen weer legaal naar Nederland mocht komen.'

'Nog niet, die rechtszaak loopt nog. Hoe gaat het hier?'

'Goed. Met jouw land erbij heb ik net de ruimte die ik nodig heb, financieel bedoel ik. Nog bedankt daarvoor. Waarom wil je me spreken?'

'Zakelijk. En ik wil zien hoe de borg erbij staat.'

Ze liepen naar het deurtje dat in de hoge schuurdeuren was ingebouwd. Mansholt haalde een bosje sleutels uit zijn zak.

'Ga je alleen?'

'Ja,' Ludde maakte de deur open, 'ik kom straks wel naar je toe.'

In de schuur lag een kat op een stapel jutezakken.

'Dag kat,' Ludde tilde haar op, 'dat is lang geleden.'

De kat kroop met haar voorpoten tegen Luddes borst omhoog, rekte zich uit, gaapte, sprong op de grond en liep naar de deur van het woongedeelte. De bijkeuken was donker en koud, net als de keuken zelf. De kat liep naar de lege plek waar ooit haar etensbak had gestaan, keek om en miauwde. Ludde negeerde haar.

In de voorkamer leek de kou nog intenser omdat de lucht daar vochtig was. Ludde liep rond met het gevoel dat hij ergens was waar hij niet hoorde te zijn, deed de deur naar de slaapkamer open, keek naar binnen, deed de deur weer dicht en liep toen terug naar het linker voorraam waarnaast twee schilderijen hingen. Op het bovenste was, tussen kale bomen, een met sombere, rode kleuren geschilderd kerkje te zien, op het onderste vochten twee paarse hengsten met elkaar tegen de achtergrond van een apocalyptische hemel. Ludde haalde de schilderijen van de muur. De kat drentelde achter hem aan tot in de schuur, waar ze weer verdween. Uit het zaagsel onder de zaagtafel, die nog op dezelfde plaats stond als waar hij die had achtergelaten toen hij daar de doodskist van oom Henderik had gemaakt, kwam de geur van eikenhout omhoog.

Ludde ging naar buiten, zette de schilderijen op de achterbank van de auto en liep naar het kerkhof aan de andere kant van de sloot waarin het water zo hoog stond dat het de loopplank van het bruggetje raakte. De ooggaten in de smeedijzeren doodskoppen in de kerkhofpoort gaven hem net als vroeger het idee dat ze door hem heen keken. De tombe waarin zijn moeder, zijn vader en oom Henderik lagen, was groen uitgeslagen. Ludde wachtte tot hij iets zou denken dat de moeite waard zou zijn, maar hij dacht niets. Boven zijn hoofd trokken ganzen in hun V-formatie naar de Waddenzee.

Hij draaide zich abrupt om en nam het paadje langs de afrastering van het weiland naar de boerderij van zijn buurman. Halverwege kwam de kat hem achterop. Haar staart stond recht overeind. De vacht onder haar lichaam zwaaide heen en weer.

'Kom binnen.'

Mansholt deed de deur al open voordat Ludde aan had kunnen bellen. Uit het donker van de diepe met rode plavuizen bedekte gang liep een vrouw naar hen toe. Ze keek een beetje zenuwachtig schuin naar boven, naar Luddes gezicht, pakte zijn beide handen en trok die naar zich toe. Daarna liet ze ze weer los.

'Je bent nog langer dan ik me herinner,' zei ze, 'ik heb nog helemaal niet de kans gehad je persoonlijk te bedanken.'

'Ach vrouw Mansholt, jullie helpen mij net zo goed.'

'Nee, nou ja. Koffie?'

'Graag.'

Ludde volgde Mansholt die al vooruit naar de keuken was gelopen. Het rook er naar appelgebak.

'Hoe was het op de boerderij?'

Ludde ging zitten.

'Ik wilde er graag heen,' antwoordde hij, 'maar toen ik er was wist ik niet wat ik er deed.'

Mansholt schoof het schoteltje dat voor hem stond een stukje naar links.

'Ja,' zei hij na een paar seconden, 'wat zal ik daar op zeggen.'

Mansholts vrouw kwam binnen. Ze liep druk gebarend naar de oven, haalde een appeltaart tevoorschijn, zette die op de tafel, schonk koffie in en zette de kopjes op de schoteltjes die al klaarstonden.

'Hoe lang ben je hier nou precies weg?'

'Twee jaar.'

Ludde deed suiker in zijn koffie.

'Het lijkt veel langer. Hoe is het met je zoon?'

'Dat is een mooi ventje, ik ben nu huisman, mijn vrouw is vaak op reis, conferenties en zo.'

'En bevalt dat?'

'Meestal wel. Hoe oud zijn die van jullie?'

'Zestien en zeventien,' Mansholt draaide zijn kopje koffie rond tussen zijn vingers, 'lag de boel er goed bij?'

'Ja. De tombe mag wel worden schoongemaakt. En misschien moet je vaker stoken in het huis. Ik neem voor de zekerheid die twee schilderijen van Dijkstra mee.'

'Dijkstra?'

'Ja, die tussen de voorramen hingen, zonde als die kapotgaan door het vocht.'

'Die met die paarden en dat kerkje,' Mansholts vrouw ging staan, 'die Dijkstra hoorde bij De Ploeg toch?'

'Dat soort dingen zijn mij te wild aan de muur,' zei Mansholt, 'zijn ze nog wat waard?'

'Ja, die zijn wel wat waard.'

Mansholts vrouw liep naar de deur.

'Ik ga iets doen, ik kan niet stilzitten.'

'Ze is nerveus,' Mansholt wipte zijn stoel pas achterover nadat zijn vrouw was verdwenen, 'ik bedoel, we waren bijna failliet en toen kreeg ik als godsgeschenk jouw akkers erbij en zij gelooft dat dingen die je in de schoot worden geworpen ook zomaar weer op de grond kunnen vallen.'

Ludde nam een slok van zijn koffie.

'Als ik die rechtszaak win, wil ik hier weer gaan wonen. Maar ik ben geen boer. Ik wil de pacht vastleggen voor vijf jaar. En ik wil wel een stukje van die appeltaart.'

Vanuit de schuur klonk geblaf. Mansholt liet zijn stoel weer op zijn poten terechtkomen, draaide zich om naar het aanrecht en pakte een mes.

'De jongens komen thuis.'

'Zit er een opvolger bij?'

'Allebei. De jongste moet maar naar Wageningen.'

Er kwam een poes binnen die op het aanrecht sprong.

'Dat is er een uit het nest van toen met je oom,' Mansholt zette een stuk appeltaart voor Ludde neer, 'je eigen kat komt hier alleen om te eten, de rest van de tijd zit ze bij jou in de schuur.'

Ludde opende een map en legde een stapel papieren voor zich neer.

'Zullen we de zaak maar regelen dan?'

Mansholt knikte.

De kronkelende weg naar Onderdendam langs het Warffumermaar was onoverzichtelijk door het manshoge fluitenkruid in de bermen, zodat Ludde de bochten voorzichtig aansneed om te voorkomen dat hij op een onzichtbare tegenligger zou botsen. In Onderdendam sloeg hij af naar Middelstum, waarna hij zoveel mogelijk het zuiden aanhield, tot hij bij Kolham de A7 opreed. Hij neuriede mee met een liedje op de radio.

Vlak voorbij Zuidbroek vertelde een Duitse nieuwslezer dat het voorspoedig ging met de economie. De voetbaltopper tussen Bayern en Dortmund ging niet door vanwege het omkopingsschandaal en in Noord-Duitsland zou het hard gaan regenen. De temperatuur bleef een graad of zeventien, iets lager dan normaal. Naast hem, op de linker rijbaan, verscheen een politieauto die in de volgende seconde naar rechts schoot, vlak voor zijn bumper. Luddes auto remde automatisch. Achter hem liep een zwarte auto snel op hem in. In het achterraam van de politieauto verscheen een bordje waarin letters rood oplichtten. Stop. Ludde vloekte binnensmonds. De politieauto nam de afslag naar een benzine- en oplaadstation waarvan de naam door de routeplanner werd uitgesproken als Rote Tiel. Ludde bedacht dat hij Farima zou moeten bellen om haar te vragen Ilias van de Kindergarten te halen en dat ze daar geen tijd voor zou hebben. Hij stopte achter de politieauto, waarvan de portieren dicht bleven. In de spiegel waren de benen te zien van een lange man die vanaf de zwarte auto achter hem naar hem toe kwam lopen. Ludde liet het raam zakken.

'Gutentag Herr Warschauer.'

Ludde ontspande zich.

'Dag Henri.'

'Sie sind illegal in den Niederlanden, Herr Warschauer.'

'Das weiß ich.'

'Het is wel erg stom om te denken dat je met een baard van drie weken en een vals paspoort ongemerkt Nederland binnen kunt komen. Het is bijna een belediging voor mij als politieman.'

Ludde deed zijn best om schuldbewust te kijken.

'Ik dacht dat jullie me, als ik via Bellingwolde de grens overging, wel niet zouden zien.'

De Geus ging naar achteren zodat Ludde het portier open kon doen. Ze gaven elkaar een hand.

'Je leeft nog te veel in oude tijden, we kunnen iedereen overal altijd volgen.'

De Geus liep naar de politieauto en gaf een klapje op het dak. De politieauto reed weg.

'Ik zou je nu moeten arresteren,' De Geus stak zijn handen in de zakken van zijn colbert, 'wil je zo graag de cel in?'

Ludde schudde zijn hoofd.

'Ik moest een paar kostbare schilderijen ophalen en ik wilde dingen regelen met mijn buurman.'

'Ik dacht dat je misschien heimwee had.'

'Ook, maar toen ik er was voelde ik niets. Je had me ook kunnen waarschuwen natuurlijk.'

'Dat wilde ik doen, maar ik had vanochtend een gesprek met Jorrit van Aammen, en toen bedacht ik dat het wel handig was om je te zien, ik wil iets met je bespreken. We gaan in Winschoten een uitsmijter eten.'

'Jorrit van Aammen, van de politie.'

'Ja.'

'Waar ging dat gesprek over?'

'Slavernij.'

'Slavernij. Goed. Ik moet om vijf uur bij de crèche zijn.'

Henri de Geus keek op zijn horloge.

'In Bremen?'

'In Bremen.'

'Dat haal je wel. Als een ander onderdeel van de politie je niet eerst arresteert...' De Geus legde een hand op Luddes rug, 'ik ben niet de enige die te horen krijgt dat Ludde Menkema van plan is zonder toestemming de grens over te komen.'

De schuifdeur van het toilet ging open. De Geus kwam naar buiten, ging zitten en wees naar het witte autootje van Ludde, buiten op de parkeerplaats.

'Ik dacht dat jij een liefhebber van oude Volvo's was, en nu rij je elektrisch.'

'Niet alleen dat. Dat hele ding is geautomatiseerd. Ze weet precies waar ze is. Ik kan mijn ogen dichtdoen als ik dat zou willen, dan rijdt ze zo zelfstandig van hier naar Bremen. Als ik haar in een slip probeer te krijgen, lukt me dat niet en...' Ludde wachtte omdat De Geus geeuwde, en maakte daarna alsnog zijn zin af, 'en als ik zelf wil rijden moet ik haar eerst uitzetten.'

De Geus antwoordde met moeite omdat hij een tweede geeuw probeerde te onderdrukken.

'Het is een meisje, begrijp ik.'

Ludde grinnikte.

'Een vrouw. Hoe is het met je?'

De Geus zwaaide naar de serveerster die afwachtend tegen een mahoniehouten bar leunde. Ze kwam onmiddellijk in beweging.

'Twee uitsmijters graag.'

'Ik heb liever een gehaktbal.'

'Wat jij wilt.'

De serveerster liep weg.

'Hoe het met me is,' De Geus wreef met de top van zijn wijsvinger tegen de vleug van het tafelkleedje in en bestudeerde het spoor dat hij op die manier trok, 'goed en slecht. Goed met mezelf, slecht in het land.'

'Ik dacht dat het daar beter ging.'

'Als oude mensen bij elkaar in slaapzalen moeten slapen, gaat het dan beter?'

'Tja, en je werk?'

'Ook slecht.'

'Dan moet je ermee ophouden.'

'Vast,' De Geus' stem klonk sarcastisch, 'sinds wanneer ben jij van de gemakkelijke oplossingen?'

Ludde leunde achterover en stak zijn benen naar voren.

'Goed. Slavernij.'

De Geus liet zijn ellebogen op de tafel rusten, maar week weer terug toen de serveerster een uitsmijter en een gehaktbal neerzette.

'Ja. Dik twintig jaar geleden heb je een rapport voor mij gecontroleerd, over een man die Bekker heet. Kun je je dat nog herinneren?'

Ludde trok de verpakking van het plastic bestek.

'Zeker kan ik me dat herinneren, ik was die naam liever nooit meer tegengekomen, behalve dan in de krant met een rouwrandje eromheen, ze hadden dat zwijn toen vast moeten zetten.'

'Dat hadden ze inderdaad moeten doen.'

De Geus prikte een eierdooier open en verdeelde de inhoud over de kaas die onder de gebakken eieren uitstak. Daarna schoof hij het gordijn voor het raam zodat ze vanaf buiten niet meer waren te zien. Ludde trok zijn wenkbrauwen op, maar hij zei niets. Ook De Geus was een tijdje stil. Ze aten. In de keuken werden pannen verplaatst tot het stil werd en de serveerster haar plaats tegen de bar weer innam. De rest van de zaal was leeg.

'Een echte Hollandse gehaktbal,' Ludde legde zijn vork neer, 'zo klef krijg je ze gelukkig in Duitsland niet.'

'De uitsmijter is prima,' De Geus veegde zijn met eigeel besmeurde mes zorgvuldig af aan een servetje, 'het onverteerbare voor mij is dat iemand als Aldwin Bekker gewoon door kan gaan met carrière maken. Hij zit nu in een commissie die zich bezighoudt met nieuwe wapensystemen voor de politie. Ik kom hem nog wel eens tegen.'

De Geus boog zich voorover en schoof al pratend het gordijn opzij om naar buiten te kunnen kijken.

'Drink je weer of zo?' Ludde keek ook even naar buiten, 'of ben je gewoon paranoïde?'

De Geus liet het gordijntje weer los, alsof hij zich betrapt voelde. Ludde schoof zijn bord van zich af.

'Ik hoop binnenkort terug te mogen naar Nederland, ik had het nooit gedacht, maar ik mis het hier toch. Ik ga weer op de boerderij wonen, dan kan ik Milan ook vaker zien.'

'Die is nu een jaar of vijf, of zoiets?'

'Ja. Maria komt af en toe met hem naar Bremen, maar gewoon thuis wonen zou fijner zijn. Mijn advocaat zegt dat de zaak er goed uitziet.'

'Wat wel eens tegen zou kunnen vallen.'

'Hoezo?'

'Omdat er genoeg mensen zijn die jou hier niet meer willen hebben,' De Geus keek weer naar buiten, 'onder wie Bekker. Die heeft dat letterlijk tegen me gezegd. Hij heeft ook gezegd dat hij mij links- of rechtsom uit mijn functie zal werken.'

'Wat heeft die man tegen mij? Van jou kan ik het me voorstellen, gezien jouw onderzoek in Bosnië. Heeft hij nog steeds dat rare platgeslagen hoofd?'

'Ja, en hij is nog steeds zo dun als een spiering en ook nog steeds langer dan jij en ik.'

'De soldaten vergeleken hem met een strijkijzer, door die kin van hem.'

'Dat hadden ze goed opgemerkt. In dat rapport beschreef ik een huis in een vallei op een paar uur lopen van Sarajevo. Kun je je dat nog herinneren?'

'Ja.'

'En wat Bekker daar deed?'

'Zuipen en neuken.'

'Ja, zo kan je het ook uitdrukken,' De Geus keek misprijzend, 'dat huis was van de Servische inlichtingendienst.'

'Het was een bordeel.'

'Het een sluit het ander niet uit. Jorrit van Aammen kwam Bekker tegen in een onderzoek naar slavernij. Bekker smokkelt jonge meisjes vanuit Sarajevo naar Nederland. Hij zet ze aan het werk bij mensen met veel geld, voor het huishouden en zo.'

'Dat "en zo" slaat op seks?'

'Ja.'

'Hij doet dus nog steeds wat hij toen ook al deed.'

'Toen handelde hij niet. Toen misbruikte hij ze alleen.'

'Van kwaad tot erger dus. En wat is er met dat huis?'

'Volgens Van Aammen gebruikt Bekker dat nu nog steeds als overlaadstation.'

'En wat moet ik daarmee?'

'Jorrit komt niet toe aan dat gedeelte van zijn onderzoek. Hij suggereerde dat hij wordt tegengewerkt, maar daar krijg je natuurlijk geen vinger achter. Ons idee was dat jij er misschien zou willen gaan kijken.'

'Om wat te doen?'

'Observeren, in kaart brengen, foto's nemen, het oude inlichtingenhandwerk, zeg maar.'

'Waarom? Omdat jij last van Bekker hebt?'

'Ook. Maar ook om een oude rekening te kunnen vereffenen.'

'Mijn rekeningen zijn al betaald.'

De Geus wilde reageren, maar hij brak zijn zin af toen de deur van het restaurant openging. Zijn stem ging over in een zacht maar indringend gefluister.

'Blijf zitten. Ik regel dit.'

De Geus kwam overeind en liep naar een man die, gevolgd door een kleine kordaat lopende vrouw, binnen was gekomen. Ze waren beiden gekleed in een spijkerbroek en een leren jasje. De Geus zei iets. Luddes linkerhand begon te trillen. De agent legde een hand op zijn riem waar zijn wapen hing. De vrouw riep iets naar Ludde. De Geus reageerde met een stem waarin zijn autoriteit doorklonk.

'Wat komen jullie doen?'

'De man controleren die bij u is.'

Het was de vrouw die antwoord gaf.

'In opdracht van wie?'

'Van het bureau.'

De politieman deed een stapje naar voren. De Geus hield hem met een handgebaar tegen.

'Er wordt hier niemand gecontroleerd zonder mijn toestemming.'

Ludde ging staan, legde twee briefjes van tien euro op het tafeltje en liep naar De Geus.

'Ik ga,' zei hij, 'het was aangenaam om met u van gedachten te wisselen. Bel me nog even als u wilt.'

De agente keek nerveus naar haar collega die op zijn beurt vragend naar De Geus keek. De Geus stak zijn hand uit, maar Ludde liep door. De auto ontgrendelde haar deuren toen hij dichterbij kwam. Hij ging zitten en hield zijn pasje voor het display. De auto kwam zonder geluid te maken van haar plaats, draaide scherp naar links en verliet de parkeerplaats. Voor hem lag een klinkerweg. In zijn spiegel zag hij De Geus naar buiten komen. Achter hem verschenen de twee agenten.

Luddes hand trilde nog steeds toen hij in een noordelijke buitenwijk van Bremen voor een twee verdiepingen hoog bakstenen gebouw uit zijn auto stapte. Hij liep langs een groepje jonge vrouwen op een bordes dat naar een dubbele deur leidde, ging een eindje verderop tegen de muur staan en stak een sigaartje op, wat hem een boze blik opleverde van een vrouw die zich net als hij niet bij het vrolijk pratende groepje voor de deur had aangesloten. Hij keek langs haar heen. Er klonk een bel. De vrouwen drongen naar binnen. Ludde wachtte tot ze weg waren, trapte zijn sigaartje uit en liep het bordes op. De hoge gang was gevuld met opgewonden kindergeluid. De klapdeur aan het eind van de gang zwiepte achter hem dicht. Voor hem op de grond lag Ilias. Hij krijste. Ludde bukte zich en pakte zijn zoontje op, die zijn bovenlijfje achterover gooide zodat zijn hoofd naar beneden hing. Een snotterige draad van tranen droop vanaf zijn wang op de grond. Er kwam een crèchemedewerkster naar hen toe die op een meter afstand geamuseerd toekeek hoe het jongetje zijn best deed om los te komen.

'Hij is de hele dag zo *fröhlich* en braaf geweest, *wie immer*,' zei ze, '*aber jetzt is hij müde.*'

Ludde slaagde erin om een hand onder Ilias' hoofdje te schuiven zodat hij hem zonder gevaar tegen zijn borst kon drukken.

'Dag kerel, we gaan naar huis.'

Het gehuil van Ilias ging binnen een fractie van een seconde over in een lach. Er klonk nog een snik. Ludde voelde zijn overhemd warm en vochtig worden. Ilias sliep.

Ilias lag half zittend in een rieten mandje op het aanrecht. Hij sabbelde op zijn vingers terwijl hij met zijn grote, zwarte ogen strak naar Ludde keek. Ludde boog zich naar hem toe.

'Mijn baard is eraf zoon, wen er maar aan.'

Hij deed olie in een pan en strooide er gierst bij. Door het raam achter het aanrecht waren kale bomen te zien die donker tegen de avondhemel afstaken. Er viel een mistige regen waarin de lampen van de straatlantaarns voor het landhuis lichtcirkels tekenden. De heg om de tuin was een donkere streep die alleen onderbroken werd door een monumentaal hek waarnaast een wachthuisje stond.

De olie siste. Ilias trok een sokje uit en stopte dat in zijn mond. Ludde schonk water in de pan, wachtte tot dat begon te bruisen, leegde het zakje met de resterende gierst en begon te roeren. Op de weg verschenen de koplampen van een auto die niet lang daarna stopte bij het hek, wachtte tot dat openschoof en toen over de oprijlaan tussen de fruitbomen door naar de voordeur reed.

'Daar is Farima.'

De chauffeur stapte uit en opende het achterportier. Hij hield een hand op zijn heup. Nadat Farima was uitgestapt bukte ze zich de auto in en kwam weer omhoog met twee leren aktetassen die ze naast zich op het grind zette. Ludde tilde Ilias op zijn arm en klopte op het raam. Farima draaide zich om. Ze zwaaide. Ilias begon in Luddes handen te kronkelen totdat Ludde hem op de grond liet zakken. De chauffeur sloot de auto af en verdween in het wachthuisje.

'Zonder baard ben je een stuk jonger.'

'Ja, Henri vond me stom dat ik de grens overging.'

'Daar had hij dan gelijk in.'

'Ik heb de groene grens genomen, ik dacht dat ze me daar niet zouden zien.'

'De groene grens?'

'Ja, zo noemen we de kleine weggetjes die de grens overgaan.'

'De Nederlandse staat vergeet niet dat je haar gezichtsverlies hebt laten lijden. Wat wilde Henri precies?'

'Over Bekker praten.'

Farima stond op van de tafel en zette op haar hurken de borden in de afwasmachine. Ilias lag te slapen op Luddes arm.

'Wie is Bekker?'

'Tja,' Ludde aarzelde, 'dat is een rotverhaal.'

'Rotverhalen maken me nieuwsgierig. Je zat in Bosnië toch bij de geheime dienst?'

'Bij de marechaussee. Aldwin Bekker en Henri de Geus ook,' Ludde legde Ilias op zijn andere arm en strekte zijn afgeknepen vingers tot het bloed weer begon te stromen, 'het is een rotverhaal voor een vrouw, bedoel ik.'

'Hij ging naar de hoeren.'

'Zoiets ja. Er werden daar meisjes aangeboden, soms door hun eigen vaders.'

'Jonge meisjes.'

'Ja, erg jonge meisjes. Te jonge meisjes. Kinderen. Bekker deed daar aan mee, en hij was niet de enige ben ik bang. Henri heeft dat gerapporteerd, maar er werd niets mee gedaan. Eerst werd die zaak geseponeerd en daarna kreeg Bekker godbetert een lintje omdat hij gewond was geraakt, neergeschoten tijdens een gevecht. Hij loopt mank.'

Luddes stem klonk onderdrukt agressief. Farima sloot de klep van de afwasmachine.

'In mijn land gebeuren dat soort dingen ook.'

'Dat soort dingen gebeurt overal. De mens is de mens een wolf.'

'Ja. En wat wil Henri van jou? Je mag hem wel dankbaar zijn, dat je niet vastzit.'

'Ach,' Ludde gaf Ilias aan Farima, 'ik heb een beschermengel.'

'En die heet De Geus.'

'Zoiets. Hij wil me naar Sarajevo hebben. Veel meer dan dat weet ik niet, maar hij belt nog.'

De Geus deed beneden in het flatgebouw zijn postbus open en pakte een envelop. Jorrit van Aammen had woord gehouden. Hij liep de trappen op naar zijn appartement, zette de verwarming hoger om de koude afstandelijkheid daar te verdrijven, keek even in de koelkast, pakte zijn telefoon, bestelde een Indische maaltijd en opende de envelop waarin een lichtblauw mapje met vijf A-viertjes zat, die hij voor zich op de keukentafel legde. Zijn ogen volgden zijn wijsvinger die door de tekst scande tot hij stopte bij een naam op de derde pagina.

Hij ging staan, liep naar de boekenkast in de kamer en schoof een fles opzij waarop hij, meer dan een jaar geleden, een rood streepje had gezet ter hoogte van het oppervlak van de nog in de fles resterende wodka. Hij stak zijn hand achter de boeken aan de rechterkant van de fles, haalde een dossier tevoorschijn en liep terug naar de keuken.

Op de eerste pagina was een foto afgedrukt met het nog jonge gezicht van Aldwin Bekker, een gezicht dat vooral opviel door de kin die zelfs in verhouding met het smalle gezicht veel te lang was. De Geus sloeg de bladen in hoog tempo om totdat hij bij een alinea op de laatste pagina kwam.

'Mr. Savornin Lomark,' mompelde hij, 'dezelfde naam. Idem Petar Jović.'

Hij legde het dossier terug naast de wodkafles die hem niet meer zoals vroeger leek te roepen, liep naar het raam en keek naar de boten op het water van de Oosterhaven tot hij beneden een brommer zag waarvan de berijder zijn helm achter op zijn hoofd had geschoven. De brommer stopte. De Geus nam de lift naar beneden, betaalde, en ging weer naar boven. Toen hij klaar was met eten liep hij naar zijn werkkamer en koos daar op de ouderwetse telefoon met draaischijf, die hij in ere had gehouden, Luddes nummer in Duitsland.

'Wat zei Henri?'

'Hij wil me inderdaad naar Sarajevo sturen.'

Ludde sloot zijn telefoon. Farima legde het dossier dat ze had zitten lezen naast Ilias, die op haar schoot lag te slapen.

'Om wat te doen?'

'Informatie verzamelen over de manier waarop Bekker te werk gaat, onderzoeken wie die meisjes daar voor hem ronselt, dat soort dingen. Als Bekker doet wat hij normaal doet gaat hij daar binnenkort weer heen, dat schijnt hij zo'n twee keer per jaar te doen volgens de politie.'

'Naar Sarajevo.'

'Ja, in de tijd dat Henri dat rapport maakte, betrok Bekker zijn meisjes via Petar Jović, dat was een tamelijk naar mannetje dat Grbavica terroriseerde. Uit het onderzoek van Van Aammen blijkt dat die twee nog steeds samenwerken.'

'Grbavica?'

'Een wijk daar, die in de oorlog een tijd door de Serven was bezet.'

'En dat zou je alleen moeten doen?'

'Dat heb ik geweigerd. Als ik ga, dan samen met Henri. Hij zei dat hij wel vakantie kon opnemen, volgens mij heeft hij genoeg van zijn werk.'

'Maar je gaat niet.'

'Dat lijkt me niet. Het zit Henri dwars dat types als Jović en Bekker nog los rondlopen.'

'En jou niet?'

'Ik wil er niets meer mee te maken hebben. Als het zou kunnen zou ik die tijd uit mijn geheugen laten verwijderen. En ik kan Ilias niet in de steek laten.'

Ludde ging zitten en nam Ilias over van Farima. Hij sliep rustig verder. Farima zette water op.

'En het is een pedofiel.'

'Hij gebruikt alles tussen de tien en vijftien wat niet op tijd voor hem wegloopt, wat erger is als je het mij vraagt. Jij vindt zo te horen dat ik moet gaan.'

'En als dat zo is?'

'Dan zou ik zeggen dat het niet kan. Jij hebt je verplichtingen. We hebben Ilias. Ik heb Milan in Groningen.'

'Dat valt op te lossen. Misschien vind je daar iets wat je helpt.'

Luddes stem schoot de hoogte in.

'Helpt?'

Farima spreidde haar armen in een gebaar van gespeelde onschuld.

'Sorry, dat is waar ook. Mannen als jij hebben geen hulp nodig.'

'Ik zou niet weten waarvoor.'

'Voor je dromen.'

'Dromen tellen niet.'

'Nee, natuurlijk niet. Laat ik het zo stellen, je moet gaan omdat je je verveelt, gezien je actie van vandaag.'

'Ik moest die schilderijen halen, toch zonde om een kleine ton te laten verrotten. En ik kan jullie moeilijk uit verveling in de steek laten,' hij stak een trillende hand omhoog, 'dit heb ik sinds vanmiddag. Ik word oud, ik kan niet meer tegen een beetje opwinding.'

'Als Henri zegt dat hij je nodig heeft, heeft hij daar een goede reden voor. Die Bekker deugt niet.'

'Jij werkt en Ilias moet naar de crèche.'

Farima zette een theepot op de tafel, ging naast Ludde zitten en keek een beetje nerveus naar hem op.

'Laat ik eerlijk zijn, ik heb een verborgen agenda. Ik kan naar Melbourne. Een gastdocentschap. Ik kan Ilias meenemen en Mahnaz kan mee als oppas.'

'Melbourne.'

'Ja.'

'En dat wil je wel.'

'Ja. Het lijkt ondankbaar, maar ik ben de kou hier zat, ik ben het werken hier zat, ik ben de bewaking zat en ik heb helemaal genoeg van de pers. Alles wat ik doe of denk staat de volgende dag in de krant.'

'Het komt je dus goed uit als ik iets anders ga doen.'

Farima aaide met een vinger over Ilias' wang. Hij deed zijn oogjes open, geeuwde hartgrondig, balde zijn vuistjes en sliep weer verder. Ludde pakte de vingers van zijn linkerhand en kneep die bij elkaar.

'Ik word gek van dat getril.'

'Het wordt tijd dat je iets gaat doen,' Farima's stem klonk beslist, 'of er iets aan gaat doen, wat dat ook is. En als je klaar bent, kom je ook naar Melbourne.'

Ludde staarde voor zich uit. Farima stond op.

'Ik breng Ilias naar bed,' zei ze, 'vannacht lag je weer te schreeuwen in je slaap.'

'Ja, ik werd er zelf wakker van.'

'Zal ik een besluit voor je nemen?'

'Doe maar.'

'Jij gaat naar Bosnië, ik ga naar Melbourne.'

EIND MEI

VRIJDAG

Het groepje fotografen drong steeds verder op, zodat Ludde zich gedwongen voelde een paar stappen achteruit te zetten. Hij drukte Ilias tegen zich aan die met zijn onpeilbaar diepe oogjes langs hem heen naar Farima keek. Mahnaz zat op de bagage bij de incheckbalie. Ludde neuriede het liedje dat zijn moeder voor hem zong als hij als kind ergens bang voor was geweest.

Een paar meter verderop stonden twee agenten van een jaar of dertig die een automatisch wapen droegen. Toen één van hen een opmerking maakte en ze elkaar lachend aanstootten, voelde Ludde een vlaag van woede waarvan hij geen idee had waar die vandaan kwam. Farima liep naar hem toe. Ilias stak een duim in zijn mond, legde zijn hoofdje op Luddes schouder en bleef naar Farima kijken. Ze aaide hem over zijn wang. De fototoestellen klikten.

'Gaat het?'

In Farima's stem zat heel licht een tegelijkertijd opgewonden en nerveus bijgeluid. Haar ogen keken onderzoekend naar Ludde.

'Ja,' ook zijn stem klonk onzeker, 'het voelt leeg dat ik jullie een tijd niet zal zien.'

Farima legde een hand op Luddes rug. Mahnaz kwam naast hen staan en keek vragend naar Ludde tot die Ilias aan haar overgaf. Farima's hand gleed over Luddes billen voor ze zich naar hem toedraaide en hem een zoen gaf. Het geluid van de camera's zwol aan.

'Je had misschien toch beter de viplounge kunnen nemen,' Ludde duwde Farima een eindje van zich af, keek diep in haar ogen en trok haar weer naar zich toe, 'dan hadden we die fotografen niet gehad.'

'De effectiviteit van mijn werk is afhankelijk van mijn bekendheid, dat weet je.'

'De effectiviteit van ons huwelijk is misschien gebaat bij het tegendeel.'

Farima keek geschrokken op.

'Meen je dat?'

'Een beetje. Ik kan er wel tegen.'

'Ze komen ook voor jou,' Farima klonk ineens fel, 'de fanmail zal wel weer bij je binnenstromen.'

Ludde boog zijn hoofd in gespeelde onschuld.

'Ik zal deze keer de foto's van ontklede dames verwijderen.'

Farima wilde iets zeggen maar ze werd afgeleid door Mahnaz.

'We moeten gaan.'

Ludde trok Farima dichter tegen zich aan.

'Dag vrouw, pas goed op ons kind.'

'Dag man,' ze maakte zich los, 'pas goed op jezelf.'

Ludde pakte Ilias op en gaf hem een zoen op zijn lange zachte haren, die als een indianentooi om zijn gezichtje hingen. Daarna omhelsde hij Mahnaz.

'Ging het?'

De Geus stuurde de snelweg bij Hamburg op. De zon blakerde op de voorruit.

'Ja,' Ludde pakte een thermoskan en schonk koffie in, 'jij ook?'

De Geus schudde zijn hoofd. Hij passeerde een vrachtwagen en ging daarna onmiddellijk naar rechts om een Mercedes, die als een veeg voorbijkwam, ruimte te geven.

'Die rijdt tegen de tweehonderd, je zou toch zeggen dat die *Grünen* hier daartegen zouden moeten zijn.'

'Die rijden zelf ook zo,' Ludde nam een slok koffie en keek intussen op zijn telefoon, 'ze zijn in de lucht.'

'En nu ben je vrijgezel.'

'Vrijgezel?'

'Ja, geen vrouw, geen kind, geen luiers, geen crèche. Je kunt weer alles doen wat je wilt.'

'Hoe bevalt jou dat?'

'Ik ben weduwnaar.'

'Ja. En hoe bevalt dat?'

'Dat,' zei De Geus, 'is een rare vraag.'

'En dat van jou was een rare opmerking.'

De Geus keek verbaasd naar Ludde die stuurs voor zich uit zat te kijken.

'Zo erg was het nou ook weer niet.'

Ludde mompelde iets. De Geus grinnikte.

'Ik heb op mijn donder gekregen dat ik je heb laten lopen vorige week, dat geintje gaat me een hoop werk kosten.'

Ludde nam een slok van zijn koffie.

'Ik geef toe,' zei hij daarna, 'dat ik Ilias' luiers niet zal missen. Wat voor werk?'

'Ik moet een schriftelijke verklaring geven voor mijn handelswijze.'
'Voor je handelswijze.'
'Ja. Ik kan weinig goeds meer doen bij mijn bazen, niet dat dat me veel kan schelen overigens. Misschien heb je gelijk, dat ik ermee moet ophouden.'
'Je zit in een midlifecrisis, zo te horen.'
'Dat vind ik nou weer een rare opmerking.'
'Je bent bijna zestig toch?'
'Ja. Een beetje oud voor een midlifecrisis.'
'Je hebt een riante positie die je niet leuk meer vindt, geld genoeg, geen vrouw, van de drank af, allemaal ingrediënten om de basis te leggen voor een nieuw leven.'
'Wat eruitziet als wat?'
'Geen idee in jouw geval, uiteindelijk komt het erop aan dat je moet durven te zijn wie je intussen bent geworden.'
'Zo, daar zal ik over nadenken. En jij?'
'Hoe goed zou het jou persoonlijk uitkomen als dit onderzoek iets oplevert, Henri?'
'Vragen over je eigen zielenroerselen ga je liever uit de weg? Ik zou het prachtig vinden om Bekker te kunnen arresteren en hem veroordeeld te krijgen. Ik kan veel hebben, maar niet dat gedoe met jonge meisjes.'
'En wraak?'
'Omdat ik hem toen niet achter de tralies kreeg?'
'Ja.'
'Ook. Ik kom hem tegen op mijn werk. Ik weet wat hij gedaan heeft, hij weet dat ik dat weet en hij lacht me uit. En bovendien wordt hij me te machtig.'
Ludde kneep in de vingers van zijn linkerhand.
'Letterlijk en figuurlijk, naar ik aanneem. Bij mensen zoals Bekker gaat het vaak meer om macht dan om seks.'
'Of beiden. Meer macht, meer seks.'
'Je zou dat soort mensen als ze nog kind zijn op kunnen sporen middels een hersenscan.'
'Ik neem aan dat je dat niet meent.'
'Nee, maar niet omdat ik het niet vind.'
Ludde lepelde met zijn wijsvinger de achtergebleven suiker uit zijn koffiebeker. De Geus keek enigszins walgend toe.
'Bekker had natuurlijk gestraft moeten worden,' Ludde propte de lege beker in het zijvak van het portier, 'maar aan de andere kant weet

ik er zo nog wel een paar, ik heb ook mijn herinneringen.'

'Waar je het niet over hebt.'

'Nee. Hoeveel dagen heb je vrij genomen?'

'Ik moet over een dikke week terug zijn.'

'Dat is weinig.'

'Genoeg, hoop ik.'

'Welke route nemen we?'

'Gewoon, Duitsland, Oostenrijk, via Zagreb, en dan via de Republika Sprska doorsteken. Als we om de beurt rijden zijn we er morgen, vroeg in de ochtend. Ik heb een hotel gereserveerd op een kilometer of vijftien van Sarajevo.'

ZATERDAG

Het was vroeg. Ludde zat op het balkon van zijn kamer in een Oostenrijks aandoend hotel, weggestopt aan een klein weggetje in de middelhoge bergen aan de zuidoostkant van Sarajevo. Hij bladerde door de foto's op zijn telefoon.

'Moet je kijken,' hij draaide het scherm naar De Geus die een rugzak naast hem neerzette, 'langs die weg door de Republika Sprska staan na al die jaren nog steeds dit soort huizen.'

Op de foto was het karkas van een huis te zien dat ooit twee verdiepingen hoog was geweest.

'Heb je die genomen toen ik sliep?'

'Ja, ik ben gestopt. Een eindje verderop was een kerkhof, daar stikt het van, kijk maar.'

De Geus keek vluchtig naar de foto.

'Toch is het niet meer zo'n zootje als toen wij hier als militair zaten,' zei hij, 'maar nog steeds wel van die harde koppen op harde lijven in slecht passende uniformen bij de grens, of het nu mannen of vrouwen zijn. Ben jij niet moe?'

Ludde schudde zijn hoofd.

'Een beetje rozig. Ik heb genoeg geslapen, jouw auto is bijna een hotelkamer als je de bank achterover legt,' hij streek weer over het scherm van zijn telefoon, 'volgens de routeplanner kunnen we, als we onderweg niet al te lang rusten, vanaf hier gemakkelijk in een dag heen en weer naar dat huis lopen waar Bekker volgens Van Aammen zijn zaken doet. Het ligt boven in een vallei, hemelsbreed een kilometer of twintig hiervandaan.'

'En vanaf daar naar Sarajevo is het ook weer twintig kilometer, als ik me dat goed herinner. We kunnen ook de auto nemen.'

'Dan moeten we daar met een Nederlands kenteken door een dorpje en dan weet iedereen binnen het uur dat we er zijn. En bovendien heb ik wel zin om een lekker stuk te lopen.'

De Geus trok de sluitingen van de rugzak dicht en tilde het ding daarna op.

'Een kilo of twaalf,' zei hij, 'waarvan de helft water, je moet nooit zonder water komen te zitten.'

Ludde stak een duim op.
'Lang leve je voorliefde voor drank.'
De Geus ging zitten en schonk koffie in.
'Humor uit jouw mond,' zei hij, 'klinkt nooit grappig.'

Het pad volgde een natuurlijke plooi in de rotsige valleiwand, langs groene braamstruiken met een lichtrood waas waarvan de uitlopers het lopen moeilijk maakten. In het harde, hete licht van de zon maakte de natuur een ongewassen indruk. De vogels lieten zich niet horen. De everzwijnen, die die ochtend hoog in de verte een bergweide waren overgestoken, lagen nu waarschijnlijk ergens stil verborgen onder een struik of tegen een rotsblok in de schaduw, tussen het gezoem van insecten die als enige volop aan het werk waren. Ludde schoof zijn haar uit zijn ogen. Aan de overkant van de vallei stond een huis waarvan de ramen in de bovenste verdieping als dode ogen door de boomtoppen keken. De Geus ging naast hem staan.
'Volgens mij is er niemand.'
Hij zette een fles water aan zijn mond. Toen hij klaar was bood hij de fles aan Ludde aan, maar die schudde zijn hoofd.
'Nee dank je, denk jij dat het verstandig is om dit pad verder te volgen?'
De Geus haalde een stuk kaas tevoorschijn.
'Wat is er mis mee?'
'Dat er al jaren niemand over heeft gelopen,' Ludde veegde met een vinger over zijn telefoon, 'en het was hier in de oorlog vergeven van de landmijnen.'
'Wil je kaas?'
'Hier staat dat ze die mijnen geruimd hebben.'
De Geus nam de telefoon over. Ludde stak het stukje kaas in zijn mond dat De Geus naast hem had neergelegd.
'Maar je vertrouwt het niet.'
'Nee. Het staat vol bramen,' Ludde ging staan, 'misschien komen de mensen hier niet omdat ze bang zijn om alsnog op een mijn te lopen.'
Hij pakte zijn mes, sneed een tak van een wilgachtige boom en maakte die op maat.
'Zo heb je niets, zo heb je een wandelstok, knap van je,' De Geus tikte met de waterfles tegen Luddes been, 'drink iets.'
Ludde pakte de fles aan.
'We moeten zuinig zijn,' zei hij sarcastisch nadat hij gedronken had, 'straks is het op.'

'Met een zonnesteek loop je niet zo hard.'

Ludde wees met zijn stok naar het huis aan de overkant en daarna naar een paadje dat dwars door een veld vol braamstruiken naar beneden liep, de vallei in.

'Laten we dat wildpad nemen, waar een zwijn kan lopen, kunnen wij het ook.'

Ludde pakte de rugzak.

Vanuit de boomtoppen boven hen klonk het kreunen van oud hout. Het pad slingerde onder de bomen door de helling af. De eerste meters moesten ze hun mes gebruiken om zich een weg door een wirwar van stekelige takken te snijden waarbij ze een ongeveer halve meter hoge tunnel volgden die door de everzwijnen onder de braamstruiken open was gehouden.

Dieper in de vallei kwamen ze sneller vooruit omdat de kruinen van de bomen elkaar daar zo dicht raakten dat er in de schaduw daaronder weinig wilde groeien. Het pad daalde. Een eekhoorn schoot langs de stam van een beukenboom omhoog. Van bovenaf uit de vallei krijste een dier. Ludde keek om.

'Een vogel.'

Vanuit de diepte voor hem was het geluid van stromend water te horen dat eerst nog overstemd was geweest door het geritsel van de dikke, verende laag humus onder zijn voeten.

'Er is water beneden.'

De Geus reageerde opnieuw niet op Ludde. Boven zijn zonnebril zat een rimpel. Het paadje werd vlakker, tot het over een met hangend mos begroeid rotsblok scherp naar beneden dook en langs en over andere rotsblokken naar een riviertje liep, waarvan de door de zon beschenen oever werd gevormd door een uitgeharde moddervlakte waarin tientallen pootafdrukken waren te zien.

'Een drenkplaats.'

'Niks voor jou,' zei De Geus, 'al die overbodige opmerkingen.'

Ludde keek verbaasd om.

'Wat is er aan de hand?'

'Niets. Wat vond Farima ervan dat je hiernaartoe ging?'

'Niets.'

'Wat voor huwelijk heb jij eigenlijk?'

De Geus liep naar het water, bukte zich, vormde een kom met zijn handen en dronk. Ludde gaf pas antwoord toen De Geus weer was gaan staan.

'Niks voor jou,' zei hij gemelijk, 'dat soort overbodige opmerkingen.'

'Je had het ook kunnen waarderen als een poging tot een zinvol gesprek,' De Geus wees grijnzend naar de overkant van het water, 'we gaan.'

Ze namen een pad aan de andere kant naar boven door een bos waarin het donkerder en natter was dan in het bos dat ze achter zich hadden gelaten.

'Weinig zon hier,' mompelde Ludde. De Geus deed alsof hij hem niet hoorde. Het pad verdween al snel tussen varenachtige planten tot het weer opdook bij een verwaarloosd houten hek – waarvan de palen waren vastgezet in een door mensenhanden gestapelde rotsmuur – dat een gedeelte van het bos afsloot dat in niets afweek van dat waar ze liepen.

'Normaal gesproken zou er langs een hek als dit een loopspoor van vee moeten zijn,' zei De Geus, 'je hebt gelijk dat hier geen mensen meer komen.'

Ze volgden het hek tot dat ophield op een plek waar de helling omhoog overging in een rotswand van een meter of drie. Ludde opende de rugzak, pakte een touw, verzwaarde een uiteinde met een steen, gooide dat over de tak van een boom vlak naast de wand en klom naar boven. De Geus volgde. Ludde rolde het touw weer op.

'Dat kunnen we nog, als echte mannen een hindernisje overwinnen.'

Voor hen strekte zich een zonovergoten geel grasveld uit dat eindigde bij het huis dat ze vanaf de andere kant van de vallei hadden gezien.

'Einde van de reis,' zei De Geus.

'Voor vandaag, als we hier blijven,' antwoordde Ludde, 'laten we eerst maar eens gaan kijken.'

'Hier komen dus nog wel mensen,' De Geus verwijderde een hard stuk gras uit de pijp van zijn broek, 'dit weiland is pas gehooid.'

Ludde liep hem voorbij.

'Ja.'

'Je kunt hier gemakkelijk met een maaimachine komen.'

De Geus wees naar een smalle geasfalteerde weg die gedeeltelijk zichtbaar door de vallei naar boven liep waar die in een zanderige vlakte rond het huis eindigde.

'Ja.'

Luddes antwoord was even chagrijnig als kort terwijl hij met zijn stok door de brandnetels aan de rand van het weiland sloeg.

'Waarom doe je zo kortaf?' De Geus ging naast Ludde lopen, 'heb ik je iets misdaan?'

Ludde schudde zijn hoofd.

'Nee,' zei hij, 'ik was met mijn gedachten ergens anders.'

Het huis had witte muren waarin tientallen kogelgaten zaten die niet, zoals bij andere huizen die ze hadden gezien, dicht waren gepleisterd. Aan het huis zat een terras dat aan de kant van de vallei een meter of twee boven het weiland uitstak, maar dat aan de andere kant de grond bijna raakte omdat de helling daaronder steil schuin omhoogliep. Hoog boven hen zong een leeuwerik. Aan de achterkant lag een verwaarloosde moestuin met daarin een paar verwilderde aardbeienbedjes die werden geflankeerd door een rij houten staken waaraan uitgedroogde stokbonen hingen.

'Alle ramen zijn nieuw,' De Geus schoof met zijn voeten door de glasresten onder de kozijnen, 'die moeite hebben ze dus genomen.'

Ludde drukte de klink van de deur naar beneden. De deur was op slot. De Geus kwam naast hem staan.

'Alles wijst erop dat ze dit huis nog gebruiken.'

Ludde bukte zich om in het slot te kijken maar sprong onmiddellijk weer overeind toen uit het bos een geweerschot klonk, een droge felle knal die weerkaatst tegen de valleiwanden terugkwam, en daarna wegzakte in het geluid van de krekels en het gemurmel van het water in een klein stroompje naast de weg. De Geus wees naar een vallend stipje boven het weiland.

'Dat is dat vogeltje.'

Ludde floot zacht tussen zijn tanden.

'Een leeuwerik.'

'Goed, een leeuwerik,' De Geus schudde verbaasd zijn hoofd, 'waarom schiet iemand op een leeuwerik?'

'Geen idee. Ik hoor een auto.'

'Toch minder onbewoond dan we dachten,' De Geus draaide zich om en liep naar de helling boven het huis, 'we kunnen ons beter terugtrekken, kijken wat er op ons afkomt.'

Ze staken het door de natuur overwoekerde weggetje over en klommen een pad op tot ze bij een grasveld kwamen waar ze bij het restant van een houten afrastering stopten. Het huis lag een kleine vijftig meter onder hen. Veel verder naar beneden, daar waar de randen van de vallei elkaar leken te raken, steeg een dunne rookzuil op.

Ludde zette de rugzak onder een elzenstruik die deel uitmaakte van de afrastering en pakte een kleine verrekijker die hij naast zich in het gras legde. Vanuit een groepje bomen, een paar honderd meter dieper in het dal, fladderden donkere vogels op die geluidloos aan een cirkelende tocht naar boven begonnen. De Geus veegde het zweet van zijn voorhoofd. Ludde zette de verrekijker tegen zijn ogen. De Geus ging liggen, strekte zich in volle lengte uit, schoof zijn handen onder zijn hoofd en deed zijn ogen dicht.

Het gegrom van de automotor zwakte af en nam weer toe in een ritme dat werd gedicteerd door de bochten in het middenstuk van het weggetje, waarvan de loop werd aangegeven door een elektriciteitskabel die van paal naar paal naar boven liep. De Geus snurkte. De auto reed snel.

'Hij rijdt als een rallyrijder,' Ludde was plat op zijn buik gaan liggen, 'hij is er over een minuutje.'

De Geus deed zijn ogen open, rekte zich omstandig uit en draaide zich naast Ludde op zijn buik.

'Ze komen eraan,' zei hij, 'volgens mij heb ik geslapen.'

'Ongeveer tien seconden. Daar heb je hem.'

Uit de laatste bocht voor het rechte stuk van de weg dat bij het huis eindigde, kwam een in een stofwolk gehulde donkergroene jeepachtige auto tevoorschijn. De bestuurder gaf gas. Vanonder de voorwielen spoot een stroom steentjes naar achteren. Ludde floot waarderend.

'Een Lada Niva, die knaap kan echt wel rijden.'

De auto remde vlak bij het huis af en kwam in een vloeiende beweging tot stilstand waarbij de in een halve cirkel wegschuivende achterwielen een donker spoor in het zand trokken.

De Geus raakte Ludde even aan.

'Of hij heeft lang haar of het is een vrouw.'

Ludde richtte de verrekijker.

'Het is een vrouw. Een jaar of dertig, vijfendertig, donkere krullen.'

'Klein,' zei De Geus.

Ludde trok zijn ellebogen verder onder zich. De vrouw liep de tuin bij het huis in, boog zich voorover, plukte een grasstengel en bond haar haar daarmee met een aantal vloeiende bewegingen in een staart achterop haar hoofd. Daarna liep ze naar de auto, stapte in en kwam even later weer terug met een brandende sigaret tussen haar lippen.

'Ze rookt.'

Luddes stem klonk om de een of andere reden zelfgenoegzaam.

'Dat doen ze hier allemaal, kijk uit,' De Geus drukte zijn bovenlichaam dieper in het gras, 'weg met die kijker.'

De vrouw had zich omgedraaid. Ze keek naar boven. Ludde zoomde in.

'Hooguit één meter zestig, spijkerbroek, houthakkershemd, cowboylaarsjes met flinke hakken en joekels van ronde gouden oorbellen.'

'Creolen noem je die. Straks ziet ze je.'

'Dat lijkt me sterk.'

De vrouw bleef nog een tijdje staan. Haar rechterhand rustte op haar riem. Vanaf de vingers van haar linkerhand kronkelde rook omhoog.

'Ze heeft een pistool,' zei Ludde, 'dat zul je bij ons niet snel zien als je een eindje gaat wandelen.'

De Geus stootte hem weer aan.

'Daar heb je de leeuwerikenjager.'

Aan de rand van het weiland stond een man. Hij droeg een baseballpet en was gekleed in iets wat deed denken aan een uniform. In zijn rechterhand had hij een geweer. Een hoge, slanke hond liep snuffelend naast hem. Ludde gaf de verrekijker aan De Geus.

'Kijk jij eens, er is iets met die man, iets met zijn gezicht, maar ik kan door die pet niet goed zien wat.'

'Ze kennen elkaar,' De Geus pakte de verrekijker aan, 'hij loopt naar haar toe.'

De vrouw gooide haar sigaret op de grond en trapte die uit met de hak van een van haar laarsjes.

'Lastig rijden met dat soort hakken, lijkt me,' De Geus gaf de kijker weer terug, 'ik snap wat je bedoelt met die man, maar ik zie het ook niet precies.'

'Zou hij weten dat we hier zijn?'

De Geus schoof verder naar voren.

'Dat hij ons gezien heeft, bedoel je?'

'Ja, toen hij op jacht was naar leeuweriken,' Ludde zette de verrekijker weer tegen zijn ogen, 'met een oude Mauser.'

Hij volgde de man en de vrouw die niets tegen elkaar leken te zeggen toen de man om de auto heen liep en het portier opendeed. De hond keek recht omhoog, Luddes verrekijker in, tot de man floot en het dier onwillig omkeek, in beweging kwam en naar binnen sprong. De man nam plaats op de passagiersstoel. Ook de vrouw stapte in. Toen ze weg waren, keerde de stilte weer terug, heel af en toe onderbroken door het geluid van de Lada die de berg afreed.

'Ben je hier binnen geweest toen je bezig was met dat onderzoek?'

Ludde bukte zich naar het slot in de deur.

'Nee.'
De Geus plukte een aardbei en stak die in zijn mond.
'Lekker?'
'Waterig. Ik heb een paar keer ergens daarboven gezeten, op een bankje onder een paar cipressen,' De Geus wees hoger de vallei in, 'foto's genomen, logboek bijgehouden, dat soort dingen. Ik dacht toen dat ik Bekker had, maar het was allemaal voor niets.'
Ludde wees naar het slot.
'Techniek uit het jaar nul.'
Hij deed de rugzak open, pakte een zaklantaarn, scheen in het sleutelgat en keek daarna op naar De Geus.
'Ik heb een kromme spijker of zoiets nodig, in die bonenstaken zaten er een paar.'
De Geus liep de tuin in en kwam even later terug.
'Is deze goed?'
Ludde schoof de spijker in het slot en sloot zijn ogen. Zijn vingers maakten draaiende en trekkende bewegingen. Het slot knarste. Hij stopte, scheen weer naar binnen en prutste verder tot hij ging staan en de klink omlaag duwde. De Geus gromde waarderend en stapte een portaal binnen waarop drie deuren uitkwamen.
Achter de eerste deur, direct rechts, liep een trap naar boven. Achter de tweede deur zat een keuken. De derde deur, recht voor hen, leidde naar een ruime kamer, waarin een eettafel met zes stoelen stond. Tegen de wand van de keuken was een kleinere ruimte afgeschoten waar je alleen kon komen door je langs een bank te wurmen die ook de weg naar de schuifdeuren naar het terras blokkeerde. Het stucwerk van de muren in het portaal was in cirkelende patronen doortrokken met bruinrode vlekken, alsof iemand daar ooit bloedend tegenaan naar beneden was gezakt. De Geus liep naar de keuken. Ludde kwam naast hem staan, pakte een klein leerachtig lapje van het aanrecht en draaide dat in zijn vingers om. Tussen de stekels aan de achterkant kroop een wriemelende massa maden.
'Everzwijn.'
De Geus trok een vies gezicht. Ludde gooide het stukje huid naar buiten, veegde zijn vingers af aan zijn broek en liep de trap op naar de eerste verdieping waar vier kamers waren. Aan twee daarvan was nog te zien dat ze ooit deel hadden uitgemaakt van een bordeel omdat de hoeken van de muren waren opgevuld met gestold purschuim dat daarna met goudverf was overdekt. Op de grond lagen matrassen. In de derde ruimte was provisorisch een douche gebouwd. In de grootste

kamer, aan de achterkant van het huis, stond een houten bureau waarachter, in een hoek, een wastafel hing waarin een oranje kunstpenis lag. Een raam gaf uitzicht op het terras en het gemaaide grasland. De Geus kwam binnen en ging aan het bureau zitten.

Ludde liep weer naar beneden, de tuin in. Een hagedis schoot weg tussen de stenen, die in een rij het pad afzoomden dat van het huis naar de weg liep. De rookpluim beneden in de vallei was verdwenen. Hij pakte zijn telefoon, opende een landkaart en zag dat het dichtstbijzijnde huis ongeveer een kilometer lager in de vallei lag, het eerste van een reeks naar het leek willekeurig over de bergrug verspreide woningen, die dieper in het dal dichter op elkaar waren gebouwd, tot ze een dorpje vormden met een kerkje in het midden waarvan het plein aan de zuidkant tegen een riviertje lag.

Ludde volgde het weggetje verder naar boven tot hij rechts een groepje cipressen zag, een tiental meters vanaf de weg. Ook hier was het pad overwoekerd met bramen. Onder de cipressen stond een houten bankje. Ludde ging zitten, hij zweette. Boven de vallei zweefde een roofvogel, een eindje omhoog, een eindje naar beneden, zonder dat iets erop wees dat hij aanstalten maakte om iets te gaan vangen. Na een tijdje liep Ludde terug naar het huis. De Geus zat nog achter het bureau. Ludde ging achter hem staan en keek naar het stapeltje papier dat voor De Geus lag.

'Iets gevonden?'

'Nee.'

'Je cipressen en je bankje staan er nog. Een goed observatiepunt, je kunt vanaf daar alles prima zien.'

'Ja, niet dat het veel geholpen heeft.'

'Zullen we hier vannacht maar slapen? Ik vind het te ver om terug te lopen. Ze hebben alles hier, een keuken met een gasfles en zelfs een douche, op regenwater.'

'Ik ga niet zomaar in iemands huis slapen. We kunnen wel buiten gaan liggen, het is warm genoeg.'

Ludde draaide zich om.

'Prima, ik ga nog even op de tweede verdieping kijken.'

De tweede verdieping was bereikbaar via een smalle, maar goed begaanbare trap die naar een halletje met twee deuren leidde. Ludde opende de deur aan zijn linkerkant. De kamer lag direct onder de kap. In het schuin oplopende dak zat een tuimelraam. Tegen een rechte wand die de verdieping in tweeën splitste stond een stapelbed met op elk van de matrassen een opgevouwen slaapzak.

Ludde liep naar het halletje, opende de tweede deur en ging een kamer binnen die leeg was, op een tafel na waarop een fles whisky en twee flessen slivovitsj stonden. Op de vloer lag hoogpolig tapijt dat alleen rond de tafel iets versleten was. In de lucht hing een zweem van parfum, samen met een sterkere leergeur die afkomstig was van een aantal riemen dat samen met een bos felgekleurd touw onder het tuimelraam lag dat ook hier in het schuine dak was aangebracht.

Er was een lichte wind opgestoken die de bladeren in de boomkruinen liet ritselen, wat samen met de onophoudelijk tsjirpende krekels een deken van klein geluid over het huis legde. De nachthemel was een zee van sterrenlicht waarin de nog lichtere band van de Melkweg als een ereboog de hellingen van de vallei met elkaar verbond. Het was warm.

Ludde tuurde vanuit de moestuin het dal in, waar hij iets meende te horen, maar het geluid, als het er al was, werd vanachter uit de tuin verstoord door het gesnurk van De Geus.

Hij geeuwde, maar hield daarmee op toen hij zich bewust werd van een zoetige parfumgeur die ergens achter hem vandaan kwam. Hij draaide zijn hoofd om, maar bevroor in die beweging toen hij de loop van een pistool in zijn nek voelde. De pink van zijn linkerhand begon te tintelen. Er bewogen voeten. De loop verdween. De geur dreef bij hem vandaan. Tegen de sterrenhemel tekende zich een menselijke schaduw af waarvan het hoofd nog donkerder was omdat vanaf daar lange krullende haren naar beneden vielen.

'De autovrouw,' mompelde Ludde.

De vrouw schoof haar schoudertas opzij. Het pistool in haar hand weerkaatste het licht van de nacht.

'Wie bent u?'

Ze sprak Engels.

'Ik ben toerist.'

'En uw snurkende vriend ook?'

'Ja.'

'Wat doet u hier?'

'Overnachten,' Ludde probeerde de indruk te wekken dat hij het normaal vond om in het donker tegen een onbekende vrouw te praten die een pistool in haar hand had, 'we dachten dat dat geen kwaad kon bij een verlaten huis.'

'Een verlaten huis dat u zo interessant vond dat u de deur forceerde.'

Het snurken van De Geus brak plotseling af. Hij riep iets. De vrouw deed een paar passen achteruit, maar hield de loop van haar wapen op Ludde gericht. Ze keek om. Ludde ging staan.

'Blijf.'

In de stem van de vrouw klonk geen spoor van onzekerheid. Ze wachtten. Ludde keek voor zich uit. Vanuit de tuin klonken stemmen, de stem van De Geus, en een stem die ongetwijfeld bij de man hoorde die ze die middag hadden gezien. De vrouw had net een sigaret opgestoken toen De Geus met zijn kleren in zijn hand verscheen. Achter hem liep de man, maar iets langer dan de vrouw. Ze vertrok haar mond in een lachje toen ze zag dat De Geus zijn kleren voor zijn kruis hield.

'Kleed je aan.'

De Geus draaide zich om en pakte zijn onderbroek. De vrouw haalde twee paar handboeien uit haar schoudertas en gooide die naar Ludde.

'Om je enkels, en daarna bij je vriend.'

Ludde deed wat ze zei.

De Geus en Ludde zaten naast elkaar met hun rug tegen de muur op een paar meter afstand van de man die zich in het donker van de begroeiing aan de overkant van de weg terug had getrokken. Op het rechte stuk van de weg kwam de Lada snel dichterbij.

'Ik dacht net al dat ik een auto hoorde,' Ludde fluisterde, 'maar jij snurkte zo hard dat ik het niet zeker wist. Ze zullen hem wel verder naar beneden geparkeerd hebben, in die bochten verderop, en het laatste stuk hebben gelopen.'

De Geus reageerde niet. Ze wachtten alle drie zonder iets te zeggen tot de auto stopte en de man de achterklep opendeed. Hij maakte een wenkend gebaar met zijn pistool. Ludde en De Geus kropen gehandicapt door de boeien om hun enkels moeizaam de auto in, waar de geur van natte honden hing. Ze reden weg. Ludde werkte zich omhoog over de laadvloer waarop ooit een bank had gestaan, tot hij met zijn rug tegen de zijwand zat. De auto slipte door een scherpe bocht naar rechts, vrijwel direct gevolgd door een bocht naar links. De Geus sloeg met zijn hoofd tegen de achterklep. Hij vloekte. De vrouw aan het stuur keek om. Haar krullen zwaaiden mee met de beweging van haar hoofd. Nadat ze weer voor zich keek, stak ze een sigaret tussen haar lippen en gaf zichzelf vuur. De Geus hoestte omdat hij het ook nu niet kon nalaten om duidelijk te maken dat hij last had van de rook.

'Ze heeft ons vanmiddag toch gezien, denk ik,' Ludde keek enigszins schuldbewust naar De Geus, 'je had gelijk.'

De Geus gromde iets wat niet vrolijk klonk.

'Of misschien kwam het door die hond, dat die ons doorhad.'

De man draaide zich om. Zijn stem klonk rauw.

'*Shut up*.'

De auto reed door het licht van een lantaarn en sloeg direct daarna linksaf een weggetje in dat uitkwam bij een onverlichte schuur naast een eveneens onverlicht huis. Vanachter de schuur kwam de hond tevoorschijn die soepel als een panter naar de auto rende.

De man stapte als eerste uit. Hij leek een jaar of zestig, hoewel dat moeilijk te bepalen was omdat zijn gezicht in de schaduw van zijn pet verborgen bleef. Toen de vrouw de achterklep opende drong de hond haar opzij, zette zijn voorpoten op de bumper en stak zijn kop naar binnen, waarop de vrouw iets zei dat klonk als een bevel, de hond zich terugtrok en de vrouw haar vingers achter zijn halsband stak. Ludde zette zijn voeten naast elkaar op de grond. De Geus verscheen naast hem. Ludde ging staan. De hond gromde, rukte zich los en sprong. De nagels van zijn voorpoten krabden in Luddes ribben, de bek ging naar zijn gezicht. De vrouw zei weer iets, rustig. De hond jankte, liet zich zakken en ging weer zitten. De vrouw lachte opeens een zilveren lach. Ludde voelde zich kalm worden.

De man deed zijn pet af. Ludde keek geschokt naar De Geus, maar die leek niet te zien wat hij had gezien omdat hij zijn aandacht op de boeien rond zijn enkels had gericht. Het licht kwam van een enkel peertje aan een snoer in het midden van de kamer. De luiken voor de ramen waren dicht. De vrouw liep naar een kastje waaruit ze een fles en drie glaasjes pakte. Ludde dwong zichzelf opnieuw te kijken. De man keek terug met zijn linkeroog, het oog dat nog intact was. De rechterkant van zijn gezicht was een verwrongen veld van littekens, waarin zijn andere oog dood voor zich uitkeek. Om zijn aan de mismaakte kant van zijn gezicht vrijwel verdwenen lippen rimpelde een grimas die overging in een afwerend lachje.

Hij pakte de fles uit de handen van de vrouw, nam een slok en gaf haar de fles terug, waarna ze naar de tafel liep. Haar gezicht was een combinatie van Slavisch en iets wat nog verder uit het oosten stamde, waardoor ze iets zigeunerachtigs kreeg. Ze schonk de glazen vol, liep de kamer uit en kwam terug met een glas water voor zichzelf. De Geus leunde naar voren.

'*What do you want from us, we are tourists*.'

De vrouw zette haar glas neer.

'*Drink*,' zei ze, '*and tell me what you did in our house*.'

De Geus stak zijn enkels uit.

'Eerst deze los.'

De man schoof een stoel naast Ludde. Hij legde zijn pistool voor zich neer, zette een vinger naast de loop en draaide het pistool langzaam rond. Ook hij sprak Engels.

'We willen hier geen toeristen.'

Zijn stem klonk verrassend beschaafd.

De vrouw ging naast hem zitten. Ze nam het woord over.

'En helemaal niet als ze liegen. Drink.'

Ludde bracht zijn glas naar zijn mond. Een warme gloed zakte achter zijn ribben naar beneden.

'Wat moesten jullie in ons huis?'

'Slapen.'

De Geus' stem gromde van ongenoegen. Over de mismaakte wang van de man trok een zenuwtrek, waardoor, als bij een boze hond, een gedeelte van zijn gebit zichtbaar werd. Ludde sloeg zijn ogen neer.

'Wie zijn jullie?'

'Toeristen.'

Weer was het De Geus die antwoordde. De vrouw ging zitten. Ze nam een slokje water en pakte een sigaret. De Geus kuchte overdreven.

'Jullie maakten in het bos meer herrie dan een duif in een appelboom.'

De stem van de man klonk spottend.

'We zijn allebei ex-militair,' Ludde probeerde zijn ogen van het gezicht voor hem af te houden, maar toch flitsten ze steeds weer over de verwrongen huid, 'we waren hier in de jaren negentig als militair, we wilden herinneringen ophalen.'

'Fijne tijd om herinneringen aan op te halen. U liegt alweer. Als het waar is wat u zegt, forceer je niet de deur van andermans huis. Dat huis is van mij. Jullie liepen daar rond om elk hoekje te leren kennen.'

De Geus keek naar zijn onaangeroerde glas. Ludde stelde een vraag die hem zelf verbaasde.

'Bent u Petar Jović?'

De vrouw morste toen ze haar glas te hard neerzette. De Geus keek in verwarring op. De littekens in het gezicht van de man werden paarsrood.

'Wat moet u met Petar Jović?'

'We zoeken hem.'

'In mijn huis?' de man leunde agressief voorover, 'wat weet u van Jović en ons huis?'

De vrouw leek gespannen op een antwoord te wachten. De Geus keek Ludde waarschuwend aan voor hij het woord overnam.

'Ik heb dat huis geobserveerd in jullie oorlog,' zei hij, 'ik was nieuwsgierig of het er nog was.'

'Onze oorlog, wat heeft onze oorlog met Petar Jović te maken?'

'Niets.'

'En omdat het niets betekent, noemt je vriend die naam.'

De Geus trok zijn benen ongeduldig naar zich toe. De ketting rinkelde. De hond op de deurmat keek op.

'Mijn vriend weet niet wanneer hij iets moet zeggen en wanneer hij zijn mond moet houden.'

'Ik weet precies wat ik zeg,' Ludde keek naar de vrouw die zich voorover had gebogen, 'dat huis is van jullie, zei je.'

'Ja.'

'In de oorlog werd het gebruikt door iemand die wij kennen als Petar Jović. Hij deed toen zaken met een kennis van ons, Aldwin Bekker. Bekker heeft ons gevraagd of we hier iets voor hem uit willen zoeken. Aangezien dat huis van jullie is, moet hij Jović zijn.'

Ludde wees naar de man die nog steeds met het pistool speelde.

'En wat is dat iets?'

'Dat vertel ik zodra ik weet of hij Jović is.'

'In welke relatie staat u tot Jović?'

'Geen enkele.'

'En die man over wie u het had, in welke relatie staat die tot Jović?'

'Bekker. Wat ik zei, in de oorlog deden ze zaken.'

'Wat voor zaken?'

'Ik zou het niet weten.'

'Waarom doorzochten jullie ons huis?'

'We wilden weten of Jović daar woonde.'

'En om dat te weten te komen, braken jullie in. Als je zo veel risico neemt, moet dat iets wat je voor die Bekker uit moet zoeken wel erg belangrijk zijn.'

'We braken niet in, er is niets kapot.'

De man pakte het pistool op. Ludde hield zijn mond.

'Toen wij vanmiddag wegreden wisten we natuurlijk dat jullie boven in dat weiland lagen. Ik ben onderweg uitgestapt,' de loop van het pistool ging omhoog, 'ik heb gezien hoe jullie binnenkwamen, en dat was niet met een sleutel.'

Ludde keek hulpzoekend naar De Geus, maar die staarde achterover gezakt met zijn armen voor zijn borst stuurs voor zich uit.

'We hoopten op een aanwijzing waar we Jović zouden kunnen vinden.'

'De Jović die wij kennen,' de vrouw trok al pratend de arm van de man naar zich toe, pakte het pistool uit zijn hand en legde dat voor zich neer, 'is een schoft.'

De man schoof zijn lege glas naar de vrouw die de kurk uit de fles trok. Ludde tikte tegen het onbewaakte pistool zodat het een kwartslag draaide en stak zijn hand uit.

'Ludde,' zei hij, 'Ludde Menkema, boer.'

De man greep Luddes hand en hield die vast. Toen stak hij zijn glas in een maniakaal gebaar omhoog. Ludde deed hetzelfde. Ze klonken. De Geus leunde nog steeds achterover, alsof hij niets met de situatie te maken wilde hebben. Ludde knikte naar het pistool.

'Ik had ook dat ding kunnen pakken, u bent Jović dus niet.'

De vrouw legde het pistool in de schoot van de man.

'De hond had u vermoord voor u iets had kunnen doen. En hij,' ze knikte naar de man, 'is inderdaad Jović niet, en u, wie bent u?'

'Ex-militairen.'

De vrouw bleef, ondanks het feit dat De Geus haar antwoordde naar Ludde kijken.

'U zei dat u iets moest regelen voor een vriend.'

'Bekker, geen vriend. Bekker is ook een schoft.'

'En u werkt voor hem.'

'Niet helemaal.'

'Net zei u iets anders.'

'Toen dacht ik dat hij Jović was.'

De vrouw dacht een paar seconden na, lachte toen haar aanstekelijke lachje en stak haar hand uit.

'Ik heet Mirjana,' ze wees opzij, 'en mijn vader heet Miloš. Miloš Pavić. En uw vriend?'

Ludde schopte tegen het been van De Geus.

'Kom op, dit is je werk niet waar jij kan bepalen hoe het gaat.'

De Geus haalde diep adem en stak zijn hand uit.

'De Geus.'

'Politieman?'

De Geus keek de vrouw die Mirjana heette verbouwereerd aan.

'Hoe komt u daarbij?'

'U ziet eruit als een politieman.'

'Ik zie eruit als een politieman. Waarom?'

'Omdat u van die afwachtende, afstandelijke ogen hebt.'

'Afstandelijke ogen,' De Geus tilde zijn voeten op en wees naar de handboeien, 'nu we elkaar kennen, mogen deze dan eindelijk af?'

Pavić stak het pistool omhoog en schoot in het plafond. Er dwarrelde kalk naar beneden, waarna er niemand meer bewoog tot Ludde voorzichtig zijn doosje sigaartjes uit zijn zak pakte en dat voor zich neerlegde, een handeling die door de vrouw nauwlettend werd gevolgd. Miloš Pavić richtte het pistool op De Geus.

'Ik mag jou niet,' zei hij, 'iemand die een aangeboden glas weigert, vertrouw ik niet, je vriend weet tenminste hoe het hoort.'

De loop wees naar Ludde. De Geus stak een hand uit, pakte zijn glas en dronk. Mirjana lachte haar tinkelende lach die ze kennelijk onder alle omstandigheden tot haar beschikking had, sprong toen op en liep de kamer uit om even later terug te komen met een tabletcomputer.

'De Geus, hoe schrijf je dat?'

Ludde trok de tablet naar zich toe.

'Ik doe het wel. Het klopt dat Henri een Nederlandse politieman is. Het klopt dat we beiden ex-militair zijn. Ik woon in Duitsland,' hij schoof de tablet terug, 'kijk maar, het is in het Engels.'

'Henri de Geus.'

Mirjana las mompelend verder. Na een tijdje keek ze op.

'Chef van een antiterrorisme-eenheid in Groningen, Nederland. Weduwnaar. Negenenvijftig.'

De Geus nam een slokje uit zijn glas.

'Klopt.'

Mirjana gaf de tablet aan Ludde.

'Nu jij.'

Ludde tikte zijn naam in. Mirjana begon weer hardop te lezen.

'Ludde Menkema,' zei ze, 'getrouwd met die beroemde Afghaanse. Zelf bekend wegens een vlucht uit Nederland en het aanvragen van politiek asiel in Duitsland.'

Ludde knikte.

'Alles goed en wel,' Pavić richtte zich tot Ludde, 'maar wat komen jullie hier doen?'

'We hebben aanwijzingen dat dat huis boven in de vallei door Jović en Bekker wordt gebruikt voor vrouwenhandel. We willen kijken of dat zo is.'

Mirjana liet zich naast De Geus zakken, maakte de boeien rond zijn enkels los en schoof daarna door naar Ludde. De hond tilde zijn kop op toen Pavić de luiken opendeed, maar toen die terug naar de tafel liep, liet hij geeuwend zijn kop weer zakken. Het morgenlicht stroomde samen met koude lucht en het geluid van krekels naar binnen. De Geus keek met sombere alcoholisch-waterige ogen naar Mirjana toen ze begon te praten.

'Drie dronken mannen,' zei ze, 'wat een ongekende luxe.'

'Op de nuchtere vrouw,' Ludde tilde zijn glas op, 'Jović heeft dus jullie huis ingepikt in de oorlog.'

'Ja,' de rook van Mirjana's sigaret waaide in een lange sliert weg door het raam, 'namens het leger. Ze gebruikten het als commandopost.'

'En als bordeel.'

'Ja, en als bordeel. En hij gebruikt het nog steeds.'

Pavić onderbrak haar met een trage naar woorden zoekende stem.

'Wat schandelijk is omdat mijn voorouders hier al woonden voor de slag op het Merelveld.'

'Niet dat verhaal, alsjeblieft,' Mirjana legde hem met een klein gebaar het zwijgen op, 'na de oorlog wilde Jović het huis niet teruggeven. We hebben alles geprobeerd, tot aan de rechtbank aan toe, maar die besloot anders.'

'Omdat de rechters corrupt zijn.'

Pavić schonk zijn glas weer vol. Mirjana liep naar het raam, gooide haar sigaret naar buiten en kwam weer terug.

'Hij gebruikt het soms voor feestjes,' zei ze, 'zo'n twee keer per jaar. Dan komen ze hier 's ochtends langs, en dan is het de rest van de dag herrie, schieten, muziek, noem maar op, tot diep in de nacht.'

'Misschien zijn dat de momenten waarop Bekker hier zijn meisjes komt halen, zoiets zei Van Aammen toch?' Ludde keek vragend van De Geus naar Mirjana, 'heb je ooit een Nederlandse auto gezien bij die feestjes?'

'Niet dat ik weet, maar ik heb er ook niet op gelet.'

Mirjana hield op toen Pavić ineens zijn stoel naar achteren schoof. De fles in zijn hand danste door de lucht. Zijn stem leek te verdrinken in alcohol.

'Dus ik heb hier twee Nederlandse militairen.'

'Ex-militairen.'

'Jochies...' het morgenlicht tekende schaduwen achter de rimpels op Miloš' gezicht wat het sarcasme in zijn stem versterkte, 'jochies die ons kwamen vertellen wat we moesten doen om vervolgens piano te gaan spelen.'

'Is dat zo?'

De Geus kwam overeind uit zijn sombere houding.

'Ja, dat is zo.'

'Je kunt beter pianospelen dan je buurvrouw verkrachten.'

Pavićs hand ging naar het pistool in zijn broeksband. Ludde stak zijn handen op in een poging de twee mannen te bedaren, maar De Geus deed er nog een schepje bovenop.

'Nadat je eerst haar man hebt vermoord.'

Miloš Pavić liet zijn armen naast zijn lichaam vallen. Er stroomden tranen over zijn wangen. De Geus liet zich geschrokken terugzakken in zijn stoel.

'Hou op,' Mirjana tikte met haar lege glas op de tafel, 'iedereen heeft zijn eigen waarheid.'

Pavić veegde over zijn ogen, lachte ineens en tikte met zijn glas de andere glaasjes aan.

'Op de doden,' zei hij, 'en op de klootzakken die hun rekening nog moeten betalen.'

De Geus keek met troebele ogen naar de spijkerbroek die om Mirjana's billen spande terwijl ze met haar bovenlichaam uit het raam leunde. Het licht in de kamer kleurde rood in de eerste zonnestralen. Miloš Pavić zat kaarsrecht in zijn stoel met zijn handen plat voor zich naast de handboeien op de tafel. De Geus maakte zijn ogen los van Mirjana, keek even naar Ludde die zat te slapen, pakte een fles, keerde die om, wachtte tot er een druppel slivovitsj op zijn hand was gevallen en likte die op.

'Weet je,' Mirjana's stem klonk monotoon vanaf het raam, 'ik haat alles aan die tijd en ik haat Jović.'

Ze liep naar haar vader die haar handen pakte. De Geus zwaaide onhandig met de fles.

'Wij zullen je helpen, Mirjana,' zijn stem zocht zich struikelend een weg over zijn woorden, 'en jij helpt ons.'

ZONDAG

Toen er vanuit het huis keukengeluiden begonnen te klinken en de geur van koffie en geroosterd brood de slaapkamer binnendreef, werd De Geus wakker met pijnlijke spieren en een bonkend hoofd. Hij kwam zacht vloekend overeind, kleedde zich aan, ging naar beneden en pakte de stoel waarop hij ook de avond daarvoor had gezeten. Mirjana had alle ramen opengezet.

'Je kunt wel wat koffie gebruiken, zo te zien.'

De Geus keek haar schuldbewust aan.

'Graag, te veel gedronken.'

Ze zette koffie voor hem neer.

'Maar eerst dronk je niet.'

'Ik had al een jaar niets gehad.'

'Ben je alcoholist?'

'Officieel niet, maar in de praktijk wel.'

'Kun je zonder?'

'Wat heet. Iets in mij wil nu alweer een borrel.'

Mirjana zette een mandje met brood en een stuk kaas op de tafel. Ze ging naast De Geus zitten.

'Eet eerst maar. Wat gaan jullie doen vandaag?'

De Geus pakte een geroosterd broodje.

'Geen idee. En jij?'

'De dag is al bijna voorbij.'

'Waar is je vader?'

'Jullie spullen halen.'

'Kunnen we hier blijven?'

Mirjana schonk zichzelf koffie in.

'Als onze afspraak van vannacht nog geldt, ja.'

'De afspraak dat wij van hieruit jullie huis boven mogen observeren, en dat wij jullie helpen jullie huis terug te krijgen.'

'Of nog liever ons afhelpen van Jović.'

'Die afspraak geldt.'

'Zodat we onze spoken uit de oorlog op kunnen ruimen.'

'Oorlog.'

De Geus herhaalde het woord peinzend, zonder er iets speciaals mee te bedoelen.

'Ja, oorlog,' Mirjana trok een stuk van een broodje en stak dat in haar mond, 'de ultieme smoes voor mannen om te kunnen moorden en verkrachten.'

'Ik ben bang dat dat bij onze soort hoort. Hoe oud was jij toen?'

'Alleen bij de mannelijke helft van de soort. Ik was elf, twaalf, dertien, veertien.'

Mirjana ging nerveus weer staan, liep naar de keuken en kwam terug met een mandje aardappelen.

'Ik hoop dat jullie iets kunnen doen.'

'Dat hoop ik ook.'

'Alles wat niet goed is voor Jović is goed voor ons.'

'Waarom haat je hem? Om het huis?'

Mirjana legde een geschilde aardappel naast het mandje.

'We krijgen het niet terug omdat de rechter zei dat het nog militaire waarde had.'

'Volgens je vader was die rechter corrupt.'

'Jović heeft hem omgekocht.'

'Hoe weet je dat?'

'Dat weet ik niet, dat denk ik,' Mirjana pakte een volgende aardappel, 'en die gedachte is nog logischer geworden na jullie verhaal dat hij er net als in de oorlog nog zaken afhandelt.'

'Toen het een bordeel was.'

'Ja, klandizie genoeg. Het front lag maar een paar uur verderop, veel mannen van huis. En Jović heeft de pest aan mijn vader, dus alleen daarom al zal hij ons dwarszitten waar hij dat kan.'

'Ook om het huis?'

'Om mijn vader zelf. Types als Jović hebben een hekel aan mensen die er in een oorlog nog enige moraal op nahouden, moraal is het eerste wat sneuvelt als de beesten de baas worden.'

De Geus knikte berustend.

'Ik heb toen veel gezien,' zei hij, 'en Ludde ook. Meer slachtoffers dan beesten als je het mij vraagt.'

'Er zijn altijd meer slachtoffers dan beesten, aan welke kant van het front je jezelf ook terugvindt. Ineens moest je toen iets zijn. Bosniak, Serviër, Kroaat.'

'Wat is een Bosniak?'

'Een Bosniër die meestal moslim is, maar vaak ook niet, en ik wist al helemaal niet wat ik was omdat de Pavićs Serviërs zijn, en mijn moeder moslim.'

'En dat beviel hen niet.'

'Dat werd lastig. Ze moesten mijn vader sowieso niet. Hij deed in het leger de dingen te veel op zijn eigen manier.'

'In het leger?'

'Ja, mijn vader was beroepsmilitair,' Mirjana stak de punt van haar mes met enige kracht in een aardappel die dreigde weg te rollen, 'en Jović was een mannetje dat van hooligan militair werd, of wat je een militair noemt.'

Ze keek omhoog naar het plafond

'Je vriend is wakker. We hebben het er nog wel over.'

Vanuit de boomgaard kon je het verlaten huis hoog tegen de helling zien liggen. De Geus zat op een ruwe plank die met grote spijkers op twee in de grond geslagen paaltjes was vastgezet. Zijn ogen stonden dof.

Ludde liet zich in het gras zakken.

'Is er iets?'

De Geus keek opzij.

'Alcohol, ik heb het gevoel dat ik opnieuw moet beginnen. Bacchus is weer wakker. Je had me tegen moeten houden.'

'Ik ben mijn broeders hoeder niet. Als je Bacchus niets geeft, valt hij wel weer in slaap.'

'Ja, vast wel. Heb jij daar geen last van?'

'Dat ik alcohol nodig heb? Nee.'

'Zodra ik maar aan alcohol denk, smiespelt er iemand in mijzelf slimme smoesjes om me toch een slokje te laten nemen.'

'En dan?'

'Dan zeg ik dat je vanaf het moment dat de alcohol je geen plezier meer geeft, je er ook niet meer van afkomt. Ik heb net nog een tijdje met Mirjana zitten praten.'

Ludde legde zijn hand weer boven zijn ogen om tegen de zon in te kunnen kijken.

'Ik hoor een auto.'

'Dat zal Pavić zijn, die haalt onze rugzak. Het is in ieder geval duidelijk dat ze de pest aan Jović heeft. En Pavić was beroepsmilitair. Daar heb je haar.'

Ludde floot zacht tussen zijn tanden toen Mirjana gekleed in een zomerjurk naast De Geus ging zitten. Het laatste restje van de zon verkleurde naar diep oranje. In de wolkenloze hemel boven het huis verschenen de eerste sterren. Mirjana stak haar benen voor zich uit, legde haar enkels over elkaar, trok de zoom van haar jurk een paar centimeter omhoog en vouwde haar handen over haar buik waarna ze ongegeneerd geeuwde. Vanonder de bomenrand, een kleine honderd meter hogerop, kwam de Lada tevoorschijn. De kop van de hond stak met flapperende oren uit het geopende raam. Mirjana schoof haar jurk terug over haar knieën. Pavić reed het erf op. De hond wurmde zich uit het raampje, sprong op de grond, rende met lange sprongen de tuin in en legde zijn kop in Mirjana's schoot die haar hand tussen zijn oren legde en hem liefkozend begon te krabben.

De foto's op het scherm van Mirjana's tablet waren in het daglicht slecht te zien. De Geus schoof het glaasje dat Pavić voor hem had neergezet opzij en schulpte zijn twee handen om de tablet. Mirjana verdeelde de inhoud van zijn glas over de andere glaasjes. Toen Ludde haar begrijpend aankeek duwde ze haar haren achter haar oren. De Geus tikte op het scherm. De diavoorstelling stopte.

'Wanneer zijn deze genomen?' hij maakte een spreidgebaar met zijn vingers zodat hij op de laatste foto inzoomde, 'pas geleden?'

Mirjana schudde haar hoofd.

'Nee, dat was zeker een halfjaar terug.'

'Deze auto is Nederlands.'

De Geus draaide de tablet naar Ludde. Op de foto stond een grote zwarte auto met een hoge, in blokjes verdeelde grille waaronder een gedeelte van een gele nummerplaat met een NL-teken was te zien.

'Bekker?'

'Zou kunnen, het is wel het soort auto waar je hem in zou verwachten, zo'n agressieve Chrysler.'

'Dat kenteken kan Van Aammen mooi voor ons natrekken, dan weten we snel genoeg of die auto van Bekker is of niet.'

'Wie is Van Aammen?'

Mirjana keek vragend naar De Geus.

'De collega bij de politie die in Nederland op deze zaak zit. Ik stuur dit kenteken straks naar hem toe,' De Geus bladerde terug tot hij bij een andere foto van een witte auto met een open dak kwam en hield de tablet zo dat Mirjana kon zien wat hij bedoelde, 'ken jij deze mensen?'

Mirjana legde haar vinger op het scherm.

'Die aan het stuur is Jović. Die lange man naast hem is zijn compagnon, Suad. Die meisjes achterin ken ik niet. Er zijn altijd meisjes, en het zijn altijd andere.'

De Geus keek naar Mirjana die een lichte blos op haar wangen had en lachte naar haar. Ze lachte terug. Pavić leek ineens uit een droom te ontwaken.

'Wat deed jij in de oorlog?'

De hand waarmee hij naar Ludde wees trilde.

'Ik zat bij de marechaussee,' antwoordde Ludde, 'een soort militaire politie.'

'We moesten ervoor zorgen dat onze jongens in het gareel bleven,' De Geus nam het van Ludde over, 'en dat viel niet altijd mee. Veel van die jongens waren nog nooit verder geweest dan een camping in Frankrijk en hier kwamen ze in een horrorfilm terecht, zo erg als ze thuis nog nooit in de dvd-speler hadden gestopt.'

'Waren jullie in Srebrenica?'

'Ik niet, Ludde wel.'

Pavić keek weer naar Ludde.

'Ik was daar een paar dagen voor een onderzoek.'

'En wat heb je gezien?'

'Niets om trots op te zijn.'

'Zoals?'

'Zoals dingen waar ik het niet over heb.'

'Had dat onderzoek te maken met die man waar je het net over had?'

'Aldwin Bekker. Nee.'

'Waarom noemde je hem gisteravond dan?'

'Daar hadden we het toch al over? Hij misbruikte meisjes in de oorlog, ook in jullie huis daar,' Ludde gebaarde naar boven, de vallei in, 'Jović zorgde voor de aanvoer, hij pakte die kinderen op van de straat. We denken dat hij en Bekker dat nu nog steeds doen. Jović ronselt meisjes, Bekker smokkelt ze Nederland in, en verkoopt ze daar.'

'Hoe ziet hij eruit?'

'Een gesoigneerde man. Normale lengte. Ergens eind vijftig. Altijd maatkostuums, keurig gepoetste schoenen. Een smal gezicht met een lange kin.'

De Geus klapte de tablet dicht.

'De soldaten vonden hem op een strijkijzer lijken.'

Mirjana's hand schokte. De as viel van haar sigaret op haar broek. De Geus keek haar aan.

'Is er iets?'

Mirjana schudde haar hoofd en veegde de as op de grond.

Pavić vulde twee glaasjes. De Geus was naar bed gegaan. Mirjana zat op de bank met haar rug tegen de muur. Ze leek te slapen. Ludde proostte.

'Ik begreep dat jij beroepsmilitair was?'

'Ik was sluipschutter.'

Ludde zette zijn glas harder neer dan hij van plan was geweest. Er klonk ongeloof in zijn stem.

'Jij schoot op kinderen in Sarajevo?'

Toen hij zijn stoel naar achteren schoof deed Mirjana haar ogen open. Pavić gooide de inhoud van zijn glas achter in zijn keel en schonk zich weer bij.

'Dat waren geen sluipschutters, dat waren klootzakken die goed konden schieten.'

Mirjana liep naar hen toe.

'Mijn vader deed zijn werk,' zei ze, 'hij schakelde militairen uit, geen burgers, geen vrouwen en geen kinderen,' ze legde haar handen op haar vaders schouders, alsof ze hem tegelijkertijd steunde en steun bij hem zocht, 'zo is het toch?'

Pavić draaide zich om en richtte zijn oog dat nog werkte op zijn dochter.

'Zo is het.'

Ludde pakte zijn glas weer op. Toen hij begon te praten was duidelijk te horen dat hij aangeschoten was.

'Ik was scherpschutter, voor sluipschutter was ik niet goed genoeg,' hij richtte zich weer op Pavić, 'waarom schoot je op een leeuwerik? Om te laten zien hoe goed je bent?'

Pavićs huid trok in een spasme bij elkaar.

'Ik haat die beesten,' de woorden kropen nadrukkelijk één voor één uit zijn mond, 'waarom drinkt die maat van jou niet?'

'Henri heet hij,' Mirjana liet haar vader los, 'Henri de Geus. Ik ga naar bed.'

MAANDAG

'Niet naar bed geweest, Ludde?'

De Geus liet zich naast Ludde zakken die op zijn rug naast het bankje lag.

'Nee. Ik heb met Pavić zitten praten. Ik heb hier in het gras liggen slapen en nu ben ik kapot, eerlijk gezegd.'

Luddes gezicht vertoonde diepe plooien die vanaf zijn neusbrug over zijn wangen in een bocht naar zijn mond liepen. De Geus stak zijn benen uit in het gras.

'Je stinkt.'

'Dank je.'

'En je kop lijkt op je akker als je die net hebt geploegd.'

Ludde keek vermoeid op.

'Heb je dichterlijke aspiraties of zo. Pavić vertelde vannacht dat hij sluipschutter was.'

De Geus keek geschokt opzij.

'In Sarajevo?'

'Zo reageerde ik ook al, maar hij zei van niet, hij schoot alleen op militairen, volgens de mores van zijn beroep.'

De Geus was een tijdje stil.

'Het slaat nergens op, maar toch ben ik daar blij om,' zei hij toen, 'heb jij ooit gewerkt als scherpschutter?'

'Nee. Maar toen op de Eems kwam het goed van pas, toen ik die man moest raken, als je nog weet wat ik bedoel.'

'Dat weet ik zeker nog. Pavić is dus geen moordenaar.'

'Wat is een moordenaar? Dat hangt van je definitie af, lijkt me. Gaan we vandaag nog iets doen? Ik heb er weinig zin in om af te wachten tot Jović hier op komt duiken.'

'Misschien weet Mirjana waar hij woont.'

Ze keken beiden om toen ze achter zich het geluid van tegen elkaar rammelende kopjes hoorden. Mirjana zette een dienblad op de grond en ging ernaast zitten. De Geus leunde opzij naar de koffiekan.

'Weet jij waar Jović woont?'

Mirjana wachtte tot De Geus klaar was met inschenken.

'Waarom wil je dat weten?'

'Ludde heeft geen zin om hier te gaan zitten wachten.'

Ludde knikte.

'Ik vind dat je moet doen wat je op dat moment kunt doen als je niet weet hoe je verder moet.'

'Het klinkt niet erg zinvol, maar goed. Hij heeft een huis in een buitenwijk van Sarajevo, een paar uur lopen hiervandaan als je over de bergen gaat. En hij heeft een nachtclub in de binnenstad.'

'Ben jij eigenlijk moslim?'

Mirjana keek verbaasd naar Ludde.

'Waarom vraag je dat?'

'Omdat mijn vrouw moslim is en je moeder ook. Waar is die trouwens?'

De Geus keek van Ludde naar Mirjana die agressief een mier van haar spijkerbroek sloeg voor ze iets terugzei.

'Jullie Nederlanders staan bekend om jullie botheid, toch?' vroeg ze, 'of ben je van jezelf zo?'

Ludde keek haar ontdaan aan.

'Sorry, ik had niet door dat die vraag pijnlijk was.'

'Hij heeft een kater,' De Geus gaf een kopje aan Mirjana, 'zijn sociale antenne werkt nog niet.'

'Ik zal je antwoord geven. Ik ben geen moslim of iets anders,' Mirjana's stem klonk nu eerder onzeker dan boos, 'wat mij betreft is elk gesloten denksysteem waar je kinderen in opvoedt een misdaad, helemaal als dat systeem ook nog een god verzint die je pas na je dood in de ogen kunt kijken.'

Ludde wist niet hoe hij moest reageren. Ook De Geus zei niets. Mirjana keek een tijdje voor zich uit tot ze de lege kopjes op het dienblad zette, een hand op de knie van De Geus legde om zich omhoog te duwen en in het huis verdween. Na een paar minuten kwam ze terug.

'Het is nog vroeg,' zei ze, 'we kunnen bovenlangs naar Sarajevo lopen om te kijken of Jović er is.'

'Slaapt je vader?'

'Dat is een kat, die slaapt wanneer hij er zin in heeft. Hij is aan het jagen.'

Alsof het zo afgesproken was klonk hoog in de vallei het schot van een geweer. Ludde luisterde aandachtig.

'Knap dat hij met kogels schiet, niet met hagel.'

'Nee,' Mirjana liet voor de eerste keer die dag haar lach horen, 'hij vindt dat jagen iets moet zijn wat niet elke stelende bankdirecteur kan.'

'En dan is het voor hem ook nog moeilijker, met dat oog, hoe komt...'

Ludde maakte een gebaar naar zijn gezicht, maar werd onderbroken door De Geus die hem waarschuwend bij een elleboog pakte, 'sorry.'

'Het is al goed,' Mirjana ging zitten, 'als we langs Jović gaan, is het misschien goed te weten wie hij is.'

'Een hooligan, ooit,' zei Ludde.

'Inderdaad, hij was een voetbalvandaal van een jaar of twintig toen Grbavica, een wijk vlak buiten het centrum van Sarajevo, werd ingenomen door de Serviërs. Binnen een paar weken leidde hij een militie rond het Grbavicastadion. Hij schoot mensen neer zoals hij muggen doodsloeg. En nu loopt hij tussen de achterblijvers, die nog net zo bang zijn als toen.'

'Een echte Servische oorlogsmisdadiger dus.'

'Ja, maar vergeet niet dat hij dat alleen kon zijn omdat hij samenwerkte met de onderwereld in het centrum, de oude stad zeg maar, waar de Bosniakken zaten. Neem Suad bijvoorbeeld, zijn compagnon. Die verkocht met gigantische winst voedsel aan zijn geloofsgenoten terwijl die stierven van de honger. Het had allemaal weinig met overtuiging te maken, het ging om geld. Ze waren allebei in de eerste plaats crimineel, maffia, en pas heel veel later Serviër of Bosniak,' ze haalde een setje sleutels uit haar broekzak, 'zullen we gaan?'

Ze reden vlak voor het witte huis een pad op, dat door een dicht begroeid naaldbos naar boven liep tot ze op een terreintje aankwamen waar de bomen waren gekapt. Ze stapten uit. Mirjana liep naar een steen, tilde die op, legde de autosleutels eronder en trapte de steen weer aan.

'Dan hoeft mijn vader niet met zijn buit naar beneden te lopen,' verduidelijkte ze, 'met een beetje geluk eten we vanavond everzwijn.'

De Geus haalde een fles water uit zijn rugzak.

'Liggen hier nog mijnen?'

'Ze zijn geruimd,' Mirjana schoof een riem van haar rugzak over haar schouder en vertrok, 'maar ze kunnen er best hier en daar een vergeten zijn.'

De Geus volgde haar. Ludde wachtte tot het gebonk van de kater in zijn hoofd was afgenomen. Het eerste, steile gedeelte van het pad bestond uit een natuurlijke trap van stenen en boomwortels. Aan zijn linkerhand was een kloof. Aan zijn rechterkant klom een rotswand omhoog. Elke stap die hij deed resoneerde in zijn hoofd. Mirjana en De Geus verdwenen om een bocht. Ludde versnelde, maar algauw zakte zijn tempo weer terug. Er ging een lange tijd voorbij waarin hij zijn voetstappen moest tellen om te weten dat hij vooruitkwam, tot hij Mirjana en Henri zag die op een steen zaten te wachten op een punt waar het pad afvlakte en het bos dunner en lichter werd. Verderop lag de vallei in de volle zon. Luddes telefoon trilde. Hij ging zitten, bekeek zijn mail en pakte daarna zijn waterfles.

'Ze zijn veilig aangekomen.'

'Mooi,' de Geus wendde zich tot Mirjana, 'zijn vrouw en zijn zoontje zitten in Australië.'

'Fijn.'

Mirjana's gedachten leken ergens anders te zijn, zodat ze zwegen tot ze weer opstond. Het pad lag vol losse stenen. De vochtige warmte van het bos maakte plaats voor droge hitte. Mirjana bleef voorop lopen in een tempo waarmee ze duidelijk maakte dat haar benen in de bergen groot waren geworden. De Geus probeerde vlak achter haar te blijven, maar aan zijn gezicht was te zien dat hem dat moeite kostte. Tientallen meters lager volgde Ludde. Zijn kater was bezig afscheid van hem te nemen. De kloof verbreedde zich. Boven hem cirkelde een roofvogel. Er kroop rust in zijn lichaam. Hij stopte, deed zijn T-shirt uit, nam een slok water en liep weer verder. Zijn zwarte sluike, zoals gewoonlijk te lange haar, was nat van het zweet. De donkerbruin gekleurde roofvogel waarvan de buiten de vleugels uitstekende veren trilden op de warme lucht, zweefde nu vlak naast hem. Haar naar voren gestoken lichter gekleurde kop stond bijna bewegingsloos voor haar lichaam.

'Een steenarend.'

Ludde keek op. Mirjana stond op hem te wachten.

'Een vrouwtje.'

'Hoe weet je dat?'

'Omdat ze groter is dan het mannetje.'

'Ik zie geen mannetje.'

Mirjana schoof haar zonnebril naar beneden en keek Ludde over de rand met een gemaakt spottende blik aan.

'Je bent weer terug op de wereld merk ik, welkom.'

Ludde zette zijn fles water aan zijn mond.

Het pad, dat in de breedte tot ongeveer een meter was gekrompen, liep nu vrijwel horizontaal langs de bergwand. Ludde neuriede. Tussen hem en de beide anderen achter hem nam de afstand toe. Het pad maakte een bocht naar rechts en steeg daarna onverwacht tien meter steil naar boven waar het uitkwam op een klein plateau. Aan de rand, vlak bij de afgrond, had iemand een piramide van stenen opgebouwd met daarop een witte zuil die veel weg had van een obelisk. Ludde stopte. Mirjana was de eerste die naast hem verscheen. Ze zette haar rugzak op de grond, zakte even door haar knieën en maakte een gebaar dat op een kruisteken leek, maar dat geen kruisteken was. Ludde deed een stapje achteruit. Toen De Geus bovenkwam ging hij naast Ludde staan. Zijn ogen stonden vragend. Ludde spreidde onwetend zijn handen. Mirjana stond naast de obelisk met haar rug naar hen toe. Ze keek uit over de wijdte van de kloof. Toen draaide ze zich om.

'Je wilde toch weten waar mijn moeder was gebleven?'

Ludde knikte.

'Ze is hier naar beneden gesprongen.'

Ludde beet op zijn lip, bukte zich, pakte zijn T-shirt en deed dat aan. De Geus liep voorzichtig in Mirjana's richting, maar hij stopte toen ze een stapje bij hem vandaan deed.

'Srebrenica, twee ooms van haar zijn daar doodgeschoten, oude mannen,' Mirjana's ogen waren achter haar zonnebril niet te zien, 'ze heeft nog een week gewacht. Pas achteraf begreep ik dat ze me in die week die dingen heeft verteld waarvan ze dacht dat een moeder die aan haar dochter moet vertellen, ik was een meisje, ik begreep nog niet zoveel.'

De steenarend stortte zich naar beneden.

'Heb jij haar gevonden?'

Luddes stem klonk klein.

'Nee, mijn vader, hij heeft dit gemaakt,' Mirjana wees naar de stenen, 'ze wist niet meer hoe ze moest leven met ons. Kom, we lopen door.'

Ze zwiepte haar rugzakje op haar rug, en liep het pad op dat vanaf het plateau rechtstreeks de hemel in leek te voeren.

Aan de andere kant van het hoogste punt lag een brede vallei die in de diepte in een donkere luchtlaag leek op te lossen. Mirjana wees.

'Onder die smog ligt Sarajevo.'

Ze liep in een hoog tempo verder. Sarajevo verdween achter de bomen. Na het bos werd het pad breder tot het onderdeel werd van een web van onverharde weggetjes dat van boerderij naar boerderij liep, boerderijen die een ouderwetse, welvarende, maar afwerende indruk maakten. Een oude man, die met een takje in zijn hand een koe voortdreef, keek verstoord op toen Ludde hem groette.

'Net het Hobbitland van Tolkien hier,' zei hij tegen De Geus, 'kneuterige boerderijtjes met mesthoopjes, waar vreemdelingen niet welkom zijn.'

'Dat komt vooral door die beesten, denk ik,' De Geus wees naar een als een bezetene blaffende hond die de ketting waarmee hij aan zijn hok zat, strak in hun richting trok, 'laten we maar snel achter Mirjana aan gaan.'

Het onverharde pad ging over in asfalt. Vanaf de helling keken ze uit over een buitenwijk waarboven een groot aantal bouwkranen uitstak. Nog lager lag de oude stad. Het geluid van de auto's diep beneden hen waaide naar boven op de wind. Het door de zon zacht geworden asfalt plakte aan hun schoenen.

'Kijk,' Mirjana stopte, 'dat daar is een overblijfsel uit de oorlog,' ze wees naar een bijna vergane, houten schutting iets lager dan de weg, 'nog verder naar beneden zaten de Bosniakken. Vanachter die schutting schoot een man op zijn vroegere buurman beneden en de buurman beneden schoot op de bakker boven waar hij een paar weken daarvoor zijn brood nog kocht. Maar meestal zopen ze, en als ze verlof hadden zochten ze een huis als het onze waar de vrouwen op hen wachtten,' Mirjana zakte een paar seconden weg in haar gedachten voor ze verderging, 'of moesten wachten.'

Ze lachte haar lach die deze keer verbeten klonk, haalde haar schouders op, liep een paar honderd meter verder en stopte weer.

'Daar woont Jović,' ze wees naar een tegen een heuvel gebouwde groep woningen met felrode dakpannen en witte muren die in de buitenwijken van elke willekeurige stad in elk willekeurig ander land hadden kunnen staan, 'nog even, en we kunnen in zijn tuin kijken.'

Ludde stelde zijn verrekijker scherp op een parasol naast een flonkerend azuurblauw zwembad in de ommuurde tuin achter Jovićs villa. De met een zonnezeil overdekte patio direct tegen de achtermuur werd door een rij coniferen van de tuin afgeschermd. De tuin was leeg, maar aan de handdoeken op de ligstoelen naast het zwembad was te zien dat er mensen waren. De Geus en Mirjana zaten op een uit keien opgetrokken bankje. Ludde richtte zijn verrekijker op de opening tussen de rij coniferen en het zonnezeil boven de patio.

'Er is daar een vrouw,' zei hij na een tijdje, 'het lijkt erop dat ze aan het poseren is.'

De Geus nam de verrekijker over. Na een paar seconden liet hij zijn handen alweer zakken.

'Wat jij poseren noemt.'

'Laat zien.'

Mirjana pakte op haar beurt de verrekijker. Terwijl ze keek, strekte ze haar benen en legde ze haar enkels over elkaar.

'Pornografie,' zei ze, 'ook een industrie die hier in de oorlog groot is geworden. Er is nu een andere dame bij,' ze gaf de verrekijker terug aan De Geus, 'kijken?'

De Geus maakte een afwerend gebaar. Mirjana lachte.

'Heerlijk, een verlegen politieman, het moet vandaag mijn geluksdag zijn.'

'Wij zijn van een preutse generatie,' Ludde haalde een camera uit de rugzak, 'maar we zijn niet voor niets gekomen.'

Mirjana gaf hem een voorzetlens. Ludde nam foto's.

'Hun werk zit erop, ze liggen nu in het zwembad, vreemd genoeg met hun bikini's aan.'

Ludde gaf de camera aan Mirjana.

'Kijk jij even of die man op de patio Jović is, niet zo groot, brede schouders, kaal, afgetraind.'

Mirjana keek op het schermpje en gaf de camera daarna aan De Geus.

'Dat is inderdaad Petar Jović. Het zou mooi zijn geweest als mijn vader hier was geweest met zijn geweer.'

'De afstand is wel erg groot,' antwoordde Ludde.

'Jij was toch ook sluipschutter?'

'Scherpschutter. Een scherpschutter kan goed schieten, een sluipschutter kan erg goed schieten en weet hoe hij zich moet redden in vijandelijk gebied.'

'Zo legt mijn vader het ook uit. Als hij erover vertelt, lijkt het bijna een aanvaardbaar beroep.'

'Als tankcommandanten aanvaardbaar zijn, dan sluipschutters ook.'

Uit de vier op een minaret gemonteerde luidsprekers, een eindje lager dan Jovićs villa, klonk een verwaaide stem. Ludde nam de camera over van De Geus die op het scherm had zitten kijken.

'Vond je die foto's interessant?'

De Geus keek gepikeerd opzij.

'Hebben we hier iets aan?'

'We moeten toch informatie verzamelen? Dan is het toch goed om te weten dat Jović in de pornografie zit?'

De Geus knikte.

'Je hebt gelijk.'

'Zo is het. Ik heb lopen denken. Het lijkt mij een goed idee om vanavond naar Jovićs nachtclub te gaan.'

Mirjana draaide zich met een ruk om.

'Ik kan mij daar niet laten zien. Een halfjaar geleden wilde ik met hem praten, maar hij gooide me eruit.'

De Geus keek misprijzend naar Ludde.

'Wat denk je daar te kunnen doen?'

'Net zoveel of net zo weinig als wanneer we weer teruggaan. Als we contact maken gebeurt er misschien iets.'

'Ik zie het nut er niet van in.'

'Ik zie het nut er ook niet van in om niets te doen.'

Mirjana keek van de een naar de ander.

'Ik kan je wel laten zien,' zei ze, 'waar die club zit.'

'Goed, we kunnen een hotel nemen,' Ludde wendde zich tot De Geus, 'Mirjana is het met me eens.'

'We zijn hier niet om op de bonnefooi in een crimineel milieu te infiltreren. Dat is gevaarlijk. Bovendien, stel dat ze erachter komen wie jij bent, dan kunnen we het observeren ook vergeten.'

'Ik zie meer een probleem voor jou, als politiefunctionaris, jij kunt je in het buitenland niets veroorloven, ik als particulier wel. Wat dat betreft kan ik beter alleen gaan.'

'Waarom zou je?'

'Kijken of ik iets in beweging krijg. In die paar dagen dat jij hier nog bent, zou het wel erg toevallig zijn als Jović iets gaat doen of dat Bekker op komt dagen. En we moeten toch zijn netwerk in beeld brengen?'

Mirjana kwam overeind.

'Ik ben het inderdaad met Ludde eens,' ze pakte de pols van De Geus die daar zichtbaar verlegen van werd, 'dan lopen wij met zijn tweeën terug.'

Ludde keek van De Geus naar Mirjana.

'Ik heb kleren nodig voor vanavond,' zei hij, 'en ik moet naar de kapper, misschien kun jij me daarbij helpen Mirjana?'

'Wat voor kleren?'

'Dure, niet te opzichtig.'

'Als je geld hebt, is dat geen probleem.'

'Geld genoeg. Ik stel voor dat ik straks in Sarajevo een hotel zoek, en dat ik vanavond kijk of ik contact kan leggen met Jović. Morgen kom ik weer naar jullie toe,' Ludde richtte zich op De Geus, 'ik laat me met een taxi naar het hotel rijden waar we aangekomen zijn, pik daar jouw auto en onze bagage op en rij naar Mirjana's huis.'

'Ik kan je jammer genoeg niet tegenhouden,' De Geus' antwoord klonk gelaten, 'dus als ik het goed begrijp gaan we nu eerst met z'n drieën naar de stad, we steken jou in nieuwe kleren en dan lopen wij samen terug.'

De Geus legde zijn hand heel even op Mirjana's schouder.

'Ik kan je ook moeilijk alleen door die bergen terug laten wandelen, je weet maar nooit.'

Mirjana grinnikte.

'Het is echt een lieve man,' haar gegrinnik ging over in een schaterende lach, 'je zou er als vrouw nerveus van worden.'

Ludde pakte plagend de andere pols van De Geus.

'Het lijkt me dat Mirjana jou eerder nerveus maakt dan jij haar.'

De Geus trok zijn polsen los. Mirjana liep weg, nog steeds lachend. De weg werd steiler en breder tot ze bij de bovenste huizen van Sarajevo aankwamen, een stad die als een langgerekt lint langs een recht lopende rivier lag, waarover naar het leek te veel bruggen waren gebouwd. Ze daalden verder af naar een moskee die omhoogrees uit een woud van zerken met dezelfde vorm als het gedenkteken dat Pavić voor zijn vrouw had opgericht. De sterfjaren vielen vrijwel allemaal in de eerste helft van de jaren negentig van de vorige eeuw. Een kleine honderd meter lager lag nog een kerkhof, en een eindje verderop nog een. Beide keren liepen ze door en zeiden ze niets.

De deur van Luddes hotelkamer moest worden afgesloten met een ouderwetse sleutel waaraan een houten peervormig handvat hing waarin ooit iemand nogal slordig het kamernummer veertien had gebrand. Het hout was glad als een biljartbal. In de gang lag een rode loper waarop een slijtagespoor de kortste weg aangaf naar het smeedijzeren hek dat de open liftschacht afschermde. Op de achtermuur van de schacht had iemand haastig met viltstift een naakt vrouwenlichaam getekend met daaronder een woord in cyrillisch schrift waarvan de betekenis ongetwijfeld schunnig was. De lift kwam uit in de lobby. Aan de bar zat een jonge vrouw in een bordeauxrood mantelpakje die een uitnodigend gebaar maakte naar de kruk naast haar.

Ludde liep naar de deur. De avond was zoel. Om hem heen klonk het geluid van de stad. Het trottoir was vol mensen. Aan de overkant van de straat waren vrouwen die hoofddoekjes droegen bezig met het opruimen van hun marktkramen waar ze vooral groenten en fruit hadden verkocht. Over het kruispunt aan het eind van de straat, die tussen vierkante flatgebouwen door licht naar beneden liep, reed een tram voorbij. Een krom lopende, oude vrouw keek Ludde met een opgehouden hand smekend aan. Ze mompelde iets waarvan hij hoopte dat het geen vervloeking was nadat hij haar een paar muntjes had gegeven.

Bij het kruispunt was een halte. De tram kwam na een paar minuten.

Ludde stapte in. Ze volgden een levendige, brede avenue.

'Snipers Alley,' had Mirjana die middag tegen hem gezegd toen ze met een grote plastic tas tussen hen in voor een kledingzaak op De Geus hadden staan wachten, 'hier werden de mensen vanuit die flats beschoten.'

'Door de Serviërs.'

'Door de Serviërs van Bosnië die vonden dat Sarajevo van hen was.'

'Door jouw mensen.'

Mirjana had diep gezucht.

'Mijn moeder was van Allah en mijn vader was van God,' had ze gezegd, 'en ik, hun kind, heb de pest aan alle twee. Mijn moeder sprong in een ravijn toen mijn vader haar na Srebrenica aan wilde raken,' bij het laatste gedeelte van de zin was ze rechterop gaan staan, 'wie bepaalt wie er goed zijn, en wie slecht? De Kroaten heulden met Hitler, de Serviërs vochten tegen hem. Uiteindelijk komt het er wat mij betreft op neer dat het de mannen zijn, mannen van welk geloof dan ook, die bloed aan hun vingers hebben, en aan hun pik,' het laatste woord had ze uitgespuwd, 'vertel jij mij maar waar ik verantwoordelijk voor ben,' ze had daarna weer een tijdje gezwegen tot ze verderging, 'ik heb hier op de universiteit gezeten, ik hou van deze stad, maar ze houdt niet meer van mij.'

'Wat heb jij gestudeerd?'

'Filosofie.'

'En heb je daar iets van opgestoken?'

'Ja, wat ik eerder al zei, dat elke maatschappij waarin alleen vaststaande overtuigingen tellen uiteindelijk kapot gaat.'

'Zoals godsdienst.'

'Ja, of nationalisme, of de onzalige combinatie van die twee.'

Ze hadden daarna beiden zonder nog iets te zeggen naar De Geus gekeken, die in de lobby van een hotel aan de overkant van de weg een Nederlandstalige krant probeerde te kopen, tot Mirjana ineens weer was gaan praten, op een snelle fluistertoon.

'Kijk uit voor Petar Jović. Hij is gevaarlijk omdat hij soms zo aardig lijkt. En ik zou graag willen dat je goed kijkt naar de foto's die daar hangen.'

Ludde had haar afwachtend aangekeken, maar ze had verder niets gezegd, misschien ook omdat De Geus zich op dat moment zonder krant bij hen had gevoegd.

'Een mooi hotel,' had hij gezegd, 'Terminus, ziet er goed uit.'

Ludde had geantwoord dat hij liever een hotel had dat een beetje achteraf lag.

Hij schrok op uit zijn gedachten toen er een oude man naast hem ging zitten die eruitzag als een aan lager wal geraakte patriarch. De stank die hij verspreidde, dwong Ludde bij de volgende halte uit te stappen, waarna hij, vertrouwend op zijn geheugen, de route nam die Mirjana hem die middag had gewezen, een route die grotendeels langs de rivier liep waarvan de stenige bodem door het water heen te zien was. Bij een van de bruggen hing een plaquette waarop werd uitgelegd hoe bij deze weinig spectaculaire brug over deze weinig spectaculaire rivier ooit de Eerste Wereldoorlog was begonnen.

Op de brug naar de overkant kwam hij een groepje jonge mensen tegen dat overstak naar het vrolijk bruisende centrum in de oude stad achter hem. Ludde liep verder langs een oplopende weg die hem van het water af naar een punt bracht waar de stad leek op te houden. Aan de andere kant van het water lag, tussen de oude stad en de woonwijk daarachter, een heuvel vol witte obelisken, honderden dode vingers die uit de grond omhoogstaken in het licht van een kasteelachtig gebouw, dat boven op de heuvel lag. Ludde nam een kleinere weg naar links die omlaag terug naar het water liep tot hij bij een alleenstaand hoog gebouw kwam waarvoor een witte Mercedes en een Porsche in SUV-uitvoering waren geparkeerd.

Voor een mahoniehouten deur in het midden van het gebouw stonden twee brede mannen. Even later stond Ludde met gespreide benen en uitgestoken armen naar de rivier te kijken in een poging de handen van een van de mannen te negeren, die vanaf zijn oksels, via zijn bovenlichaam langs zijn dijen gleden. De andere man zei iets in een portofoon. De man die Ludde had onderzocht, deed de deur open. Er golfde muziek naar buiten. Ludde liep een trapje af dat naar een gang leidde waarin de muziek steeds harder werd.

De gang kwam uit in een lage, donkere ruimte, vol dicht op elkaar geplaatste betonnen palen, die vroeger waarschijnlijk een parkeergarage was geweest. Op verschillende, naar Luddes idee willekeurige plekken, waren tussen de pilaren barretjes en dansvloertjes aangebracht. Naast een muur vol foto's trok een diskjockey een plaat uit een hoes. Tegen de rechterwand waren met behulp van halfhoge, houten schotten zithoekjes afgescheiden waarbinnen, op een U-vormige bank rond een tafel, plaats was voor ongeveer tien mensen. Op de tafeltjes stonden bij elkaar geschoven champagneglazen. De ruimte was vrijwel leeg, op een van de banken na, waar drie jonge meisjes zaten. Ze waren stuk voor stuk mooi, en, voor zover Ludde kon zien, smaakvol, maar in zijn ogen toch hoerig gekleed. Hij liep aarzelend naar een bar. Het meisje dat vooraan zat ging staan. Toen ze vlak bij hem was plooide zich een prachtige lach rond haar lippen.

'U bent vroeg, de meeste mensen komen pas rond een uur of twee.'

Ze sprak Duits. Ludde keek op het horloge dat hij die middag had gekocht. Het was bijna half twaalf. Hij probeerde de lach van het meisje te beantwoorden.

'Als toerist ken je de gewoontes niet zo goed. Wil je iets drinken?'

'Tatjana,' het meisje stak haar hand uit waardoor haar borsten haar decolleté even dichtdrukten, 'een flesje champagne graag, wij mogen alleen maar champagne drinken.'

'Je werkt hier.'

Ludde moest zich vooroverbuigen naar haar oor om boven de muziek uit te komen. Ze knikte, dook weg achter de bar en kwam weer tevoorschijn met een champagnefles.

'Wat is je werk dan?'

'Wat denkt u,' ze gooide haar donkere haar in een ongeduldig gebaar naar achteren, 'hebt u ook een naam?'

'Ludde, ik kom uit Nederland.'

'Ludde,' ze proefde de naam op haar tong, 'is dat een typisch Nederlandse naam?'

'Nee,' Ludde nam de fles van haar over en liep in de richting van een van de onbezette tafeltjes, 'is Tatjana een typisch Servische naam?'

'Ik versta je niet.'

Tatjana schoof naast hem op de bank. Het leer van haar rokje raakte de stof van zijn zwarte spijkerbroek. Ze stak een sigaret op. Ludde wreef over zijn hoofd, dat, sinds hij die middag zijn haar had laten knippen, vreemd aanvoelde.

'Laat maar. Hoe oud ben je?'

'Oud genoeg.'

'Staan er nog bekende mensen op die foto's?'

Ludde wees naar de wand.

'Voor mij wel, voor jou niet. Wat doe jij in het dagelijks leven?'

'Ik leef van mijn geld.'

'Dat je hebt verdiend zonder morele bezwaren.'

Ludde begon te lachen.

'Een opmerkelijke opmerking voor een hoertje,' hij raakte haar blote schouder aan, 'hoe zit het met jouw morele bezwaren?'

Tatjana schoof een eindje bij hem vandaan. Ludde draaide de muselet die de kurk van de champagnefles op zijn plaats hield los en duwde de kurk naar boven. Het geluid was nauwelijks te horen. De champagne stroomde naar buiten. Ludde vulde twee glazen, zette de fles neer en toostte. Tatjana tikte haar glas tegen het zijne en boog zich daarna naar hem toe zodat haar mond vlak bij zijn oor was.

'Ze zeggen dat champagne erotiserend werkt, is dat zo, denk je? Misschien door dat spuiten als je de fles openmaakt?'

'Dat zul jij beter weten dan ik.'

'Ik dacht, als jij denkt dat ik een hoer ben, dan zal ik me maar als zodanig gaan gedragen. Ben je rijk?'

'Ja. Waarom zou ik rijk zijn geworden zonder moraal?'

'Omdat iedereen die rijk is, heeft gestolen. Hoe oud ben je?'

'Oud genoeg.'

'Heb je kinderen, heb je een vrouw?'

'Ja.'

'Wil je met me naar bed?'

'Nee.'

'Ben ik je type niet of wil je een jongen?'

'Beide niet,' Ludde wees met zijn glas in de richting van de foto's, 'kwam Mladic hier wel eens?'

Tatjana trok haar hoofd van hem weg.

'Kwam Mladic hier wel eens,' ze herhaalde wat hij had gezegd met het maximum aan sarcasme dat ze in haar stem kon leggen, 'Mladic in Sarajevo. Waarom moeten oude buitenlanders altijd van dat soort vragen stellen? Ik ben van ver na die tijd.'

'Was de pindakaas lekker?'

'Welke pindakaas?'

'Iemand in Nederland die als kind hier woonde tijdens het beleg, vertelde me dat hij altijd eerst de pindakaas uit het noodpakket haalde.'

Tatjana gooide haar haar weer naar achteren.

'Ik zei toch dat ik er toen nog niet was. Ik zal mijn oudste zus eens vragen, die is van die leeftijd.'

'Is het de bedoeling dat ik je de rest van de avond onderhoud, of mag ik ook vrij rondlopen?'

'Je mag vrij rondlopen, als je maar genoeg champagne ronddeelt. Je gedraagt je niet als toerist.'

'Want?'

'Die worden stil van een meisje als ik, of ze worden stoer. Wat kom jij hier doen?'

'Ik wil deze stad leren kennen. Kijken of ik iets kan betekenen.'

'Als wat?'

'Als iemand die geld heeft en dat kan investeren.'

'Waarin?'
'Gebouwen. Van wie is dit gebouw?'
'Weet ik veel. Van de eigenaar.'
'En die ken jij niet.'
'Nee. Ik weet alleen dat de baas Jović heet, samen met net zo'n lange vent als jij, nog langer denk ik. Hij ziet eruit als de dood.'
'Jović.'
'Nee, die andere.'
'Als de dood.'
'Ja, die man is alleen een skelet met huid erover.'
'Ik zou wel met die mensen willen praten.'

Tatjana schoof het glas waaruit ze nog nauwelijks had gedronken met de toppen van haar vingers in kleine cirkeltjes over het tafelblad. Ludde stak zijn hand in zijn binnenzak en haalde een stapeltje biljetten van honderd euro tevoorschijn. Het meisje keek belangstellend toe hoe hij het bovenste biljet op de tafel legde.

'Wat moet ik daarvoor doen?'

Ze zette haar glas op het biljet.

'Me bij je baas brengen.'

'Wat denk je, dat ik zomaar bij hem binnen kan lopen?'

'Geen idee. Pak dat geld en zie maar of het je lukt.'

Het meisje trok het biljet onder haar glas vandaan, vouwde het op en verborg het met een snelle beweging ergens bij haar heup. Daarna stond ze op en verdween achter een groepje Japanners dat naar een meisje keek dat op de dansvloer met haar hoofd naar beneden aan een paal hing. Ze droeg alleen een slipje. Het was langzamerhand iets drukker geworden.

Ludde liep naar de fotomuur. Hij begon rechts bovenin, en zocht vanaf daar systematisch naar iets wat hem op zou vallen. Sommige van de afgebeelde mensen leken onder invloed van drank of iets anders, maar dat was waarschijnlijk niet wat Mirjana interessant had gevonden.

Aan de andere kant van de zaal, door de sluier van tabaksrook die steeds dichter werd, zag hij Tatjana praten met een man die, gezien zijn postuur en zijn harde kaalgeschoren hoofd waarschijnlijk een bewaker was. Ludde liep naar de volgende foto, maar ook daar zag hij niet wat hij moest zien.

'U vroeg naar de eigenaar.'

De stem in gebrekkig Duits kwam van de man met wie Tatjana had staan praten. Er landde een zware hand op Luddes schouder.

'Ik breng u.'

De hand verdween. De man liep weg. Ludde volgde hem langs de foto's in de richting van een deur die hij niet eerder had gezien. Vlak naast de deur, op de laatste foto, zag hij wat Mirjana waarschijnlijk had bedoeld.

De trap liep tussen betonnen muren door omhoog naar een paar dubbele deuren die uitkwamen in een ruimte die vol stond met luxueuze zitjes. Aan de wand hingen tientallen rode schemerlampjes, die zorgden voor een intieme sfeer, waarin serveersters rondliepen op hoge hakken die gekleed waren in netkousen, een slipje en een met twee knopen voor hun borsten gesloten jacquetachtige jas. Ze bedienden een clientèle van zowel mannen als vrouwen die aan alle kanten uitstraalden dat ze geld hadden.

De bewaker pakte Ludde bij een elleboog en leidde hem verder langs een tafel waaraan gepokerd werd naar een kleinere ruimte achter de bar. De kamer was laag, net als de nachtclub zelf. In het midden was tussen vier van de ook hier aanwezige pilaren een zithoek gemaakt met behulp van drie leren banken waarvan er één donkerrood, de ander lichtblauw en de derde wit was. Aan elk van de wanden hing een wandkleed waarop licht erotische voorstellingen waren afgebeeld.

Op de vloer lag tapijt. De man met de zware handen, die door Ludde in gedachten Boris was gedoopt, liep naar een kastje met een glazen front waaruit hij een fles en drie glaasjes pakte die hij op een bijzettafel tussen de banken zette, waarna hij vertrok. Toen de deur dichtviel klonk er een metalig geluid dat er niet was geweest toen ze binnen waren gekomen. Ludde liep langs de drankkast, liet zijn blik langs de grote hoeveelheid flessen glijden en liep vervolgens naar de deur die, zoals hij had verwacht, op slot was. Hij ging terug naar de drankkast, pakte een fles whisky en ging op de rode bank zitten. Bij het inschenken zag hij tot zijn irritatie dat de fles boven het glas trilde.

Naast de deur hing een camera die traag heen en weer bewoog. Ludde sloot zijn ogen. De whisky brandde in zijn keel, maar dat gevoel ging over in een aangenaam warme verdoving die ook tot de rest van zijn lichaam doordrong. Tien minuten later deed hij zijn ogen weer open. Op het wandkleed recht voor hem was een mollige vrouw te zien die tot haar middel in het water van een idyllisch bergmeer stond. Ze tilde haar zware borsten op waarbij ze met een Mona Lisa-achtig lachje voor zich uit keek. Ludde raadpleegde zijn horloge. Het was middernacht geweest.

Hij ging staan en begon weer rond te lopen. Er was geen enkel raam en, behalve de deur waardoor hij binnen was gekomen, zag hij nergens anders een toegang, totdat hij merkte dat hij zich vergiste omdat hij achter zich een geluid hoorde. Hij keek om. De Mona Lisa werd opzijgeschoven. De deur die daarachter verscholen had gezeten ging open. In de deuropening stond een man die een donkerblauw pak droeg dat om een lang en schraal lichaam zat, met daarbovenop een benig hoofd waarin ogen stonden die te groot leken voor hun oogkassen. Hij kwam naar binnen. Achter hem liep Petar Jović. De achterste man was Boris. Jović stak zijn hand uit.

'Jović.'

'Menkema.'

De lange man stelde zich voor als Suad. Boris vulde de glaasjes die hij eerder op het tafeltje had gezet en posteerde zich daarna voor de Mona Lisa. Ludde negeerde het glas slivovitsj, pakte zijn whisky, stak het glas omhoog naar de twee andere mannen en ging zitten. Petar Jović nam tegenover hem plaats, op de blauwe bank. Suad legde een gesloten leren map voor zich neer en liet zich op de witte bank zakken waarbij het leek alsof hij uit louter latten en scharnieren bestond. Beide mannen droegen een wapen in een schouderholster. Ludde nipte van zijn whisky.

'Duits?'

'Nederlands.'

'U heet Loede of zoiets?'

'Ludde. Niet Loede,' Ludde zette zijn glas neer, 'ik wil u danken dat u mij te woord wilt staan.'

'Waarom wilt u mij spreken?'

'Ik zoek naar investeringsmogelijkheden in deze stad.'

Jovićs ogen flitsten naar Suad en daarna weer terug naar Ludde.

'Investeringen in wat?'

'In zaken die rendement opleveren, gebouwen vooral.'

Suad liet een geluid horen dat bedoeld was als een lach, maar klonk als een kat die een haarbal uit zijn keel probeert te krijgen.

'U kunt zich vervoegen bij een bank.'

Hij wilde nog iets zeggen maar Ludde onderbrak hem.

'Ik heb niets tegen banken, die zullen erbij betrokken kunnen worden, maar voorlopig tast ik de mogelijkheden liever zelf af.'

'Via de eigenaar van een nachtclub.'

'Ja, waarom niet?' Ludde zag dat Jović zich in de rugleuning van zijn bank had teruggetrokken, 'u bent ondernemer. Ik wil met ondernemende mensen werken, mensen die iets durven.'

Jović kwam iets naar voren.

'Durven? Een Nederlander die iets durft?'

Ludde nam zo rustig als hij kon een slokje van zijn whisky voor hij antwoordde.

'Waarom zo agressief?'

'U bent Nederlander. Een laf volk dat zich overal buiten houdt om veilig te kunnen verdienen aan de ellende van anderen.'

'Zo is het,' Ludde knikte, 'wij hebben vijfhonderd jaar geleden al bedacht dat het lucratiever is als je elkaar enig licht in de ogen gunt in plaats van elkaars huizen af te branden, elkaars vrouwen te verkrachten of om de beurt de baas te zijn over hetzelfde stukje land.'

Jović boog zich nog verder naar voren.

'Als iemand tegen mij zou zeggen dat mijn volk laf is, zou ik hem de keel opensnijden. Herkent u waar u op zit?'

'De kleur bedoelt u?'

Jović lachte een rij hagelwitte tanden bloot.

'Goed opgemerkt Loede, de kleur, wat valt u daaraan op?'

'Dat uw banken zijn gerangschikt volgens de kleuren van de Servische vlag. Overigens is die afgeleid van de Russische vlag, en die is op zijn beurt weer een verknipte Nederlandse vlag, wist u dat?'

'Die mythe is leuk voor uw land, maar onjuist. Ik vind het moeilijk om zaken te doen met iemand die niet drinkt wat ik hem aanbied en die toegeeft laf te zijn.'

'Als ik laf was, zou ik hier niet zitten en ik drink wat ik wil.'

'U spreekt goed Duits.'

'U ook.'

'Hoe wilt u dit gesprek verder brengen?'

'Door u te wijzen op de mogelijkheid dat ik investeringen zou kunnen doen die ook aan u een fiks rendement zouden kunnen opleveren.'

Suad schraapte zijn keel.

'Zwart of wit?'

'Wit.'

'Hoe hoog?'

Ludde besloot dat hij mee moest gaan in de sfeer van het gesprek.

'Ik prefereer het om te praten met de baas, niet met zijn hond.'

Vanaf het tapijt klonk een kort lachje, maar Suad leek niet onder de indruk.

'Aangezien u zelf blaft, kunt u best met de hond praten. We hebben zo onze taakverdeling.'

Petar Jović schonk zijn glas vol en gooide het leeg achter in zijn keel.

'Beantwoord zijn vraag.'

'Om te beginnen een bedrag waarvoor u een goede voetballer zou kunnen kopen.'

'U zei tegen het meisje dat u rijk bent. Hoe komt u aan dat geld?'

Ludde schoof zijn benen langs het bijzettafeltje en pakte de fles whisky.

'Met alles wat iets oplevert. Ik was boer. Nu investeer ik in vastgoed. Ik denk dat deze stad een rijke toekomst heeft. Daar wil ik bij zijn.'

'U bent investeerder.'

'Ja, en ondernemer. Op vervoersgebied bijvoorbeeld.'

'Van wat?'

'Van have en levende have,' Ludde schonk een vingerdikte whisky in zijn glas, 'ik ben hier in de oorlog geweest, ik heb van dit gebied leren houden. Ik wil hier iets goedmaken. Ik begrijp uw frustraties. Ik wil hier een positie opbouwen in vastgoed. U levert mij marktkennis, u regelt de formele kant, u doet de notariële betalingen. Ik financier uw werkzaamheden, ik financier uw investeringen en ik compenseer uw risico's met een percentage van tien procent, uit te betalen volgens de gebruiken van de lokale markt. Gedeeltelijk zwart als het moet, ik ben geen heilige.'

Jović zette zijn ellebogen op zijn knieën.

'Waarom denkt u dat ik u van dienst zou kunnen zijn?'

'Dat weet ik niet, dat gok ik. Zoals ik al zei, ik werk het liefst met lokale ondernemers.'

Ludde duwde de kurk in de whiskyfles en liet zich met zijn glas in zijn hand ontspannen achterover zakken. Jovićs gezicht was vriendelijk. Hij keek Suad aan.

'Wat denk je, hebben we iets voor deze man?'

'Laten we wachten,' Suad keek op zijn horloge, 'Silly komt zo. Hoe bevalt u onze aankleding?'

Hij wees naar de wandkleden aan de muren die stuk voor stuk variaties waren op de Mona Lisa op het wandkleed tegenover Ludde.

'Romantisch,' zei Ludde.

'Inspireert het u dusdanig dat ik u gezelschap voor de nacht aan kan bieden?'

Ludde nam een slok van zijn whisky zodat hij de tijd had om over de toon van zijn antwoord na te denken.

'Die bezigheid verricht ik liever in de beslotenheid van mijn eigen kleine, particuliere leven,' hij zette het glas neer, 'samen met mijn zelfgekozen liefde.'

Op Jovićs gezicht was een flits irritatie te zien, die binnen een seconde verdween om over te gaan in een bijna lieve glimlach toen er vanachter het wandkleed een vrouw binnenkwam in wie Ludde een van de actrices van de fotografiesessie in Jovićs tuin meende te herkennen. Ze had een mapje in haar hand dat ze aan Jović gaf waarna ze weer verdween. Jovićs ogen schoten van regel naar regel. Toen keek hij op.

'Dat was Silly,' hij gaf het mapje aan Suad, 'ze bracht interessante informatie. Hoe zei u ook alweer dat u heet?'

'Ludde.'

'En uw achternaam?'

'Menkema.'

'U bent getrouwd met die Afghaanse vrouwenactiviste die Duitsland onveilig maakt. U bent niet welkom in uw eigen land. U bent geen vastgoedman, geen vervoersondernemer, geen investeerder,' Jović wachtte tot ook Suad klaar was met lezen, 'ik hou niet van mensen die mijn tijd verdoen, daar is die te kostbaar voor. Ik hou niet van mensen die liegen,' hij drukte zich overeind, 'als ik u was zou ik deze stad snel verlaten.'

'Dat was ik niet van plan,' Ludde bleef rustig zitten, 'ik was van plan rond te kijken en vastgoed te kopen. En dat kan ik ook zonder u.'

Ook Suad ging staan.

'U bent net zo naïef als uw landgenoten in Srebrenica. Als Jović u aanraadt deze stad te verlaten, mag u van geluk spreken dat u die kans nog krijgt.'

Ludde bracht zijn glas naar zijn lippen.

'Heb ik gelogen? Een beetje. Ben ik geen vastgoedman? Tot nu toe niet. Heb ik het geld om hier te investeren? Ja. Kunt u daaraan verdienen? Ja. Wat is uw probleem?'

Jović liet het wandkleed waarachter zich de deur verschool weer los. De Mona Lisa in het bergmeer kreeg door de beweging plotseling iets obsceens.

'Laten we duidelijk zijn,' Jovićs stem was opnieuw weer bijna vriendelijk, 'ik denk niet dat onze werkwijzen met elkaar overeen zullen komen. En u liegt omdat u naar mijn idee andere doelstellingen hebt dan u aangeeft.'

Ludde knikte.

'Dat is zo.'

Jović liep terug de kamer in.

'Verklaar.'

'Ik ben hier namens mijn vrouw. We willen hier een opvanghuis voor meisjes oprichten. Ik zoek daarvoor een pand.'

'Ach,' de stem van Suad klonk spottend, 'liefdadigheid. Dat past beter bij uw profiel. Aan een dergelijk huis is in deze stad geen behoefte.'

'De cijfers wijzen anders uit. Het zou goed zijn voor uw naam als u ons hielp.'

'Mijn naam is uitstekend.'

'Ik heb ook mijn inlichtingen. Uw naam boezemt angst in,' ook Ludde ging staan, 'op een gebied van een paar vierkante kilometer. Daarbuiten, in de grote wereld, bent u een paria. De economie van deze stad teert op het buitenland. Als u van die geldstromen wilt kunnen profiteren, zult u bovengronds moeten werken, in ieder geval gedeeltelijk. U denkt altijd aan uw voordeel. Ik zou daar in dit geval niet van afwijken als ik u was.'

Hij stak zijn hand uit, maar zowel Jović als Suad maakten geen aanstalten die aan te nemen.

'U moet gewoon naar een bank gaan en een pand kopen.'

Ludde ging bewust te dicht bij Jović staan.

'Dan heb ik een pand,' hij stak zijn hand nog een keer uit, 'maar geen opvangcentrum. Ik heb informeel uw toestemming nodig, bescherming zo u wilt, en ik denk dat ik die eerder krijg als u er zelf van profiteert. En u weet waarschijnlijk hoe ik de autoriteiten zo ver kan krijgen dat ze meewerken.'

Jović keek naar Suad voor hij antwoordde.

'U blijft hier rondkijken?'

'Ja.'

'Als ik binnen drie dagen geen contact met u heb opgenomen, kunt u beter verdwijnen. Anders zorgen wij daarvoor.'

Ludde glimlachte.

'Als mij hier iets overkomt, zullen er zo veel mensen op uw nek duiken dat u er misselijk van wordt.'

Jović draaide zich schouderophalend om. Boris opende de deur. Jović verdween met Suad achter zich aan. De bewaker schoof het kleed terug, liep naar de andere deur, opende die met een sleutel en volgde Ludde de trap af tot in de nachtclub die nu afgeladen vol was. Tatjana danste met een man die zijn armen ritmisch naar haar uitstak om ze daarna uiteen te laten waaieren terwijl hij schokkende bewegingen met zijn onderlichaam maakte. Ludde pakte zijn telefoon en richtte die op de muur.

'U mag hier niet fotograferen.'

De bewaker greep Luddes pols. De toppen van zijn vingers raakten elkaar. Ludde gebruikte zijn duim om de foto te maken die hij wilde maken in dezelfde beweging waarmee hij de camera afsloot.

'Sorry.'

De man liet zijn vingers iets verslappen maar hield Ludde onder controle toen ze naar de uitgang liepen.

De parkeerplaats voor Jovićs nachtclub stond vol slordig neergezette dure auto's. Ludde liep met snelle, opgejaagde passen naar een brug die naar de oude stad leidde. Op de brug bleef hij staan. Hij keek om, het straatje in dat hij net achter zich had gelaten. Even dacht hij een schim te zien die wegdook in de schaduw, maar toch liep hij door tot hij op een plein aankwam dat werd omzoomd door met luiken afgesloten winkeltjes. Midden op het plein liepen magere honden die snuffelend op zoek waren naar de etensresten die de toeristen overdag achter hadden gelaten.

Ludde draaide zich al lopend om. Aan het andere eind van het plein, honderd meter achter hem, liep een breedgeschouderde man die Boris zou kunnen zijn. Ludde liep langs een achtkantig houten gebouwtje midden op de straat waarin het pleintje over was gegaan, ging naar rechts tot hij op een kruispunt aankwam en stapte in de voorste van een rij taxi's. De taxichauffeur draaide zich om.

'Hotel Terminus.'

De taxi volgde een donkere smalle weg langs de binnenstad tot ze bij een bredere straat kwamen die Ludde herkende als een deel van Snipers Alley. Ze stopten voor het hotel waar De Geus die middag had geprobeerd een Nederlandse krant te kopen. Ludde gaf een ruime fooi en liep de met marmer bekleedde lobby binnen. Voor de desk stond het groepje Japanners dat hij in de nachtclub had gezien. Hij volgde een bordje dat hem naar de lounge verwees, liep door een glazen schuifdeur en stopte naast een bak vol bladerrijke plastic planten. Boris kwam de lobby binnen. Hij liep naar de desk en zei iets tegen de vrouw die daarachter stond. Ze schudde haar hoofd. Boris boog zich voorover en zei weer iets, dringender deze keer, terwijl hij een bankbiljet uit zijn binnenzak haalde. De vrouw legde haar hand op het geld dat Boris op de balie had gelegd en trok een toetsenbord naar zich toe.

De liftdeuren achter Ludde gingen open. Een man manoeuvreerde twee rolkoffers naar buiten. Boris keek naar het computerscherm waarop de baliemedewerkster iets aan het zoeken was. Ludde knikte vriendelijk naar de man bij de lift.

'Ik help u wel even mee,' zei hij, 'ik moet toch naar buiten.'

De schuifdeur ging open. Ludde liep de lobby in. De kofferwieltjes tikten over de naden tussen de marmeren platen. De eigenaar van de koffer kwam naast hem lopen. Hij keek nieuwsgierig en tegelijkertijd verontrust opzij. Ludde produceerde een geruststellend lachje. Boris keek nog steeds naar het scherm. Ludde liep naar buiten, zette de koffer neer, gaf de verbouwereerde eigenaar een hand en keek op zijn telefoon naar de route die hij moest lopen. Hij zag dat Farima hem een videoboodschap had gestuurd. Een halfuur later kwam hij aan bij het kleine hotel waar hij die middag een kamer had genomen.

In het bed op zijn hotelkamer opende hij zijn telefoon opnieuw en keek naar het filmpje van Farima. Daarna bestudeerde hij de foto die hij in de nachtclub had gemaakt. Zijn ogen vielen dicht. Het geroezemoes van de stad drong door het open raam naar binnen. Vanaf de binnenplaats klonk het gejammer van een stel katten dat plotseling overging in de klauwende geluiden van een gevecht dat net zo plotseling weer stopte, waarop het gejammer opnieuw begon. Ludde viel langzaam in slaap.

Hemelsbreed twintig kilometer verder naar het zuidoosten, op het bankje bij de boomgaard, legde Mirjana haar hoofd tegen de borstkas van De Geus, die zijn armen schutterig om haar heen sloeg. De bovenkant van haar hoofd kwam tot net onder zijn kin. De krekels gaven hun gebruikelijke concert, ondersteund door het bassige geroep van jonge uilen, een concert dat stilviel toen vanuit het huis het geluid van brekend glas klonk, gevolgd door vloekend gestommel.

Mirjana keek met betraande ogen omhoog naar De Geus en schoof haar handen naar zijn nek. Ze zoenden, zoekend. Pavić verscheen in de deuropening. Hij hield zich vast aan de muur. Zijn gezicht lichtte op in het maanlicht, zodat hij op een in de dakrand van een kathedraal gebeeldhouwde duivel leek. Zijn ogen gleden over zijn dochter en over de man die zijn armen om haar heen had geslagen. Hij schreeuwde iets, draaide zich om en verdween. Mirjana maakte zich los en volgde hem. De Geus ging zitten, maar liep niet lang daarna het huis in waar hij Mirjana naast haar vader op de bank in de kamer zag zitten. Pavić keek strak voor zich uit, met zijn handen in zijn schoot, als een kind dat zich bij zijn moeder verontschuldigt. De Geus nam de trap naar boven en ging op zijn bed liggen. Hij kleedde zich niet uit. Meer dan een uur later kwam Mirjana naar hem toe. De Geus opende zijn armen. Ze kroop tegen hem aan.

'Mijn vrouw is dood,' De Geus' stem klonk benepen, 'het is lang geleden.'

Mirjana's lachje klonk zacht, maar tegelijkertijd treurig, als een van de rotsen rollend riviertje. Ze kwam overeind en trok haar laarsjes uit, waarna ze weer tegen De Geus aan ging liggen.

'En ik ben te oud voor je.'

Mirjana schoof haar vingers in zijn haar.

'Niet zeuren,' zei ze, 'je hoeft niets, hou me maar gewoon vast, dat is meer dan genoeg.'

De Geus keek naar de bruine ogen tussen haar weelderige haar, ogen waaraan je kon zien dat ze pas gehuild hadden. Hij legde zijn hand op Mirjana's hoofd.

'Ik vind dat haar van jou zo prachtig.'

Mirjana pakte een van haar krullen en trok die strak.

'Alle vrouwen hier willen juist sluik haar.'

'Dan zijn die vrouwen niet goed bij hun hoofd.'

DINSDAG

Toen Ludde zijn hotel verliet, realiseerde hij zich dat hij zich gelukkig voelde, een wat ongemakkelijk gevoel omdat hij eigenlijk vond dat hij Farima en Ilias zou behoren te missen, maar hij miste ze niet, ook niet die ochtend toen hij het filmpje dat Farima hem had gestuurd nog een keer had bekeken, een filmpje waarin Ilias vanaf Farima's arm naar hem zwaaide, maar op hetzelfde moment voorbij de camera naar een plek keek waar Mahnaz waarschijnlijk gekke gezichten stond te trekken.

Er stopte een taxi. Ludde stapte in. Ze reden langs een uit ongeverfd beton opgetrokken voetbalstadion, waarna ze via het centrum op een uitvalsweg kwamen die hen langs niet al te hoge bergen min of meer zuidoostelijk voerde, tot ze een kleinere weg namen die steeds meer begon te kronkelen. Ze stopten bij het chaletachtige hotel vanaf waar Ludde en De Geus drie dagen eerder hun wandeltocht naar het witte huis in de bergen waren begonnen. Ludde liep het hotel in, haalde de bagage en rekende af. Daarna stapte hij in de bloedhete auto van De Geus en reed onder leiding van een stem uit zijn telefoon in de richting van het huis van Pavić en Mirjana, waar hij twee uur later aankwam.

'Er staat daar een oude trekker,' De Geus keek achterom, 'echt iets voor jou.'

De Geus liep voor Ludde uit naar de houten schuur naast het huis.

Ludde haalde hem in.

'Waarom moet je nou precies terug naar Nederland?'

'De leiding in Utrecht wil met me praten over mijn positie.'

'Je vliegt eruit misschien?'

'Dat zou kunnen. We vertrekken morgen.'

'Hoezo we? Ik kan niet weg, ik heb net contact met Jović.'

Ze liepen de schuur in waar in het achterste gedeelte een blauwgrijze trekker stond.

'Een Fordson,' Luddes stem klonk blij verrast, 'er zit nog een originele maaibalk onder.'

Hij liet zich achter het bakelieten stuur op het metalen kuipstoeltje zakken. De Geus zette een voet op een van de voorwielen.

'Dat ging dus gemakkelijk, met Jović.'

'Ik had geen moeite om bij hem binnen te komen en voor de rest heb ik me er maar doorheen geïmproviseerd. Ik heb hem verteld dat ik een opvanghuis voor meisjes wil beginnen.'

'En trapte hij daarin?'

'Ik denk het. Jović zei dat hij contact met me op zou nemen als hij iets heeft.'

'Een gebouw aankopen voor hulpbehoevende meisjes, echt iets om met een vrouwenhandelaar te bespreken.'

'Wat maakt het uit? Ik heb ook iets anders ontdekt, op aanwijzing van Mirjana. Waar is ze?'

'Die slaapt nog, denk ik. Wat heb je ontdekt?'

'Ik denk dat ik een foto heb gezien waar Bekker op staat.'

De Geus' stem klonk verrast toen hij antwoordde.

'Bekker?'

'Mirjana vroeg me op de foto's te letten die in die nachtclub aan de muur hangen. Volgens mij zag ik Bekker. De vraag is of Mirjana dat bedoelde en zo ja, dan is de volgende vraag hoe zij hem kent.'

Ludde haalde zijn telefoon tevoorschijn en liet de foto zien.

'Wat denk jij, die opname is vaag, maar ik denk toch dat het hem is.'

De Geus keek.

'Ik denk dat je gelijk hebt, vreemd,' hij trok een sprietje uit het hooi dat op de motorkap van de trekker lag en stak dat tussen zijn lippen, 'ik ben benieuwd wat Mirjana ervan zegt.'

Het was warm. Ludde draaide aan het stuur. De voorwielen gingen heen en weer. De Geus zette zijn voet op de grond. Ludde duwde de startonderbreker terug, draaide het sleuteltje om en duwde de starthendel naar beneden. Er gebeurde niets.

'Een Fordson, mijn opa had er zo een, ik heb er als kind op leren rijden. Wat heb jij gedaan gisteravond?'

De Geus haalde het sprietje uit zijn mond.

'Met Mirjana en haar vader gepraat.'

'En gedronken.'

'Pavić wel, Mirjana niet. Die drinkt nauwelijks, dat doen vrouwen hier niet, zei ze. Pavić was sluipschutter, zoals je weet,' Ludde knikte, 'opgeleid in de tijd van Tito tot het land uit elkaar viel en hij ineens bij de Bosnische Serviërs hoorde. Toen moest hij op het bloed van zijn vrouw schieten, zoals hij dat noemde.'

'En dat heeft hij gedaan.'

'Ja en nee. Wat hij ook al tegen jou zei, wel op militairen, maar hij weigerde burgers als doelwit te nemen.'

'En toen hebben ze hem gedwongen door hem te martelen.'

'Zijn gezicht bedoel je, maar dat kwam later pas. Hij was hun topsluipschutter, zo onmisbaar dat hij in de oorlog zijn eigen afwegingen kon maken, maar intussen vindt hij wel dat hij zijn eigen vrouw heeft vermoord. Het werd nogal dramatisch, nogal alcoholisch dramatisch, moet ik erbij zeggen. Mirjana huilde.'

De Geus gooide het sprietje op de grond. Ludde sprong van de trekker.

'Het zou leuk zijn om dit ding weer aan de praat te krijgen, misschien heeft Mirjana een accu. Wat zei Pavić over die verminking?'

Ze liepen naar buiten. Mirjana zat tegen de buitenmuur in de zon met de hond naast zich. Ludde zwaaide. Mirjana stak haar hand op.

'Ze zit erbij als een kat die een schoteltje melk heeft gedronken.'

De Geus leek niet te willen horen wat Ludde zei.

'Een vrouw gooide zoutzuur in zijn gezicht.'

Ludde schudde onthutst zijn hoofd.

'Wat?'

'Pavić. Een vrouw uit Sarajevo nam wraak omdat haar man en haar zoontje waren doodgeschoten op Snipers Alley toen ze hun oma eten gingen brengen. Pavić stond bekend als sluipschutter. Ze heeft nog twee anderen op dezelfde manier verminkt voor de politie haar op kon pakken. Overigens hadden die beide anderen wel vanuit de omringende flats op Snipers Alley geschoten, in tegenstelling tot Pavić zelf, maar desondanks zei hij dat hij vond dat die vrouw gelijk had, en daarna werd hij zo dronken dat hij met glazen ging gooien,' De Geus wachtte even en keek toen met een serieus gezicht naar Ludde, 'iets anders, ik maak me zorgen.'

'Om wat?'

'Om jou. Ik moet morgen weg. Als jij hier blijft, sta je er alleen voor.'

'Dat was toch in eerste instantie de bedoeling?'

'De bedoeling was dat we Jović zouden observeren, dat we bewijs zouden verzamelen, niet dat we zouden infiltreren.'

'Je vertrouwt me niet.'

'Dat heeft niets met vertrouwen te maken. Je bij een crimineel milieu naarbinnen werken moet je niet zomaar doen, je hebt in ieder geval back-up nodig.'

'Als ik gelijk heb met die foto van Bekker, is het nog niet zo stom wat ik doe.'

'We kunnen het Mirjana vragen.'

'Jullie hebben het over mij?'

Mirjana kwam naar hen toe. Ze wachtte tot De Geus schutterig een hand naar haar uitstak voor ze naast hem ging staan en een arm om hem heen sloeg.
Ludde glunderde.
'Dat zag ik al aankomen, jullie twee.'
De Geus bloosde. Ludde pakte zijn telefoon.
'Bedoelde je dit?'
Mirjana keek naar het schermpje.
'Ja,' ze liet De Geus los, 'dat bedoelde ik.'
'Dat is Aldwin Bekker,' De Geus legde een hand op haar arm, maar zij bleef naar het scherm kijken, 'de man voor wie we hier zijn. Hoe ken jij die? Heb je hem pas nog gezien?'
Mirjana schudde haar hoofd.
'Nee. Vroeger, toen wel.'
'Waar dan?'
'Boven, in het huis waar jullie waren. Tijdens de oorlog en vlak daarna ook nog. Ik moest daar schoonmaken.'
Mirjana's stem kreeg een afwerende klank waarmee ze duidelijk maakte dat ze het onderwerp zo snel mogelijk af wilde handelen, maar dat leek Ludde niet op te merken. Hij stelde een volgende vraag.
'Waarom wees je me op die foto?'
Mirjana wachtte met antwoorden tot ze een sigaret had gepakt en die aan had gestoken. Ze inhaleerde diep. De Geus keek afkeurend toe. Ludde grijnsde vrolijk.
'Heb je weer een vrouw, en dan rookt ze.'
Mirjana keek van Ludde naar De Geus.
'Wat moet je hier anders?'
'Niet roken.'
Het antwoord van De Geus klonk zo kortaf dat hij er zelf van schrok.
'Toen ik een halfjaar geleden in Jovićs nachtclub was, zag ik die foto,' Mirjana nam een trekje van haar sigaret en blies de rook demonstratief voor zich uit, 'ik dacht dat ik hem herkende, maar ik wist het niet zeker. Daarom vroeg ik aan Ludde om op te letten,' Mirjana zakte op haar hurken en rolde het brandende uiteinde van haar sigaret over een steen zodat er een rood puntje ontstond dat ze bestudeerde alsof daarin haar verleden verborgen lag, 'en nu wil ik het er verder niet meer over hebben.'
'Die foto bevestigt de gegevens van Van Aammen dat Bekker hier nog steeds komt, in ieder geval in Sarajevo.'

'Ik zei dat ik het er niet meer over wil hebben.'

Van boven uit de vallei klonk een schot.

'Weer een varken dood,' Ludde keek onderzoekend naar Mirjana, 'dat er nog veel mogen volgen. Henri moet morgen terug naar Nederland.'

'Dat weet ik.'

'Ik wil hier blijven als dat kan.'

Mirjana knikte.

'Geen probleem,' ze keek naar De Geus, 'heb jij al bericht van je collega over die Nederlandse auto?'

De Geus schudde zijn hoofd.

'Nee,' zei hij, 'Van Aammen heeft te veel andere dingen aan zijn hoofd denk ik. Ik vraag het hem wel als ik hem zie in Nederland.'

Toen Suad een paar meter van Jovićs Mercedes verwijderd was, draaide hij zich om om toe te kijken hoe de kap zich over het interieur dichtvouwde. Een groepje jonge jongens bleef bewonderend staan. Suad drukte zijn zonnebril dichter op zijn neus en liep naar een wit betonnen flatgebouw dat tussen tientallen soortgelijke flats oprees.

Uit een raam boven het portaal hing een vrouw met haar bovenlichaam op het kozijn. De lift was kapot. Suad nam de trap tot hij op de vierde verdieping was en bonsde op een deur die half open stond. Toen uit het huis iemand iets riep ging hij naar binnen. In de hal rook het naar verschaald bier en tabak. In de deur van een kleine woonkamer stond een man. Suad liep hem voorbij. Op een bank zat een nog niet zo oude vrouw te roken naast een meisje van een jaar of veertien met kort piekerig blond haar waarin vervaagde rode verfstrepen liepen. Ze had een mooi gezichtje. Haar blauwe ogen keken naar Suad. De man kwam achter hem aan. Suad liep naar het raam.

'Hier woon jij dus.'

'Zij wonen hier,' de man wees naar de vrouw en het meisje op de bank, 'nu ik er ook bij kom, wordt het hier te klein.'

Het meisje schoof dichter naar haar moeder. Op haar bovenarm zat een slordig aangebrachte tatoeage. Suad zette zijn zonnebril af.

'Dat probleem kunnen we oplossen,' zei hij, 'als je akkoord gaat met mijn voorstel.'

De man keek naar de vrouw die haar handen zenuwachtig over elkaar wreef. Het meisje keek strak naar de grond. De vrouw schoof een hand naar haar toe, maar het meisje weerde haar zonder te bewegen af.

'Het wordt alleen maar beter voor je, Selma,' de stem van de vrouw was zacht, 'ze hebben daar veel meer werk en je gaat goed verdienen.'

Het meisje opende haar mond om iets te zeggen, maar de man was haar voor.

'We gaan akkoord.'

De vrouw probeerde de hand van haar dochter aan te raken, maar toen het meisje een bruuske beweging bij haar vandaan maakte, keek ze naar Suad en knikte.

'Ga staan.'

Suad liep naar het meisje en trok haar aan een arm omhoog.

'Draai je om.'

Het meisje draaide zich om. Op haar bovenbeen zat een geel geworden bloeduitstorting. Suad wees ernaar.

'Zorg ervoor dat ze niet nog meer van dat soort plekken oploopt, dat stellen mijn klanten niet op prijs.'

'Ze is soms moeilijk,' de vrouw was ook gaan staan, 'en dan moet mijn vriend wel iets doen.'

'Verzin maar iets anders in zo'n geval,' Suad haalde een stapeltje bankbiljetten uit zijn zak, 'de helft nu, de helft als ik haar op kom halen.'

'Wanneer is dat?'

'Binnenkort.'

Suad telde een aantal bankbiljetten van het stapeltje. De ogen van het meisje zwommen door de kamer. Suad wenkte haar dichterbij. Zijn vingers landden als sprinkhanen op haar hoofd.

'Je moet je ouders dankbaar zijn, niet ieder meisje van jouw leeftijd kan naar Nederland om geld te verdienen.'

'Hij is mijn ouder niet,' het meisje rukte haar hoofd onder de vingers van Suad vandaan, 'en mijn moeder is mijn moeder ook niet meer.'

'Je bent zo ondankbaar,' de stem van Selma's moeder klonk huilerig, 'dan heb je het ook aan jezelf te danken dat ik soms liever wil dat je weggaat.'

'Zodat jij met hem daar kan doen wat je wilt.'

Suad grinnikte.

'Daar zit meer pit in dan ik dacht,' hij liep naar de deur, 'zorg ervoor dat ze er is als ik haar op kom halen.'

'Henri is aan het inpakken.'

'Ja, dat weet ik. Mijn grootvader had er vroeger net zo een,' Ludde keek naar Mirjana die achter het stuur van de trekker was gaan zitten, 'de stroomkabels zitten erop. Start hem eens?'

Mirjana drukte de starthendel naar beneden. De zuigers maakten een zompig, metalig geluid, maar de motor sloeg niet aan.

'Heb je ether?'

Mirjana draaide zich om naar het gereedschapskistje op het achterspatbord, pakte een spuitbus, vernevelde ether in het luchtfilter en startte opnieuw. Na een tiental seconden begon het afsluitklepje van de uit de motorkap stekende uitlaatpijp te dansen op een ontsnappende witgrijze wolk rook. De motor ronkte. Ludde rook aan zijn vingers.

'Lekker, diesel.'

Mirjana schakelde, reed de schuur uit, maakte een rondje door de boomgaard en zette de motor uit.

'Nu kan ik weer maaien,' zei ze vrolijk, 'dat scheelt me een hoop werk.'

'Waarom hebben jullie er dan niet eerder een nieuwe accu opgezet?'

'Mijn vader wil nog niet dood op dit ding gevonden worden. En wat mij betreft, soms heb je iemand nodig die iets voor je doet wat je allang zelf had moeten doen.'

'Henri zei dat je vader hem gisteravond heeft verteld dat een vrouw zoutzuur in zijn gezicht heeft gegooid.'

'Dat is zo.'

Mirjana opende Luddes sigarendoosje, pakte een sigaartje en boog zich voorover om de punt in de vlam van de aansteker te houden die Ludde haar voorhield. Daarna gingen ze naast elkaar op een stropak zitten.

'Je kunt de lucht daar zien trillen,' Ludde wees naar de bergen, 'zo heet is het, kijk maar, daar bij die top.'

Mirjana blies de rook met haar roodgestifte lippen in een O-vorm in een aantal keurige rondjes naar buiten, die ze met zichtbaar plezier nakeek.

'Wat is het verhaal van je vader en die trekker?'

'De oorlog. Hij heeft er vluchtelingen mee vervoerd. Mannen, vrouwen, kinderen, oma's, opa's, lijken, geiten, koeien, matrassen, dekens. Wanneer ga jij weer naar Sarajevo?'

'Ik rij morgen tot Slovenië met Henri mee. Daar is de moeder van mijn oudste zoon geboren. Vanaf daar ga ik weer terug naar mijn hotel in Sarajevo.'

'Waarom heb je die man afgeschud die Jović achter je aan stuurde?'

'Om te kijken of ik dat nog kon.'

'Waardoor Jović niet weet in welk hotel je zit.'

'Als hij daar niet achter kan komen, is hij niet zo gevaarlijk als jij zegt.'

'En wat is mijn rol?'

'Wat mij betreft geen. Op je vader passen misschien. Die leeft van fles naar fles. Waarom drinken mannen hier zoveel?'

Mirjana negeerde zijn vraag.

'Als Jović een afspraak met je maakt, ga ik met je mee,' Mirjana tikte het sigaartje af en keek toen een beetje verlegen opzij, 'is Henri een goede man?'

Ludde onderdrukte de neiging om een grapje te maken.

'Henri is zeker een goede man. Hij is aardig, integer en soms is het een klootzak.'

'Wanneer is hij een klootzak?'

'Als hem te lang iets niet zint, als hij iets onrechtvaardig vindt en als hij drinkt.'

'Slaat hij?'

'Nee,' Ludde keek Mirjana verbaasd aan, 'en dan verwijt jij mij dat ik als Nederlander te direct ben. Bovendien lijk je mij niet het type dat zich laat slaan.'

'Daar hoef je het type niet voor te zijn.'

'Nee, vast niet. Henri is rechtdoorzee, een politieman die van de wet houdt. En hij heeft de pest aan roken. Hebben jullie iets samen nu?'

'Wat zou je daarvan vinden?'

'Wat ik daarvan zou vinden? Niets, maar ik zou het Henri wel gunnen.'

'Je vindt dus toch iets,' weer aarzelde Mirjana voor ze haar volgende vraag stelde, 'jij was toch in Srebrenica?'

'Ja.'

'Waarom deden jullie niets toen het erop aankwam?

Ludde sloeg zijn armen over elkaar.

'Daar is je vader.'

Mirjana keek om. Pavić liep tussen de boomgaardbomen met zijn geweer onder zijn arm. Aan zijn riem bungelde een konijn met zijn kop tussen zijn voorpoten. Er liep een klein streepje geronnen bloed uit zijn bek.

'Goed dat je maar één oog nodig hebt om te kunnen richten.'

Toen Pavić het konijn sikkeneurig losmaakte en het dode dier in het gras naast de trekker gooide, besefte Ludde dat zijn grapje niet was aangekomen. De hond kwam uit de schuur, rook aan het kadaver, jankte zacht, ging liggen en strekte zijn voorpoten tot vlak bij het konijn uit. Pavić laadde zijn geweer, richtte op iets in de boomgaard en schoot. Vanuit een walnotenboom met een gedeeltelijk weggerotte onderstam, een kleine dertig meter verderop, dwarrelde een duif naar beneden. Een andere duif vloog met tegen de takken klapperende vleugels uit de kruin en landde in de top van een cipres.

'Jij kunt toch zo goed schieten?'

Pavić laadde en gaf het geweer aan Ludde. Mirjana keek met een glimlachje rond haar lippen toe. Ludde zocht de balans in zijn lichaam, schouderde, richtte en drukte af. De duif die in de cipres was gaan zitten viel. Ludde gaf het geweer terug.

'Zo,' zei hij, 'nu hoeft ze geen verdriet meer te hebben om haar man.'

Nadat Pavić het konijn van het spit had gehaald, schoof Ludde het uiteinde van een balk verder in het vuur, waarna hij een oud pannendeksel tussen zijn vingers pakte en lucht tussen de gloeiende kooltjes wapperde. Pavić legde het konijn op een snijplank en verdeelde het in vijf stukken. Het oplaaiende vuur wierp een cirkel van licht op de schuur, de tractor, de boomgaard en op De Geus en Mirjana die op een stropak dicht naar elkaar toe waren geschoven. De hond stak zijn kop omhoog toen Ludde de achterbout die Pavić hem toestak aanpakte. Boven hen gromde een vliegtuig. Pavić nam een teug slivovitsj en gaf de fles daarna aan De Geus die de fles zonder te drinken naast Ludde zette. Ludde gooide een botje in het vuur.

'Het lijkt wel vakantie, jammer dat mijn vrouwen en kinderen er niet zijn.'

'Waarvan sommigen te weinig hebben, daarvan hebben anderen te veel,' de ogen van De Geus glommen vrolijk in het licht van de vlammen, 'twee vrouwen, twee kinderen en ik ben al grootvader.'

'Bevalt dat?'

Mirjana schoof een eindje bij De Geus vandaan en keek hem enigszins spottend aan.

'Grootvader zijn? Ja. Het is mooi als het leven de kans krijgt haar natuurlijke loop te volgen.'

'Een opa die het met een vrouw aanlegt die zijn dochter had kunnen zijn, is dat ook natuurlijk?'

Ludde pakte de fles. De Geus keek met een onthutste uitdrukking naar Mirjana, niet onmiddellijk in staat om een antwoord te vinden op datgene wat ze had gezegd, tot Ludde hem redde door over iets anders te beginnen.

'We moeten plannen maken,' Ludde nam een slok, 'morgen ga jij weg,' hij probeerde de aandacht van De Geus te trekken, 'ik rij tot

Slovenië met je mee, ik wil kijken of ik het geboortehuis van Maria kan vinden, nu ik toch in de buurt ben.'

'Wie is Maria?'

Pavić keek vragend naar Ludde. Hij had moeite met de eerste letter van Maria's naam.

'Maria is een van mijn twee vrouwen,' Ludde gaf de fles aan Pavić toen die zijn hand uitstak, 'ze is de moeder van Milan, samen met Luma, ze zijn lesbisch. Ik ben getrouwd met Farima. Wij hebben ook een kindje, Ilias. Ze is in Australië voor haar werk.'

'Lesbisch?'

'Ja, hoezo?'

Pavić keek even naar Mirjana en veranderde daarna van onderwerp.

'En waarom is Maria dan een vrouw van je?'

'Omdat ik genetisch gezien Milans vader ben.'

'Maar je bent met een andere vrouw getrouwd.'

'Ja, zoals ik zei, met Farima.'

'Hoe is het om met zo'n beroemde vrouw getrouwd te zijn?'

'Binnenshuis gewoon, buitenshuis lastig.'

'En hij is zelf ook redelijk bekend, dat scheelt, en om op je vraag terug te komen,' De Geus keek naar Mirjana, 'als ik het als opa met jou aanleg, zoals jij dat noemt, dan ben je daar zelf toch ook bij?'

Ludde lachte een beetje.

'De eerste relatiecrisis,' hij pakte een takje uit het vuur en draaide dat rond tussen zijn vingers, 'dat moet je vieren.'

De opmerking van De Geus leek Pavić te irriteren. Hij gaf de hond een botje dat binnen een paar seconden was verdwenen.

'Vertel,' zei hij, 'dat gedoe met Jović, wat willen jullie daar nou precies mee?' hij legde zijn hand op de kop van de hond en leek moeizaam te zoeken naar een vervolg op zijn woorden, 'hoe gaat dat ons helpen?'

'Je moet die hond in ieder geval geen bot geven dat heet is geweest, voor je het weet steken de splinters door zijn darmen.'

Pavićs irritatie brak door in zijn stem toen hij met een zwalkende blik over de fles naar zijn dochter keek.

'Dat maak ik zelf wel uit, wat moet jij met die man naast je, die net zo oud is als ik?'

'Dat maak ik zelf wel uit,' Mirjana's reactie had dezelfde onheilspellende ondertoon als die van haar vader, 'waarom zuip jij jezelf naar God?'

Pavić wees met een dramatisch gebaar tussen zijn voeten.

'God ligt daar, twee meter onder de grond tussen kinderlijkjes.'

Ludde en De Geus keken elkaar aan, maar zeiden niets tot Pavić zich tot hen richtte.

'Nou?'

De Geus antwoordde.

'Daar hebben we het toch over gehad? Wij denken dat Jović samen met een man die Bekker heet aan vrouwenhandel doet...'

'En...' Pavić wachtte niet tot De Geus was uitgesproken omdat hij op het spoor van zijn eigen gedachten bleef, 'wat is het nut voor mij en mijn dochter?'

'Jullie willen toch je huis terug?'

Pavić spuugde in het vuur.

'En gaat jullie plan ons daarbij helpen?'

'Dat denk ik wel,' de fonkeling van de vlammen in haar gouden oorringen gaf Mirjana een zigeunerachtig aureool, 'als Jović vast komt te zitten, vervalt zijn claim. Ik wil dat in dat huis weer kinderen op kunnen groeien zonder dat ze bang hoeven te zijn.'

De Geus zat gebiologeerd naar Mirjana te kijken. Hij zei niets. Ook Pavić zei niets. Zijn lippen trokken samen in een door de vlammen vertekende grimas. Het was lange tijd stil, een stilte die werd onderstreept door het gesis van het brandende hout en het kreunen van de hond die in zijn slaap met zijn poten schokte.

'Vertel me met wie je hebt gepraat in die nachtclub.'

De vraag van Pavić aan Ludde kwam onverwacht, zonder haperen.

'Er waren er vier, een meisje, een bewaker die me later volgde naar het hotel, die lange doodbidder die Suad heet, en Jović, die kennen jullie. Die, zoals je al zei, best een aardig gezicht heeft.'

De hond werd wakker en gromde. Pavićs gebit blikkerde.

'Die hond weet beter. Petar Jović schoot met dat lieve gezicht van hem meer mensen dood dan jij vingers hebt. Heb jij wel eens iemand vermoord?'

'Nee.'

'Iemand neergeschoten die je kon zien?'

'Ja, min of meer.'

'En geschoten zonder dat je je tegenstander kon zien?'

'Ook.'

Ludde schoof onzeker met zijn voeten.

'Dus misschien heb je iemand doodgeschoten die je niet kende, iemand die verderop achter een boom zat, of in een huis. Misschien met een kind naast zich,' Pavić wachtte even, 'Jović is niet zo, die aait je zoontje over zijn hoofd, kijkt je aan en schiet een kogel tussen je ogen.'

De Geus kuchte.

'En u dan?'

'Dat vertel ik je zo.'

Pavić ging staan, zwaaide met de fles naast zijn lichaam om zijn evenwicht te bewaren en liep de boomgaard in waar hij woorden begon uit te stoten in een taal die nergens vandaan leek te komen. Mirjana's ogen staken moedeloos en donker af in haar gezicht. Pavić schreeuwde iets en liet die schreeuw volgen door een hinnikend gelach.

'Zo ging het gisteravond ook,' De Geus keek veelbetekenend naar Ludde, 'straks wordt hij agressief.'

'En dan Suad,' Mirjana ging staan, 'Jovićs compagnon en financiële man,' ze liep al pratend in de richting van haar vader die met zijn hoofd tegen een boom stond aangeleund, 'die is net zo gevaarlijk als Jović zelf. Die twee zouden 's middags elkaars moeder kunnen vermoorden en 's avonds samen een borrel drinken.'

Pavić duwde zich af van de boom en richtte de hand waarin hij de fles vasthield op de sterren.

'Kijk naar boven,' zijn stem klonk ineens krachtig, alsof hij een menigte toesprak die op een profeet zat te wachten, 'ons heelal wordt steeds maar groter in een oneindige zee van stilstaande energie waarin wij niets betekenen.'

Hij liep wankelend terug naar het vuur en liet zich met wijd uitgespreide armen op de grond zakken zodat hij met zijn satansgezicht op een Romeinse gekruisigde leek. Ook Mirjana ging weer zitten. Pavić liet zijn armen zakken en strengelde zijn vingers om de hals van de fles.

'De menselijke soort bestaat dankzij moord en verkrachting, Jović leeft, zijn slachtoffers zijn dood,' hij stak theatraal een vinger uit naar De Geus, 'ja, Henri de Geus, ik schoot jonge jongens dood terwijl ik ze in de ogen keek,' hij zette de fles aan zijn mond, 'laten we dus drinken, want niets is belangrijk en niets doet ertoe.'

'Dan zouden er dus nog meer heelallen kunnen zijn,' zei Ludde nadenkend, 'als je gelijk hebt. Wat als die elkaar tegenkomen?'

De stemmen van Ludde en Pavić buiten bij het vuur kwamen door het open raam van de slaapkamer naar binnen. Beneden uit het huis klonk het gebonk van de luiken die door Mirjana werden dichtgedaan. Het was warm. De Geus sloeg naar een mug terwijl hij luisterde naar de krakende traptreden toen Mirjana naar boven kwam. Ze opende de deur van haar slaapkamer en sloot die achter zich. De stem van Ludde schoot uit in een schaterlach. Vanachter Mirjana's slaapkamerdeur drongen geluiden door, een stoel die werd verschoven en kort daarna het geklater van water. De Geus trok het laken op tot onder zijn kin om de muggen van zich af te houden. Achter Mirjana's deur werd het stil, zodat de grommende stem van Pavić de overhand nam. De Geus kwam overeind. Zijn elleboog jeukte. Hij liep naar het raam en keek naar de schimmen van Ludde en Pavić die een fles doorgaven die in de vuurgloed rood oplichtte. De Geus likte over zijn lippen met het idee dat hij daarop de alcohol kon proeven, liep terug naar het bed, aarzelde, trok zijn broek aan, liep de gang op en klopte op Mirjana's deur. Toen hij niets hoorde, deed hij de deur open. Mirjana lag in haar bed dat onder een ruime klamboe stond. In de vensterbank brandde een kaars. De Geus sloot de deur achter zich, schoof de klamboe opzij en ging op de rand van het bed zitten.

'Je bent gekomen,' Mirjana legde haar vingers op de hand van De Geus, 'daar ben ik blij om.'

'Ik kom niet voor jou, het stikt bij mij van de muggen.'

'Dat zal wel,' Mirjana rolde op haar buik en zette haar handen onder haar kin, 'ik heb mijn vader in geen tijden zoveel horen praten. Meestal gaat het zoals gisteravond. Hij drinkt, vertelt een van zijn theorieën, gooit met dingen, schreeuwt, huilt, wordt stil en slaapt zijn roes uit. Wat voor drinker ben jij?'

'Een stiekeme,' De Geus probeerde zich niet af te laten leiden door de contouren van Mirjana's lichaam onder het laken, 'ik ben weduwnaar, ik woon alleen, ik dronk alleen.'

'Hoeveel?'

'Een halve fles wodka op een avond.'

'Daarmee ben je hier nog geen alcoholist.'

'Het gaat niet om de hoeveelheid, het gaat om de intentie.'

Mirjana wilde antwoorden maar ze werd onderbroken door de stem van haar vader die ineens uitschoot in zijn eigen taal. De Geus keek haar vragend aan.

'Wat zegt hij?'

'Dat iedereen van zijn dochter af moet blijven.'

'Dat zegt hij niet.'

'Dat zegt hij wel, maar hij bedoelt jou niet,' Mirjana leek ineens nerveus, 'ik denk dat hij met zijn dronken kop verhalen vertelt die hij niet zou moeten vertellen.'

'Zoals?'

'Zoals het verhaal dat Bekker me verkracht heeft toen ik veertien was. Daar boven, in ons huis.'

Mirjana gooide het laken van zich af. Ze droeg een dunne nachtpon over haar verder naakte lichaam. Ze ging staan, liep naar het raam en stak een sigaret aan uit het pakje dat naast de kaars lag. De Geus keek naar haar silhouet dat werd gedomineerd door haar lange haar dat tot op haar billen viel. Ze sloeg haar armen over elkaar onder haar borsten. De hand waarin ze de sigaret vasthield steunde op haar bovenarm. De naar ammoniak stinkende rook prikte in de ogen van De Geus. Mirjana nam een trekje en draaide zich om, zodat De Geus, ondanks het feit dat hij haar in het spaarzame licht van de kaars nauwelijks kon zien, het gevoel had dat ze hem recht aankeek.

'Dus,' zei ze, 'dus je hebt met een getroebleerde vrouw te maken.'

De Geus liep naar haar toe, ging achter haar staan, stak zijn neus in haar haar en snoof.

'Je ruikt goddelijk, je ruikt naar hooi.'

'En naar rook.'

'Zelfs dat vind ik bij jou lekker.'

'Bekker moet dood.'

De Geus sloeg zijn armen over die van Mirjana heen. Mirjana bevrijdde de hand waarin ze haar sigaret hield.

'Vertel me wat je van hem weet.'

Ze draaide zich half om zodat ze hem aan kon kijken. Haar borsten gleden over zijn onderarmen. De Geus deed een stapje achteruit zodat Mirjana zijn opkomende erectie niet zou voelen, maar zij volgde zijn beweging. De kaarsvlam waaide bijna uit door een koude windvlaag die door het raam naar binnen viel. De tepels van Mirjana's borsten werden hard.

'Wil je dat echt weten?'

'Anders vraag ik het niet.'

'Er boden zich hier veel meisjes aan voor seks.'

'Er werden hier veel meisjes gedwongen tot seks.'

'Ook. Verkrachting, vaders die met hun dochters liepen te leuren, alles wat je kunt verzinnen gebeurde,' De Geus keek over het hoofd van Mirjana naar buiten, 'het was dweilen met de kraan open. Je leert de mensen kennen, moslims, Serven, de Kroaten, wijzelf. Het waren jonge jongens, die van ons, kalveren, die het tegen stieren op moesten nemen. We besloten ons te concentreren op wat echt fout was, binnen die omstandigheden. Kinderprostitutie. Bekker was een grootafnemer, maar niemand wilde het weten.'

Mirjana gooide haar sigaret naar buiten.

'Laten we onder de klamboe gaan.'

Ze hoorden Ludde over de gang stommelen. De planken kraakten. In het oosten boven de bergen werd het licht. De Geus ging op zijn rug liggen. Mirjana kroop tegen hem aan.

'Ik had foto's, observatierapporten, getuigen. De zaak werd afgeblazen. Bekker lachte me recht in mijn gezicht uit.'

'Hij moet dood.'

De Geus trok Mirjana dichter tegen zich aan.

'Vertel wat er gebeurde.'

Mirjana begon te praten met een toonloze, staccato stem.

'De oorlog begon. Vriendjes en vriendinnetjes werden vijanden. Mijn moeder werd stil. Ze confisceerden ons huis. Ik moest daar blijven als dienstmeisje, schoonmaakster. Er waren vrouwen, meestal gedwongen. Mannen, drank, gevechten, moorden soms. In die tijd kwam Bekker. Het drama in Srebrenica vond plaats. Mijn moeder sprong. Niet lang daarna verkrachtte Bekker me terwijl Jović en zijn vrienden buiten zaten te zuipen.'

De Geus wachtte. Mirjana ging verder.

'Ik liep weg, hiernaartoe. Gelukkig was mijn vader thuis, hij was er nooit, hij was onkwetsbaar in die periode, ze hadden hem nodig. Ik heb het hem verteld. Hij ging naar boven, wachtte tot hij Bekker zag en schoot hem neer, maar hij bleef leven.'

'Dus daaraan heeft hij zijn onderscheiding te danken.'

Mirjana tilde haar hoofd op van de borstkas van De Geus.

'Onderscheiding?'

'Wegens getoonde moed onder vijandelijk vuur. Hij mag graag met dat lintje rondlopen. Zouden jullie willen getuigen als het zo ver komt?'

'Nee. Het blijft toch ons woord tegen het zijne. En bovendien moet hij dood.'

Mirjana trok haar knie op zodat haar been over de benen van De Geus schoof. Haar lippen zochten opnieuw zijn mond. De Geus keek onzeker in haar ogen.

'Ik heb er geen last meer van,' Mirjana kuste hem nog een keer, 'ik was maar een gebeurtenisje in een wereld die verging. Ik weet niet eens wat mijn vader allemaal heeft gedaan, misschien heeft hij ook meegedaan met verkrachtingen of martelingen, wij vrouwen weten niet wat hun man, hun vader, hun zoon of broer heeft gedaan als die zo ongelukkig was om in de oorlog terecht te komen, behalve als die praat in zijn slaap. Ik wil een man van wie ik zeker weet dat hij nooit een beest is geweest, en zo'n man ben jij.'

Mirjana schoof haar hand omhoog over de spijkerbroek.
'Denk je dat we ooit een kind zullen maken?'
De Geus schrok, hoewel hij tegelijkertijd blij werd.
'Een kind?'
'Ja, ik wil wel een kind.'
'Je kent me net een paar dagen.'
'Ik heb het niet over nu.'
'Ik ben bijna zestig en jij bent jonger dan mijn dochter.'
'Dat maakt het lastig ja, maar niet onmogelijk,' Mirjana geeuwde hartgrondig, 'weet je wat ik denk, ik denk dat mannen zo graag oorlog voeren omdat ze dan die vrouwen kunnen pakken die ze normaal gesproken nooit zouden kunnen krijgen.'
'Dat is nou niet een opmerking waar ik blij van word.'
'Nee, dat zal wel niet. Laten we gaan slapen.'

WOENSDAG

De auto hobbelde over een verzakte spoorwegovergang. Ludde werd wakker. De Geus keek opzij.

'Kater?'

'Valt wel mee. Zijn we er?'

'Ja, Slovenië, Trebnje, of hoe je dat ook uitspreekt. Daar is het station.'

De Geus wees naar een langgerekt, laag gebouw waar een stoomlocomotief naast stond die al lang geleden was gestopt met rijden. Ludde pakte zijn rugzak. De Geus bleef achter het stuur zitten.

'Jij gaat direct verder?'

'Ja. Kijk je uit?'

'Geen zorgen, ik zal je nieuwe vrouw beschermen.'

'Dat was niet wat ik bedoelde.'

De Geus stak zijn hand op en reed weg. Ludde kocht een kaartje en ging onder de overkapping zitten waar hij uitzicht had over de sporen die door lage perronnetjes van elkaar werden gescheiden. Op het bankje naast hem zat een jongen met een blauwe hanenkam die de hand vasthield van een meisje met paars opgemaakte ogen. De rood-witte trein die later binnenkwam zat vol graffiti.

Dag Maria,
Ik zit hier deze mail te schrijven op een bergwei met uitzicht op een rivier en op Sevnica. Henri heeft me afgezet in Trebnje, ik weet niet hoe je dat uitspreekt, jij wel natuurlijk. Leer het Milan ook maar, geef hem in ieder geval een zoen van me.
Henri is op weg naar Nederland. Ik heb vanaf Trebnje de trein genomen. Jij hebt toch in Sevnica op school gezeten? Vanaf Sevnica ben ik gaan lopen. Omdat ik niet weet waar je geboortehuis staat, kon ik het niet gaan zoeken, maar hier rondlopen geeft me denk ik toch wel een indruk. Warm, bergen, sneeuw in de winter, boers, achterdochtig denk ik, mooi.
Gisteravond heb ik met Pavić zitten drinken. Wie is Pavić? Lastig dat in een paar zinnen uit te leggen. Het is een Serviër. Hij ziet er griezelig uit tot je eraan went. Een vrouw in Sarajevo heeft zoutzuur in zijn gezicht gegooid, als wraak omdat in de oorlog haar man en haar zoontje vanuit een flatgebouw zijn

doodgeschoten, en Pavić was bekend als sluipschutter, beroemd misschien wel. Overigens heeft hij naar eigen zeggen niet op burgers geschoten, dat waren scherpschutters, gewone soldaten. Hij was sluipschutter, een professie die meer inhoudt.
Toch begreep hij die vrouw wel. Neemt niet weg dat het zeker bij het licht van een kampvuur griezelig is om naar hem te kijken. Je ziet zijn kiezen omdat zijn lippen er aan de kapotte kant van zijn gezicht eigenlijk niet meer zijn. Hij lijkt een beetje op een valse hond. Hij drinkt veel, maar dat doen ze hier allemaal, de mannen tenminste, ik drink ook veel, meer dan ik normaal doe. Gisteravond zat ik dus met hem aan het kampvuur, vanochtend had ik hoofdpijn, maar nu is dat over.
Pavić heeft een dochter, Mirjana, die is een jaar of vijfendertig. Zij en Henri doen het met elkaar, geloof ik. Het is een mooie meid, zwart haar, krullen tot op haar billen, alles mooi rond zal ik maar zeggen, deze streek produceert mooie vrouwen, kijk maar in de spiegel. Ze heeft heel wat meegemaakt, Pavić vertelde daar dingen over, maar iedereen heeft hier denk ik meer meegemaakt dan goed is, dat zul jij beter weten dan ik.
Op de een of andere manier voel je overal nog de oorlog, maar je moet hier geboren zijn om het ook echt te zien. Hoe dan ook, de komende tijd zal ik slecht of moeilijk bereikbaar zijn. Als je me dringend nodig hebt, kun je het beste contact opnemen met Henri.
Doe Luma de groeten, hou Milan stevig vast.
Het gaat goed met Farima en Ilias en Mahnaz in Australië.

Dag Fariem,
Ik zit te schrijven op een bergwei met uitzicht op een rivier en op Sevnica, dat is het plaatsje in Slovenië waar Maria op school heeft gezeten. Henri is op weg naar Nederland.
Hier te zijn is spannend; je had gelijk toen je zei dat ik wel wat spanning kon gebruiken. Ik mis jullie wel en niet, vannacht droomde ik dat ik naast je lag en dat ik je ergens voor moest waarschuwen, maar ik wist niet voor wat.
Mijn hand trilt niet meer. Gisteravond heb ik met een Serviër bij een kampvuur gezeten, Pavić. Hij en zijn dochter helpen ons. De dochter heet Mirjana, ik schat dat ze een jaar of dertig, vijfendertig is. Er lijkt iets te ontstaan tussen haar en Henri, vindt hij toch nog een vrouw op zijn oude dag, een stuk jonger ook, net als bij ons. Jammer voor hem dat ze rookt, en niet zo weinig ook.
Op de een of andere manier voel je hier overal de oorlog. Ik ben benieuwd of jij dat ook zo zou voelen, of de sfeer vergelijkbaar is met Afghanistan, de mensen wekken de indruk afstand van elkaar te houden. Ik weet nog steeds niet goed waarom ik hier ben, en of ik hier wel wil zijn. Het lijkt een onware droom, mijn

verleden hier. Het lijkt zo vreedzaam nu, en dat was het toen niet.
Wil je Ilias voor me vasthouden en hem laten voelen dat ik naar hem verlang? En hetzelfde geldt voor jou natuurlijk. Ik neem vanaf hier een taxi terug, een eind rijden over wegen waar je niet kunt opschieten, dus het zal vroeg in de ochtend zijn voor ik er ben, nog los van de grensovergang waar ze hier nog heel wat van maken, wat tijd kost. Ik ben bang dat ik een nacht zonder slaap tegemoet ga.
Doe de groeten aan Mahnaz.

DONDERDAG

De zon was net op toen Ludde voor zijn hotel uit een taxi stapte. De vroege ochtend in Sarajevo was vol gezang van vogels. Aan de nog koude nachtlucht was te voelen dat het heet zou worden. De vrouw van de receptie wenkte hem.

'Er is gisteren iemand voor u geweest, ik heb gezegd dat ik niet wist waar u was.'

'Een man of een vrouw?'

'Een man. Hij heeft dit voor u achtergelaten.'

Ludde maakte de envelop in de lift open. Suad stelde voor hem over drie dagen een pand te laten zien. Niet lang daarna lag hij in diepe slaap in zijn bed.

De Geus duwde de huidplooi onder zijn linkeroog naar beneden. Daarna deed hij hetzelfde bij zijn rechteroog.

'Niet meer te repareren,' mompelde hij, 'ouder worden gaat niet over.'

Hij dacht aan Mirjana en aan zijn dochter, draaide zich een kwartslag om, trok zijn buik in, bekeek zichzelf in de spiegel, trok zijn schouders op en begon zich aan te kleden.

Suad legde zijn leren map voor zich neer.

'Hoeveel wil Bekker er deze keer?'

'Drie.'

Suad pakte een A-viertje.

'Deze komt in aanmerking. Ze werkt hier op een vervalst identificatiebewijs.'

Jović bekeek de foto van een meisje dat rechtsboven op het papier stond afgedrukt.

'Mooi kind,' zei hij, 'en thuis?'

'Haar moeder werkt in een winkel, nauwelijks inkomen. Geen vader. Zijzelf loopt vooral op straat en hier. Ik schat haar op vijftien, zestien.'

'School?'

'Daar komt ze niet meer.'

'Ik zal haar vanavond bekijken.'

Suad stopte het A-viertje terug in zijn map.

Op de notuliste na waren het alleen mannen. De oude Klaassen, die, ondanks zijn leeftijd, alles wist van *clouds* en *attacks*. Lange, slanke vingers. De operatieman, die dat wat gedaan moest worden tot in de puntjes organiseerde. De informatieman, Van Inderen, een opportunist die alles wist van iedereen, en die alles wat hij nog niet wist binnen tien minuten te weten kon komen. Voor hem lag een stapeltje dossiers. En ikzelf ben er, dacht De Geus, een oude politiechef die verliefd is op een jonge vrouw die een kind wil. Verantwoordelijk voor de staatsveiligheid ten noorden van de IJssel.

'Punt één,' zei hij, 'ik heb de afgelopen nacht niet geslapen, ik heb autogereden. Ik ben moe, dus maak het me niet moeilijk,' hij stak twee vingers omhoog, 'punt twee. Zoals jullie weten zou ik vanmiddag een gesprek met Utrecht hebben over mijn positie, maar dat is tot nader order uitgesteld. Desalniettemin kan het zijn dat dit mijn laatste vergadering is. Voor jullie verandert er dan niet veel, als er al iets verandert, is dat de doelgroep.'

Hij stak drie vingers op.

'Punt drie, contacten tussen de Dokkumgroep en de groep Bremerhaven,' hij keek naar Van Inderen, 'hoe zijn daar de ontwikkelingen?'

'Dat onderzoek hebben ze op een laag pitje gezet,' Van Inderen schraapte zijn keel, 'in het kader van de opschorting van het speerpunt rechts-nationalisme.'

'Wie is ze?'

'De regie in Utrecht.'

'Heeft die die wijziging verordonneerd?'

'Ja, via mij.'

'Mondeling.'

'Inderdaad.'

'Die wijziging is absurd. Rechts-nationalisten zijn in ons deel van de wereld verantwoordelijk voor vrijwel alle aanslagen,' De Geus keek de tafel rond, maar de gezichten bleven blanco, 'die Utrechtse wijziging is niet formeel doorgegeven?'

'Nee,' Van Inderen schudde zijn hoofd, 'nee, dat niet.'

'Dan is het beleid dus niet gewijzigd. Hoe zit dat met die connectie tussen de Friezen en de Duitsers?'

'Weinig nieuws. Een van die jongens in Bremerhaven is boer. Hij heeft voldoende kunstmest gekocht om er een flat mee op blazen,' hij keek op, 'maar hij kan het ook gewoon op zijn akkers gooien natuurlijk.'

'Is het gezien de omvang van zijn bedrijf een gebruikelijke hoeveelheid?'

'Ja. Hij heeft iets met die meid uit Dokkum die vooropliep in de demonstratie in Hamburg,' de man schoof een krantenfoto naar De Geus, 'hij is veel ouder en zij handelt in de wiet die hij in zijn schuur heeft staan.'

De Geus keek naar een foto van een jonge vrouw die aan de kop van een stoet in het zwart geklede mensen met een eveneens zwarte vlag aan een lange stok boven haar hoofd zwaaide.

'Wat doen de Duitse collega's?'

'Die volgen hem, wij volgen haar.'

'Goed. Nog meer?'

'Een vraag in verband met het niet aanhouden van Ludde Menkema. Utrecht verzoekt om een verklaring.'

De Geus knikte.

'Dat wist ik, die verklaring zal ik ze geven.'

Ludde ging rond vier uur in de middag op het terras bij zijn hotel aan een tafeltje tegen de muur zitten, bestelde koffie en keek een tijdje naar de mensen in de straat die er warm en zweterig uitzagen. Het terras zat vol. Hij herkende Mirjana pas na een paar minuten omdat ze van een mooie dorpelinge in een niet erg opvallende, stadse vrouw was veranderd. Voor haar stond een glas cola. Ze droeg haar haar in een lange vlecht, waardoor haar gezicht een scherpe rand kreeg waarin de trekken van Pavić terugkwamen. Aan de leuning van haar stoel hing een koffertje. Ze bladerde met haar vinger door het scherm van een tablet. Ludde pakte zijn telefoon, zocht Mirjana's nummer en stuurde haar een bericht.
Jović en Suad hebben me gevonden. Kreeg bericht van Suad. Pas zondag afspraak, bezichtigen pand.

Het licht van de zon deed pijn aan zijn ogen toen De Geus verdwaasd van vermoeidheid zijn kantoor uitliep en naar links ging tot hij op de singel bij een omvangrijk beeld kwam dat op de stam van een gigantische boom leek. Na een paar minuten wachten zag hij Jorrit van Aammen met een pakje shag in zijn hand de straat oversteken.

'Dag Jorrit.'

Van Aammen knikte ter begroeting.

'Ik ben benieuwd naar Sarajevo.'

'Ludde heeft een foto gezien in de nachtclub van Petar Jović waar Bekker op voorkomt.'

Van Aammen wreef in zijn handen.

'Dat is alvast mooi.'

'En we hebben contact gelegd met de oorspronkelijke eigenaren van dat huis dat Bekker volgens jou gebruikt.'

'En?'

'Interessante mensen, maar bij het huis zelf viel weinig te zien.'

'Dat zou binnenkort kunnen veranderen. Bekker gaat weer die kant op.'

'Hoe weet je dat?'

'Hij had contact met iemand in Den Haag via een beveiligde ambtenarenconnectie waardoor hij de illusie had vrij te kunnen praten. Ik lees de afschriften van dat soort telefoongesprekken. Bekker had het over een meisje dat hij aan iemand in Venlo zou leveren. Ze was bij hem overbodig omdat hij nieuwe voorraad ging halen.'

'Wie is die iemand in Den Haag?'

'Dat zeg ik uiteraard niet, maar als we hem kunnen pakken, zullen de kranten vol staan, dat mag je van me aannemen. Voor Ludde is het belangrijk om te weten dat hij in Sarajevo af kan wachten tot Bekker zijn kant op komt, licht hem maar in. Wat moest hij in die nachtclub?'

'Je kent Ludde. Die houdt niet van wachten, die wil iets doen.'

'Als dat maar niet al te ondoordacht is.'

'Wat is ondoordacht? Hij heeft contact gelegd met Jović, met de smoes dat hij via hem een gebouw wil kopen.'

'Dat is niet slim.'

'Nee, maar hou hem maar eens tegen. Gaan we nog lopen of blijven we hier staan?'

'Ik moet zo weer terug.'

'Oké. Ik kwam een opvallende naam tegen, zowel in mijn Bekkerdossier als in jouw onderzoeksdossier. Savornin Lomark.'

'De officier van justitie die jouw zaak seponeerde. Ik was al benieuwd of dat je op zou vallen. Het zou kunnen dat het een klant van Bekker is.'

'Ik denk dat ik hem maar eens op ga zoeken.'

'Zolang je maar geen slapende honden wakker maakt.'

'Ik vraag hem alleen waarom hij mijn zaak seponeerde en kijk intussen rond.'

'Maak een rapportje voor me.'

'Wat zijn jullie plannen?'

'Waarschijnlijk gaan we over niet al te lange tijd tot actie over.'

'Ook bij Bekker?'

'Nee. Misschien bij Savornin Lomark, stel dat jij daar zo'n meisje ziet. Hoe is het bij jou?'

'Goed.'

'Goed? Ik hoor dat je ontslagen wordt.'

'Die kans is aanwezig.'

'Maar je bent er niet van onder de indruk.'

'Nee.'

De Geus zag Mirjana voor zich op het bergpad met haar zelfs op die plek mannequinachtige loop. Hij hoorde het lachje waarmee ze alles kon uitdrukken wat ze wilde. Hij voelde haar borsten.

'Dat komt omdat ik verliefd ben.'

Van Aammen keek in verwarring opzij.

'Zei je nou dat je verliefd was?'

De Geus kleurde.

'Dat schoot er zomaar uit, omdat je vroeg waarom ik me geen zorgen maak.'

'Als ze maar niet jonger is dan je dochter.'

'Dat is ze wel.'

'Dan moet je helemaal uitkijken, dat moet je sowieso wel met die vrouwen uit Oost-Europa, die kunnen ook op je geld uit zijn.'

De Geus trok geërgerd zijn wenkbrauwen op, maar hij ging niet in op wat Van Aammen had gezegd.

'Het lijkt erop dat de leiding me wil pakken op het feit dat ik Ludde liet lopen, naar Duitsland. Hij was me te vlug af.'

'Ja, vast.'

'Waarschijnlijk neem ik zelf ontslag.'

'Wanneer heb je dat besloten?'

'Twee seconden geleden.'

'En wat ga je dan doen?'

'Op een baby passen en op wilde zwijnen schieten. Heb je al uit kunnen zoeken of dat kenteken dat ik je stuurde van Bekker is?'

'Ik weet niets van een foto.'

De Geus haalde zijn telefoon tevoorschijn en opende zijn mailbox.

'Deze foto, vier dagen geleden gestuurd.'

Van Aammen keek op het scherm.

'Het spijt me, maar die heb ik gemist. Ik zoek het uit, maar zekerheid zal ik je niet kunnen geven, die nummerplaat staat er niet helemaal op.'

'Als Bekker een Chrysler heeft en het kenteken komt voor dat gedeelte dat je kunt zien overeen, dan ben ik tevreden.'

Bij de makelaar werden voornamelijk vrijstaande huizen in de buitenwijken aangeboden, van het soort waarin ook Petar Jović woonde. De prijzen waren hoger dan Ludde had verwacht. Hij deed zijn colbertje uit, hing dat over zijn arm en ging opzij voor een moeder die met een kind aan haar hand van de school een eindje verderop kwam, waarvandaan het speelpleingeluid klonk dat overal op de wereld hetzelfde was.

Voor een winkel aan de overkant stond een houten stellage waarop fruit lag. Ludde liep ernaartoe, pakte een appel en ging het winkeltje binnen waar een oude man naast een vrouw stond die onophoudelijk tegen de verkoper achter de toonbank praatte. De oude man knikte af en toe instemmend. Ludde wachtte. Hij keek naar buiten. Mirjana stond voor de stellage. Ze drukte met haar duim in de schil van een meloen, keek naar binnen en legde de meloen opvallend langzaam weer terug. De oude man tikte op Luddes arm, wees naar de toonbank en keek samen met de vrouw nieuwsgierig toe hoe hij het kleingeld bij elkaar zocht waarmee hij zijn appel betaalde. Ludde liep naar buiten. Naast de meloen op de stellage lag een opgevouwen papiertje.

De Geus schepte een bakje Chinees eten leeg boven een ontbijtbordje en liep naar het raam. Vlak bij de woonboot aan de overkant zwom een eend die gevolgd werd door drie jongen waarvan de achterste zich moest haasten om bij te blijven.

'Let op de rat,' zei De Geus, 'die wil ook eten.'

Het was een paar minuten over acht. Ludde ging het hotel binnen, nam de lift naar zijn kamer, deed het raam open en keek naar buiten. Op een kleine twee meter afstand hing een brandtrap die vanaf de bovenste verdieping naar een binnenplaatsje liep. Hij ging op het bed zitten, haalde Mirjana's papiertje tevoorschijn en las nog een keer wat ze had geschreven.

Je wordt gevolgd door een man, type toerist. Hoort bij Jović. Halflange beige broek, sneakers, beige Lacoste-shirt. Ongeveer één tachtig. Beetje dikkig, donkerblond.

Jović stond naast Suad achter het raam waarvandaan je over de diskjockey heen de danszaal in kon kijken.

'Daar zit ze.'

Suad wees naar een meisje dat tussen een paar andere meisjes bij een van de tafeltjes zat. Ze had sluik, donkerblond haar dat tot net op haar schouders viel.

'Inderdaad mooi, wat ik van haar kan zien. Grote borsten, daar houden ze van.'

'Wie niet,' Suad grinnikte, 'dat is toch wel het mooie van deze business, al die meiden. Hoe gaat het met de films van je vrouw?'

'Prima. Silly nam een meisje mee, een Somalische. Mijn bek viel open, ze is zo zwart als de nacht. Zonder papieren, niks.'

'Zwart?'

'Ja, daar kun je hier niet mee op straat rondlopen zonder dat iedereen haar aangaapt alsof ze uit de dierentuin komt.'

'En dat is niet zo.'

'Nee, ze zegt dat ze hier uit zo'n afgelegen dorp in de bergen is gevlucht waar na de oorlog de overgebleven jihadisten zich hebben verzameld.'

'Hoe komt een zwart meisje uit Somalië daar terecht?'

'Geen idee, die jihadisten kwamen uit de hele wereld, ze zal wel geïmporteerd zijn door een man uit Somalië die hier in de oorlog terecht is gekomen om te vechten. Ze is niet alleen zwart overigens.'

'Hoezo?'

'Ze is een beetje groot geschapen.'

'Zoals zij.'

Suad wees naar het meisje aan de tafel dat vrolijk met het meisje naast haar zat te praten.

'Dat ook, maar ook in haar kruis. Ze bleek een pik te hebben, dus mijn vrouw kon er niks mee, in die markt zit ze niet.'

Suad keek geschokt opzij.

'Een echte pik?'

'Ja, volgens mijn vrouw wel, ik heb het niet zelf gecontroleerd als je het niet erg vindt.'

'En die doet het ook?'

'Nu vraag je echt te veel.'

'Misschien wil Bekker haar hebben.'

'Dat is een idee, hier in de nachtclub kunnen we er niet zoveel mee. Voor je het weet zitten ze oerwoudgeluiden te maken.'

'En ik heb liever ook geen jihadisten in mijn nek.'

'Nee, je hebt gelijk,' Jović wees naar de danszaal, 'laat dat kind eens lopen?'

Suad liep de deur uit en verscheen even later naast de tafel bij het meisje. Ze stond op, liep naar een bar en kwam terug met een fles champagne die ze aan Suad gaf. Jović knikte goedkeurend. Suad verdween uit de danszaal. Het meisje ging weer zitten.

'En?'

Jović draaide zich om naar Suad toen die weer binnenkwam.

'Uitstekende keus, Suad. Past keurig in Bekkers doelgroep.'

'Mooi. Heb je nog iets gehoord over Menkema?'

'Die kwam pas vanmiddag zijn hotel uit. Hij heeft rond lopen dwalen, toeristisch, de oude stad, de moskee, de brug, het kerkhof, dat soort dingen. En zo her en der een makelaar, niks bijzonders.'

'Ik heb een afspraak met hem gemaakt voor over drie dagen, kijken of ik die pandjes van mijn neef aan hem kan slijten.'

'Prima, zolang je maar niet verwacht dat ik daar bij ben.'

VRIJDAG

In de hotelkamer was alles lichtgrijs in het grauwe licht van de beginnende dag toen Ludde wakker werd omdat hij zichzelf hoorde schreeuwen. Hij trok het kussen omhoog achter in zijn nek en schoof de lakens van zich af. In de verte hoorde hij een ziekenauto. De vitrage voor het openstaande raam bewoog toen de buitenlucht er vat op kreeg. Het restant van de droom bleef in hem hangen, een restant waarin iemand dood was die niet dood moest zijn.

'Ik moet eruit,' mompelde hij, 'ik ga niet nog een dag rondlopen met iemand in mijn nek.'

Hij liep naar de badkamer, douchte zich, kleedde zich aan, hing het bordje 'niet storen' aan de deurknop in de gang, liep naar het raam, zette een voet op het kozijn en klemde zijn rechterhand om de twee buizen die vanaf het plafond naar de radiator naast het raam liepen. Toen zwaaide hij zijn lichaam naar buiten. Zijn linkerhand greep de brandtrap. Zijn lichaam hing roerloos tegen de buitenmuur. Zijn hart bedaarde toen hij na zijn linker- ook zijn rechtervoet op de brandtrap had gezet.

De Geus tikte een adres in op de routeplanner van een huis noordelijk van Velp, in de bossen van de Veluwe. Bij Haren zette hij de radio aan. Een journalist deed verslag van de feestelijke binnenvaart van de koning op zijn koninklijke jacht in de nieuwe zeesluis van IJmuiden. Toen bij Assen de herhaling van het nieuws begon, zette De Geus de radio uit waarna hij een paar telefoontjes afwikkelde, waarvan het derde uit een onaangenaam gesprek met het kantoor in Utrecht bestond.

Aan de andere kant van de IJssel, voorbij Zwolle, verloor hij tijd in een file die was ontstaan door een vrachtwagen die achterop een op de vluchtstrook stilstaande personenwagen was gereden. Weer een kwartier later reed hij een smal en bochtig bomenweggetje in waar de oprijlanen van een aantal villa's op uitkwamen. Hij stopte voor een huis van twee verdiepingen waarvan het rieten dak bijna tot op het gazon doorliep. De vitrages voor de ramen waren dicht.

Nadat hij had aangebeld, gebeurde er lange tijd niets. De Geus keek op zijn horloge. Twee uur. De afgesproken tijd. Toen hij weer opkeek zag hij achter het matglas van de deur iets bewegen. De deur werd opengedaan door een in een ouderwets ogend uniform gekleed dienstmeisje dat hem in gebrekkig Nederlands welkom heette. De Geus gaf haar zijn visitekaartje. Ze wenkte hem naar binnen en ging hem voor door een koele gang waar drie schilderijen hingen die vredige landschappen lieten zien waarin boeren met zeisen het koren maaiden.

De gang kwam uit in een kamer die aan een tuin grensde. In het midden van de kamer stond een oude man van wie het lichaam vanaf zijn middel een scherpe hoek naar voren maakte, zodat hij zijn hoofd moest kantelen om naar De Geus op te kunnen kijken. De huid op de hand die hij uitstak, zat vol bruine vlekken. De tuindeuren stonden open. Aan de rand van het gazon hurkte een vrouw in witte tenniskleding bij een rozenperk. Het meisje verdween nadat ze het visitekaartje aan de man had gegeven.

'Ik ben Savornin Lomark, dat u helemaal uit Groningen bent gekomen,' Savornin Lomark legde het visitekaartje op een bijzettafeltje, 'neemt u mij niet kwalijk, ik kan dit op mijn leeftijd niet meer lezen, wat is uw naam ook alweer?'

'Henri de Geus.'

'U wilde een oude zaak bespreken zei u? U bent toch van de recherche?'

'Sectie terrorismebestrijding Noord-Nederland, maar mijn bezoek heeft daar niet rechtstreeks mee te maken.'

Savornin Lomark liet zich in een leunstoel zakken en wees naar een identieke leunstoel tegenover zich.

'Gaat u zitten, voor welke zaak komt u?'

De Geus wachtte beleefd tot het spasme dat door Savornin Lomarks lichaam trok, was opgehouden.

'Een zaak waarbij ik betrokken was ten tijde van de recente Balkanoorlogen. Ik zat toen bij de marechaussee. De zaak tegen Aldwin Bekker. Kindermisbruik. Volgens mijn inlichtingen bent u degene die die zaak seponeerde.'

'En daarover komt u nu verhaal halen.'

'Nee. Ik wil graag weten wat de motivering was.'

'Men seponeert als er gebrek is aan bewijs.'

'En was dat zo?'

'Ik denk dat u zich vergist, ik was rechter. Dan seponeer je natuurlijk niet. Maar in het algemeen kan er in zo'n geval sprake van zijn dat er geen overtreding is, dat die overtreding te gering is, of in de militaire rechtspraak ook wel als de gevolgen van een veroordeling voor een dienstonderdeel te groot zouden zijn, maar dat weet u natuurlijk allemaal net zo goed als ik.'

'De aantijging tegen Bekker werd gekwalificeerd als misdrijf.'

'Dan komt het nog meer aan op grondig recherchewerk. Ik neem aan dat u dat voor uw rekening hebt genomen.'

'Samen met anderen. We waren verbaasd dat de zaak stukliep.'

'En verontwaardigd.'

'Ja. Waarom denkt u dat in dit geval?'

'Niet in dit geval, ik herinner me de zaak logischerwijs niet, maar rechercheurs zijn altijd boos als hun zaak de eindstreep niet haalt. Vandaar dat ze soms ongewenste capriolen uithalen om toch hun zin te krijgen.'

'Er gingen geruchten dat Bekker beschermd werd.'

De oude man richtte zijn waterige ogen op De Geus.

'Beschermd?'

'Probeerde men u wel eens te beïnvloeden?'

'Die vraag is beledigend,' de stem die antwoord gaf, kwam van de vrouw die vanuit de tuin met een bos rozen op haar arm tussen de tuindeuren was verschenen, 'wilt u misschien koffie of thee?'

Ze trok aan een koord dat naast Savornin Lomarks stoel tegen de wand hing. Ergens in het huis klonk het geluid van een bel.

'Mijn vrouw werkt nog steeds bij het Openbaar Ministerie, af en toe is ze ook officier bij de militaire kamer, ze is een stuk jonger dan ik,' Savornin Lomark lachte verlegen, 'toen ik zelf nog in functie was bespraken we alles met elkaar,' hij richtte zijn waterige oogjes op zijn vrouw, 'kun jij je een zaak herinneren tegen een militair toen de Balkanoorlog, ergens midden jaren negentig? Hoe heette hij ook alweer?'

'Aldwin Bekker.'

De vrouw legde de rozen naast het visitekaartje op het tafeltje en ging naast haar man op de leuning van zijn stoel zitten.

'Bekker, vanwaar uw interesse voor hem?'

Ze sloeg haar benen over elkaar. Haar man legde een hand op haar knie. Ze keek naar De Geus.

'Ik deed die zaak,' zei hij, 'Bekker was een collega die volgens mijn onderzoek kinderen misbruikte. Ik dacht dat er bewijs genoeg was, maar de zaak werd geseponeerd.'

'Tja,' de vrouw pakte de hand van haar man en legde die naast zich neer, 'ik neem aan dat u dat vaker is overkomen. Gelukkig zijn de functies in een rechtszaak gescheiden in dit land.'

'U lijkt te weten over wie ik het heb,' De Geus' stem klonk vriendelijk, 'u hebt een goed geheugen, lijkt me. Weet u nog wat de doorslaggevende reden was?'

Ook Savornin Lomark keek nieuwsgierig naar zijn vrouw.

'Ik kan me die naam inderdaad herinneren, het was geen fris geval,' Savornin Lomarks vrouw frunnikte aan een gouden kettinkje om haar pols, 'ik was namelijk degene die die zaak seponeerde, niet mijn man. De reden was dat ik het bewijs te matig vond. Iemand als Bekker, een man van goede komaf, zou de beste advocaat in hebben gehuurd om uw ongelijk aan te tonen, en ik heb ingeschat dat dat zou lukken. Maar u bent ongetwijfeld in de positie om het betreffende dossier in te zien. Ik zie eigenlijk niet in wat u hier komt doen. Ik kan u geen informatie verschaffen die u ook niet in de papieren aan kunt treffen.'

De deur ging open. Het dienstmeisje kwam binnen. Ze droeg een dienblad met twee goudkleurige kannen en drie gebloemde kopjes die ze op het tafeltje zette. Toen ze klaar was, keek ze naar mevrouw Savornin Lomark die een ongeduldig gebaar naar de deur maakte. Het meisje boog haar hoofd, draaide zich om en verdween. Mevrouw Savornin Lomark keek weer naar De Geus.

'Kortom, u verdoet uw en onze tijd.'

Savornin Lomark keek moeizaam omhoog. Zijn gezicht had een rode kleur.

'Dat is toch geen toon, Elisa,' de broosheid van zijn oude lichaam klonk door in zijn stem, 'de heer De Geus is een gast met een aanzienlijke positie.'

Zijn vrouw ging staan.

'Ik ben te oud om me nog iets aan te trekken van dat soort conventies. Als mijn tijd verknoeid wordt zeg ik dat.'

Savornin Lomark spreidde zijn handen in een verontschuldigend gebaar.

'Ik ben bang dat ons onderhoud hier eindigt, u zult zich op het dossier moeten storten.'

Ook De Geus ging staan.

'In ieder geval bedankt voor de tijd,' hij probeerde het sarcasme uit zijn stem te houden, 'jammer van de koffie.'

De vrouw pakte de rozen op. Haar ogen waren koud.

'Ik wil u wel een bekertje laten meegeven voor onderweg.'

Savornin Lomark, die overeind had proberen te komen, liet zich weer in de kussens van zijn leunstoel zakken.

'Dat is een goed idee, we kunnen het meisje vragen dat te doen,' zijn ogen glunderden plotseling, 'ons dienstmeisje, die u net zag. Dat is een schat.'

De Geus stak zijn hand uit.
'Dat zou ik eigenlijk wel op prijs stellen. En ik heb nog een andere vraag. Zou ik misschien een paar foto's mogen nemen van de schilderijen in uw gang?'
'Dat zijn drukwerken, van Laubnitz, die man heb ik eens ontmoet.'
'En ze zijn niets waard, als u dat mocht denken.'
De Geus keek verbaasd naar mevrouw Savornin Lomark.
'Waarom zou ik dat denken? Ze spreken me aan.'
'Laat die man zijn gang toch gaan,' Savornin Lomark deed een hernieuwde poging om omhoog te komen, wat hem deze keer wel lukte, 'ik loop wel mee, als jij het meisje een bekertje koffie laat brengen, dan gaat onze gast toch nog met een opgeruimd gemoed weg.'

Savornin Lomark schuifelde naar de gang met De Geus achter zich aan. De vrouw verdween weer naar de tuin. De Geus stond stil bij het eerste schilderij.
'Ik hou van die vredigheid,' zei hij, terwijl hij naar een hooiberg op het schilderij wees, 'het symboliseert een tijd waarin alles nog mooi was, vindt u niet?'
Savornin Lomark knikte.
'Het past ook goed in deze gang,' hij keek om toen er een zijdeur openging, 'ach daar is Tanja met uw koffie, Tanja komt uit Bosnië.'
Het meisje hield timide een met een dekseltje afgesloten beker in de richting van De Geus. Hij pakte hem aan en legde met een vriendelijke lach zijn andere hand op haar schouder.
'Jij heet dus Tanja.'
Het meisje knikte. Haar ogen schoten over de hand van De Geus die nog steeds op haar schouder lag.
'En je komt uit Sarajevo.'
Weer knikte ze.
'Bevalt het je hier in Nederland?'
Savornin Lomark keek van het meisje naar De Geus.
'Ze heeft het hier erg naar haar zin, toch Tanja?'
Tanja knikte voor de derde keer. De Geus liet haar schouder los.
'Ik wil een foto van dit schilderij maken, hou even voor me vast,' hij gaf de koffie terug aan Tanja en wees naar het middelste schilderij, 'als je lief lacht, zet ik jou er ook bij op.'

Mevrouw Savornin Lomark draaide een nummer op de oude bakelieten telefoon in de studeerkamer van haar man.

'Bekker.'
'Ik hier. Weet jij zeker dat alles goed gaat?'
'Hoezo?'
'Die rechercheur uit Groningen die jou in Bosnië ooit bijna te pakken had, stond net bij ons op de stoep.'
Het was een tijdje stil aan de andere kant van de lijn.
'De Geus?'
'Ja. Hij had zichzelf uitgenodigd bij mijn man, de sukkel.'
'Wat wilde hij?'
'Weten waarom ik destijds seponeerde.'
'Wat heb je gezegd?'
'Dat hij het dossier maar moest bestuderen. Wat is er aan de hand dat die man ineens op komt duiken?'
'Er is niets aan de hand of het moet zijn dat hij tijd overheeft, hij wordt ontslagen. Bevalt het meisje?'
Mevrouw Savornin Lomark ging op de rand van het bureau zitten. Ze speelde met de banen in haar plooirok.
'Het meisje bevalt zeer, een beetje verlegen nog.'
'Als je wilt, bezorg ik je een andere.'
'Dat is niet nodig, ze werkt hard. Weet je echt zeker dat ik me geen zorgen hoef te maken?'
'Dat weet ik echt zeker. Vertrouw me maar.'
'Als ik iets niet doe, is het wel jou vertrouwen.'
'Dank je.'
Mevrouw Savornin Lomark legde de haak glimlachend neer.

Sarajevo lag diep beneden hem. Ludde liet zijn verrekijker zakken. De villa van Jović leek verlaten. Op het zigzaggende pad naar boven was niemand te zien. Ergens in de verte rinkelde een bel, waarschijnlijk gedragen door een ram die tussen zijn schapen liep. Er vielen een paar dikke spatten regen. De hemel boven Sarajevo was donker geworden. Links boven de stad stond een vale regenboog.
'Vrede zij met ons,' Ludde hoorde zichzelf praten, 'er is altijd hoop.'
De regen hield weer op. De stenen vertoonden donkere plekken op die plaatsen waar ze door waterdruppels waren geraakt. Ludde liep verder het pad op dat hij eerder met Mirjana en De Geus was afgedaald.

Door de luidsprekers in de auto klonk een stem.
'Kooiman.'
'De Geus.'

'Waar ben je?'
'Onderweg.'
'Op je kantoor wisten ze niet waar je was.'
'Nee,' De Geus gaf gas omdat hij de rondweg van Zwolle achter zich had gelaten, 'en?'
'Op je bureau ligt een brief voor je. Of je past je aan aan het gewijzigde beleid, of je wordt op non-actief gesteld. We hebben nogal zwaar mee laten wegen dat je Menkema hebt laten lopen.'
De Geus voelde zijn maag samenkrimpen, maar zijn hoofd zette tegelijkertijd zijn opties op een rij.
'Ik zal ernaar kijken,' zei hij, 'sinds wanneer hebben wij een relatie waarbinnen jij zo'n toon aanslaat?'
De stem van Kooiman klonk nog autoritairder dan daarvoor toen hij antwoordde.
'Sinds jij je niets meer aantrekt van mijn leiding. Als ik dat tolereer in een organisatie als de onze is het eind zoek, we staan al genoeg onder druk wat de politiek betreft.'
De Geus keek naar het groen van de natuur dat hem overal tegemoet barstte. Hij voelde zich opgelucht.
'Weet je wat je doet, zet me maar op non-actief.'
Het was lang stil aan de andere kant van de lijn.
'Je realiseert je de consequenties?'
'Absoluut.'
'Goed. Bij dezen. Ik zal personeelszaken verwittigen,' de stem aarzelde een moment, 'jammer dat onze samenwerking zo moet eindigen.'
De verbinding werd verbroken. Het volume van de radio ging omhoog. Een zanger zong in het Gronings een ballade over een Veenkoloniaal die gelukkig dacht te worden met een Poolse vrouw die alleen geïnteresseerd was in zijn geld.

De kale wand van de kloof bij het monument voor Pavićs vrouw liep een meter of dertig recht naar beneden, waar hij eindigde op een met mos begroeid rotsblok. Het leek alsof de stilte van het graf uit de kloof omhoogkwam, een stilte die zich, geaccentueerd door het gerommel van het onweer in de verte, bijna voelbaar opdrong. Ludde stapte voorzichtig terug en liep naar de andere kant van het plateau waar hij onder een paar bomen op een zachte laag humus ging liggen en zijn ogen dichtdeed. Hij sliep binnen een paar seconden.

De secretaresse sloeg haar armen om hem heen.

'Stil maar,' De Geus klopte op haar rug terwijl hij haar tegelijkertijd op afstand probeerde te houden, 'stil maar, er zijn ergere dingen,' maar ze bleef huilen totdat hij haar voorzichtig helemaal van zich af duwde.

'Ik moet de anderen nog een hand geven, wil jij een brief opstellen voor de relaties?'

'Wat moet daar dan in?' in haar stem kwam de professionaliteit terug, 'dat u ontslagen bent?'

'Dat ik op non-actief sta. Ik loop intussen naar Klaassen.'

De Geus nam de trap naar boven. Klaassen zat achter een dood scherm met een stapeltje papieren voor zich. Hij keerde zich om op zijn bureaustoel toen De Geus binnenkwam.

'Dat is sneller gegaan dan ik had verwacht,' zei hij, 'en aan je gezicht te zien, zit je er niet mee.'

De Geus ging op een hoek van Klaassens bureau zitten.

'Voor mezelf niet, ik red me wel.'

'Wij redden ons ook wel. Of we nu achter blanke of bruine terroristen aan zitten, het is mij om het even omdat het toch allemaal niet helpt.'

'Ik bewonder je werkhouding,' De Geus stak zijn hand uit, 'het ga je goed. Wil je de anderen de groeten doen? Ze zijn er niet.'

'Wat ga je doen, een detectivebureau oprichten?'

'Dat is een idee,' De Geus ging staan, 'eerst maar eens loon opstrijken zonder te werken.'

Toen hij niet lang daarna de buitendeur achter zich dichtdeed, floot hij het lied van de ongelukkige Veenkoloniaal.

De regen viel zo dicht dat Ludde het monument aan de andere kant van het plateau nauwelijks nog kon zien. Het onweerde met splijtende, elkaar snel opvolgende klappen. De bliksem leek overal vandaan te komen. Ludde wreef de slaap uit zijn ogen en schoof verder naar achteren, waar het dichter bij de bomen droger was, hoewel hij wist dat het risico om door de bliksem te worden geraakt daardoor groter werd. Hij trok zijn regenjack aan en kroop in elkaar.

Tussen zijn voeten werkte een zwarte kever een balletje mest tegen een steen omhoog. Ludde keek hoe het diertje op het hoogste punt het balletje losliet, erachteraan kroop en een volgende steen op dezelfde manier overwon. Het onweer nam af. Ludde ging staan, sloeg de steentjes van zijn broek en begon te lopen. Hij voelde zich mistroostig, en bleef zich zo voelen, ook toen het onweer wegtrok, de regen plotseling stopte en er boven het dal een felgekleurde regenboog verscheen. Hij verhoogde zijn tempo tot hij de afslag naar het groepje cipressen bereikte waar hij ook de eerste dag naartoe was gelopen. Het pleisterwerk van het huis was grauw van de regen waardoor het bijna onzichtbaar was tussen de bomen. Het bankje stond gelukkig in de zon. Beneden in het dal flitste de bliksem. De donder kwam in golven omhoog.

De doberman pinscher deed zijn ogen open toen de telefoon overging. Bekker nam op. Zijn ogen dwaalden over het zwembad aan de rand van het terras waar zijn vrouw heen en weer gleed in het water. Vanuit de verte klonk het geruis van een snelweg. Bekker schoof zijn zonnebril in zijn haar. De hond ging staan en strekte zich weer uit in de schaduw van een rij bessenstruiken.

'Dag Petar, goed dat je belt.'

Hij luisterde een paar minuten voor hij weer iets zei.

'Ik weet wie Menkema is,' zei hij, 'het kan best zijn dat hij echt een pand wil kopen, mensen met geld en schuldgevoel zoals hij kun je prima uitmelken, er zijn meer veteranen die daar iets goeds willen doen, ook al hebben ze niets goed te maken.'

Aldwin Bekker keek naar zijn vrouw die haar handen op de rand van het zwembad had gezet. Haar borsten deinden te strak boven haar buik. Toen ze zich nog verder opduwde, richtte Bekker zijn ogen op iets in de verte.

'Nee, schuldgevoel is mij vreemd,' zei hij in de telefoon, 'daar hebben types als Menkema last van, niet wij, wij zijn van een ander, ouder ras.'

Bekkers vrouw spreidde een handdoek uit in de stoel aan de andere kant van de tafel, maar toen hij ongeduldig met zijn hand zwaaide, verdween ze in het huis.

Voor een ton verspijkerd, dacht hij, maar het wordt er niet beter op. Hij legde een hand op zijn telefoon.

'Stuur Jolly met een lemon.'

Zijn stem schalde over het terras. Daarna praatte hij weer in de telefoon.

'Maar we moeten het wel in de gaten houden. Ze zijn in Groningen bezig met een onderzoek dat mij zou kunnen raken. Tot nu toe kan ik me er keurig buiten houden. Plus dat De Geus ineens bij een klant van mij opdook. Hij wilde dingen weten over mijn zaak, toentertijd, toen we nog jong waren, en het leven mooi,' Bekker keek om naar het huis waaruit vrouwenstemmen klonken, 'De Geus zit me altijd al dwars, hij leidde dat onderzoek tegen me. Het zou natuurlijk kunnen zijn dat zijn bezoek aan mijn klant en het gegeven dat Menkema bij jou rondspookt iets met elkaar te maken heeft. Het zijn vrienden. Die klant heeft hem eruit gegooid, die vrouw is zo hard als een spijker. Wacht even.'

Bekker legde de telefoon neer en schoof een stapeltje papieren opzij. Over het terras liep een meisje van een jaar of vijftien met een dienblad in haar handen. Ze droeg een kort zomers jurkje. Ze zette het blad neer en bleef aarzelend staan. Bekker wenkte haar dichterbij, stak zijn hand onder haar jurk en schoof die omhoog tot hij haar billen voelde. Daarna gleden zijn vingers naar voren. Op het gezicht van het meisje verscheen een extatisch lachje. Bekker liet haar los. Het meisje draalde even, draaide zich toen om en verdween. Bekkers stem klonk chagrijnig.

'Ik ga Jolly ergens anders plaatsen, ze wordt me te gemakkelijk. Je hebt een nieuwe voor me, toch?'

Jović onderbrak hem. Bekker liet een instemmend geluid horen voor hij het gesprek weer overnam.

'Ik vind het uitstekend, hij heet De Geus, ik stuur je een foto. Als je hem samen met Menkema bij jou ziet, moeten we echt op gaan passen...', hij wachtte omdat zijn vrouw vanuit het huis iets naar hem riep, '... ik hang op, het eten is klaar. Drie stuks dus. Ik kom ze zelf weer halen op de gewone plek, inclusief ons traditionele feestje. En volgens mij is het een verdomd goed idee van je om uit te zoeken wat Menkema deed in de periode voordat hij contact met je zocht in je club.'

Het huis onder de druipende bomen was nog net zo stil als het het laatste uur was geweest, een uur waarin Ludde voor zich uit had zitten staren tot hij was opgeschrokken door het geluid van een kettingzaag dat niet ver van hem vandaan uit het bos was gekomen.

Hij kwam overeind en wandelde naar de weg die langs het witte huis naar het huis van Pavić en Mirjana liep. In een scherpe bocht lag een diepe plas water. Ludde pakte een tak en groef met het dikke uiteinde een geul naar de kloof zodat er een waterval ontstond waar hij met genoegen naar keek. De sombere trek om zijn mond verdween. Ergens hogerop startte de kettingzaag opnieuw.

De Geus stak de telefoon waarmee hij de foto van het dienstmeisje in Savornin Lomarks huis naar Van Aammen had gestuurd in zijn zak. Beneden, aan beide kanten van het opengedraaide bruggetje over het Verbindingskanaal, wachtte een groep mensen op een voorbijvarende tjalk waarop een in een overal geklede vrouw aan het roer stond. Voor op het dek hield een magere man een bootshaak horizontaal naast zich. In de Oosterhaven lag een rondvaartboot te wachten.

De Geus liet plotseling de balustrade van zijn balkon los en liep naar zijn slaapkamer. Hij opende zijn weekendtas die nog onaangeroerd naast het bed stond en vulde die aan met de kleren die hij nodig dacht te hebben. Toen hij klaar was, keek hij rond. Zijn ogen bleven rusten op de foto van zijn vrouw op het nachtkastje. Hij pakte haar op, keek haar een tijdje aan door het glas en legde haar toen omgekeerd op de overgebleven kleren in de kast. Daarna liep hij zijn badkamer binnen.

Een uur later stapte hij in zijn auto, reed naar het politiebureau aan de Rademarkt, stopte daar een envelop met Van Aammens naam in de brievenbus en reed vervolgens de stad uit, in de richting van de Duitse grens.

De Lada stond niet bij het huis van Mirjana en Pavić. De luiken voor de ramen waren dicht. Ludde liep aarzelend het erf op. Na een paar meter bleef hij staan. Hij floot in de verwachting dat de hond op hem af zou komen rennen, maar er gebeurde niets. De deur was op slot. Het was stil, op het geluid van het water na, dat van de dakgoot in een kuiltje drupte dat het zelf had gemaakt.

Ludde liep de tuin in en ging op het bankje bij de resten van het kampvuur zitten. Zijn hand trilde opeens weer toen hij zijn telefoon uit zijn zak haalde. Er was een video van Farima. Het was in Melbourne slecht weer, weer dat haar deed denken aan Noord-Duitsland. Voor de rest ging het prima, ook met Ilias en Mahnaz. Ze vertelde dat de autoriteiten het ook in Melbourne noodzakelijk vonden om haar met beveiligers te omringen, van wie er een sprekend op een Al Qaida-medewerker leek. Ludde drukte op de opnameknop en richtte de lens op het huis.

Dit is het huis van Miloš Pavić en Mirjana, zijn dochter,

hij ging staan en liep naar het huis,

we hebben ze tijdens ons onderzoek ontmoet, zoals ik al mailde. Ze zijn er allebei niet. Henri is terug naar Nederland, zijn baan staat op de tocht. Ik kom net uit Sarajevo. Ik was daar om contact te leggen met een nachtclubeigenaar omdat we denken dat hij samenwerkt met Bekker, die man waarvoor Henri hierheen wilde. Ze werkten ook al samen in de oorlog. Ik kwam gemakkelijk bij hem binnen, dus dat gaat allemaal goed. Ik heb vannacht in een hotel in Sarajevo geslapen, en daar had ik weer mijn droom, dus wat dat betreft maakt het niet uit of ik hier nou ben of niet. Ik denk dat ik ermee zal moeten leren leven.

Ludde stak de telefoon omhoog in de richting van de bergen.

Dit is de omgeving. Hierboven in de vallei staat nog een huis dat ook van Pavić en Mirjana is, maar ze kunnen er niet in omdat het leger het sinds de oorlog in gebruik heeft. Ik heb met die nachtclubeigenaar gepraat over het aankopen van een gebouw voor de opvang van vrouwen. Ik moest iets bedenken omdat ik te bekend ben om iets te verzinnen wat niet zou kunnen kloppen, ze hoeven me maar te googelen, wat ze dan ook deden. Zo'n huis zou op zich geen slecht idee zijn hier. Ze weten wie ik ben en dat ik met jou ben getrouwd. Ik ben blij om te horen dat het goed met je gaat, en met Ilias en Mahnaz ook.'

Ludde draaide de camera naar zichzelf

Ik dacht dat ik Pavić of Mirjana hier wel zou kunnen vinden, maar ze zijn er niet. Had ik al gezegd. Ik heb vanmiddag een tijd bij dat andere huis van Pavić voor me uit zitten kijken, en gedacht aan vroeger, lang geleden, toen ik hier was. Ik dacht dat het voorbij was, maar nu zit ik er aan de ene kant middenin en aan de andere kant gebeurt er niets, voel ik niets en weet ik niet hoe het verder moet, behalve wachten. Wacht…,

het telefoontje maakte een zwaai terug naar de bergen,

… ik hoor een motor. Misschien de auto van Pavić. Straks verder.

'Herkent u deze man?'

De receptioniste gaf de foto weer terug.

'Dat mag ik niet zeggen, behalve als u van de politie bent.'

'Dat ben ik.'

De man voor de balie haalde een opgevouwen papier uit zijn binnenzak.

'Volgens onze gegevens hebben hier twee Nederlanders gezeten, een paar dagen geleden. Ik wil weten of de man die u op die foto zag er één van die twee was,' hij wees naar een naam op het papier, die hij met moeite uitsprak, 'De Geus of zoiets.'

'Dus daarvoor gebruiken jullie de kopieën van onze inschrijvingen,' het meisje boog zich ver over de balie waarbij haar hakken los kwamen van de grond, 'dat vroeg ik me al af, waarom we die altijd naar jullie toe moeten sturen. Zijn het misdadigers, die mannen? Ik zou ook wel bij de politie willen werken, lekker spannend,' ze ging weer staan en streek haar colbertje strak, 'ze waren hier inderdaad met z'n tweeën, zes dagen geleden, die man op jouw foto was hier met nog een man, ze hadden wel aparte kamers, maar eigenlijk zijn ze er haast niet geweest. Ze kwamen om drie uur 's nachts aan, en gingen rond acht uur alweer weg, wandelen.'

'Waarheen?'

'Geen idee, ze zijn die kant op gegaan,' de receptioniste wees met een vaag gebaar ergens achter zich, 'de bergen in, maar ik heb ze niet gevolgd of zo. Waarom zou ik?'

'Hoe lang bleven ze weg?'

'Ja, daar zeg je wat,' de stem van het meisje klonk nu verontwaardigd, 'ze hadden een diner besteld voor 's avonds, maar we hebben ze niet meer gezien. Pas drie dagen later kwam die andere hun auto ophalen, hij kwam met een taxi uit Sarajevo. Ze zijn allebei erg lang, te lang naar mijn idee, uit hun krachten gegroeid. Ik heb ze liever zoals jij, een beetje breed en zo,' ze giechelde, 'die man die de bagage kwam halen heeft alles zonder gezeur betaald, terwijl ze hier nauwelijks zijn geweest. Geld genoeg denk ik, ze reden in zo'n dure Audi.'

'Heb je hun gegevens?'

'Die heb ik hier, wacht even,' het meisje draaide zich om en pakte een cahier, 'ik maak wel kopietjes voor je.'

Ludde zette zijn telefoon op het nachtkastje en ging zo zitten dat hij zijn gezicht op het schermpje zag.

Hier ben ik weer, het was inderdaad Pavić. Hij heeft hout gezaagd voor de winter. Hij was verbaasd me te zien, hij dacht dat ik nog in Sarajevo zat. Hij heeft Mirjana gebeld, die was er na een uur. Ze was boos, omdat ik zonder haar te waarschuwen uit Sarajevo ben vertrokken, ze kon haar tijd wel beter besteden dan op iemand letten die er niet was, zei ze, niet dat er iemand op me hoeft te letten overigens. Ik had er gewoon niet aan gedacht.

Ze trok later wel bij. Uiteindelijk werd het nog gezellig. Mirjana vroeg nogal veel naar Henri, ze lijkt echt in hem geïnteresseerd. Ik heb haar wat geplaagd en misschien ben ik wel een beetje te ver gegaan toen ik het over zijn drankprobleem kreeg, maar goed, het blijft knap hoe hij van de ene op de andere dag met drinken is gestopt.

Pavić zat er ook bij. In eerste instantie ziet hij er niet uit als een groot licht, ook door zijn verminking natuurlijk, vooroordelen werken altijd, maar hij is nogal slim. Dat had ik kunnen weten omdat een sluipschutter een fikse opleiding krijgt. Daarom spreekt hij ook zo goed Engels, denk ik, misschien had Tito hem ooit ergens achter een vijandig Engels front gedacht, hij komt nog uit de tijd van de Koude Oorlog.

Mirjana heeft ook een goede opleiding gehad, universitair, filosofie. Pavić drinkt, minstens een liter per dag denk ik, hij stookt het zelf, vertelde hij. Voor hem is het zelfmedicatie, hij vindt stoppen onzin, alcohol zuivert de geest en het lichaam. Ik mag zelf ook wel uitkijken, als je hier bent drink je en rook je vanzelf mee, ik wel tenminste.

Met de zaak zelf ben ik nog niet veel verder gekomen, met de zaak in mezelf ook niet, je zoekt naar iets wat er misschien helemaal niet is, net zoals bij het graf van oom Henderik laatst, ik wilde erheen, maar toen ik er was, was alles dood en kwam er niets meer boven. Een beetje een rare vergelijking, maar goed. Mirjana was ook boos omdat ik naar hun huis was gekomen, omdat ik in Sarajevo door iemand geschaduwd werd, zodat ze nu misschien weten dat ik hier ben, maar dat lijkt me onzin. Ik ben over de bergen komen lopen, en daar ben ik zeker niet gevolgd, daar heb ik op gelet.

Ik hoop dat het bij jou goed blijft gaan, ik mis jullie wel en ik mis jullie niet, maar zo zit jij ook in elkaar, dus dat begrijp je wel, denk ik, maar je even voelen zou wel lekker zijn. En nu slapen.

Toen De Geus zijn telefoon bij de toegangspoort voor de scanner hield verscheen zijn naam op het display. De slagboom ging omhoog. De met een hoog hek omgeven parkeerplaats bij de *Raststätte* baadde in een zee van licht. Hij parkeerde in de schaduw van een vrachtwagen, stapte uit en wachtte tot de stoelen in zijn auto zich tot een bed hadden omgevormd. Niet lang daarna sliep hij.

ZATERDAG

De duiven in de boom vlak voor het slaapkamerraam overstemden alle andere ochtendgeluiden. Ludde staarde liggend in zijn bed naar het plafond terwijl hij probeerde de misselijkheid, die hij als gevolg van de alcohol van de vorige avond voelde, te onderdrukken. De duiven hielden een paar tellen op met koeren toen de buitendeur openging. Ludde duwde zich moeizaam omhoog en liep naar het raam. Pavić stond samen met de hond bij de walnotenboom. Hij zette zijn handen vlak bij de stam en gooide zijn benen omhoog. De hond snuffelde aan Pavićs gezicht, stak zijn kop in de holte onder in de stam waar het hout was weggerot en verdween daarna in de schuur. De duiven begonnen weer naar elkaar te roepen. Pavićs gezicht werd nog roder dan het al was. Ludde kleedde zich aan, daalde de trap af en liep naar Pavić die nog steeds in dezelfde houding tegen de boom stond.

'Is dat je ochtendgymnastiek?'.

Pavić zei niets. Ludde liep de schuur in waar het hooi na de regen van de vorige dag vochtig rook. De hond wroette met zijn neus achter een stapel zakken. Hij gromde.

Een muis, dacht Ludde, of een rat. Hij bleef een tijdje staan kijken en liep toen doelloos via de andere uitgang weer naar buiten. De stilte was overweldigend. Hij schopte tegen een steen en keek naar de pissebedden die ergens een nieuwe schaduw zochten, waarna hij naar de keuken liep waar Mirjana met een driftig gebaar een mandje brood op de tafel zette.

'Waarom loop ik hier altijd maar voor jullie te zorgen?'

Ludde keek haar geschrokken aan.

'Omdat dat de natuur der dingen is,' Pavić kwam binnen, 'mannen jagen, vrouwen zorgen.'

'Nou, je zorgt zelf maar.'

Mirjana greep een stuk kaas en gooide dat zo hard ze kon naar haar vader, die wegdook, zijn hand opstak en het stuk kaas uit de lucht opving. Hij lachte vrolijk.

'Net haar moeder, eigenlijk doet ze niets liever.'

Ludde legde voorzichtig, alsof het niet mocht, een broodje voor zich neer.

'Ik wil best iets doen,' zei hij, 'koken, afwassen, stofzuigen, ik ben huisman, dus ik ben het gewend.'

'Begin dan maar met ramen lappen, de bedden verschonen en het toilet schrobben, dat heb ik een huisman nog nooit zien doen.'

Pavić keek zijn dochter spottend aan.

'Jij kent helemaal geen huismannen.'

Mirjana stak haar tong uit. Ludde draaide zich een kwartslag om naar Pavić.

'Sorry dat ik je stoorde net. Doe je dat vaker?'

'Met zijn benen omhoog tegen de walnotenboom?' Mirjana sneed een broodje open, 'dat doet hij elke ochtend, het helpt tegen de kater, zegt hij.'

'Dat doet het ook,' zei Pavić, 'de alcohol zakt uit je lijf.'

'Zodat er weer plaats is voor nieuwe.'

'Wat doe je sikkeneurig. Mis je die vent?'

'Die vent heet Henri.'

'En hij is net zo oud als ik.'

'Drie jaar jonger. En hij leeft twintig jaar langer, gezien dat drinken van jou.'

Ludde stond stilletjes op en liep naar het aanrecht. Mirjana keek om.

'Wat zoek je?'

'Koffie, maar misschien moet ik maar even weggaan.'

Pavić lachte weer.

'Trek je er niets van aan, ze heeft last van een ochtendhumeur, ook net als haar moeder.'

Mirjana reageerde niet, maar toch meende Ludde een lachje rond haar lippen te zien toen ze hem een vraag stelde.

'Wat ga je vandaag doen?'

'De badkamer schoonmaken en daarna loop ik weer terug naar mijn hotel.'

Pavićs lip trok op in een spastische grijns. Mirjana lachte haar lachje nu hardop.

'Dat hoeft niet, dat doe ik wel, jullie zwabberen er toch maar een beetje op los.'

Ludde spreidde zijn armen in een gespeeld gebaar van wanhoop. Pavić rekte zich uit.

'Ik zal je mijn stokerij laten zien.'

'Wacht even,' Ludde haalde zijn telefoon uit zijn zak, 'ik heb een bericht,' hij wierp een blik op het scherm en keek vrijwel direct daarna weer op, 'van Henri.'

Mirjana keek hem nieuwsgierig aan.

'Ben onderweg, sta op non-actief, heb alle tijd. Hoop in de loop van de avond aan te komen.'

Ludde legde de telefoon neer, stond op en bracht de bordjes naar het aanrecht.

'Dan blijf ik vanavond ook maar,' zei hij, 'dan loop ik morgenochtend wel naar Sarajevo voor die afspraak.'

Petar Jović liep zijn huis uit met zijn telefoon aan zijn oor.

'Het bevalt me niet,' zijn stem klonk ingehouden agressief, 'als jij al niet weet wat ze willen, hoe moet ik het dan weten?'

Hij liep al pratend langs het zwembad waar hij de stoelpoten precies op de naad tussen de tegels zette.

'Mijn vrienden bij de politie hebben het hotel getraceerd waar ze in het begin zaten, gewoon onder hun eigen naam. Ze zijn dezelfde dag nog gaan wandelen, en vervolgens zijn ze drie dagen weggebleven, terwijl ze hadden afgesproken 's avonds terug te komen. In die drie dagen dook Menkema op bij mij in mijn club. Waar was die De Geus toen? Wat hebben ze die drie dagen verder gedaan? Waar zijn ze geweest? Waarom? Veteranen die het moeilijk hebben met hun verleden? Ik geloof er niets van. Waarom komt Menkema dan naar mij toe?'

Tussen de opengeschoven tuindeuren verscheen een vrouw met een handdoek rond haar heupen. Jović zwaaide. Ze zwaaide geeuwend terug.

'Bovendien doet Menkema me te geheimzinnig. Hij schudt mijn man af als ik hem laat volgen, en nu zit hij maar in zijn hotel, hij komt zijn kamer niet uit.'

Jović liep naar de vrouw die bij de tuintafel was gaan zitten, legde zijn hand op haar hoofd, luisterde en begon daarna weer te praten.

'De Geus mag dan nu in Nederland zijn, hij was eerst wel degelijk hier. Ik wil dat soort mensen hier niet, ik jaag Menkema de stad uit. Suad wil hem morgen een pandje laten zien, maar ik denk dat ik daar maar persoonlijk heenga zodat dat meteen het laatste huis is dat hij hier zal zien.'

De vrouw keek op toen de stem van Bekker aan de andere kant van de lijn de hoogte inschoot. Jovićs hand schoof van haar hoofd.

'Je kunt lullen wat je wilt,' zei hij, 'ik snap dat Menkema te bekend is om hem dood te slaan, maar dit is mijn stad en ik regel dit soort dingen op mijn eigen manier.'

De aardbol draaide naar Europa en zoomde in op Sarajevo. Aldwin Bekker gleed met zijn vinger over het scherm. Het beeld van Google Earth verschoof naar het oosten en zoomde in op een hotel. Vanachter het hotel liep een paadje de bergen in, een geel slingerlijntje dat tussen het groen was ingetekend tot het verdween, ergens hogerop, waar het te smal was geworden. De aardbol schoof verder over een top, daalde af in een vallei en ging weer omhoog tot zijn vinger stilstond boven een deel van de bergen dat op het moment van de opname onder een wolk had gelegen zodat er weinig details waren te zien. Bekker liep naar het raam van zijn werkkamer waar de regen vanaf stroomde.

'Het zou kunnen,' mompelde hij, 'het zou ook logisch zijn.'

'Dit is het.'

Ludde zakte op zijn hurken naast een gesloten kopervat op een driepoot boven een gasbrander. Aan de bovenkant stak een pijp omhoog die na een centimeter of veertig in een scherpe bocht schuin naar beneden liep om te eindigen boven een emmer die ook van koper was. Het omlaaglopende gedeelte van de buis was op twee plaatsen verbonden met een slang waarvan de onderste aan een kraan zat.

'Dat is de koeling,' zei Pavić, 'in dit vat doe je de pulp, je stookt het op, de alcohol gaat als damp in deze buis naar boven,' hij wees naar de omhooglopende buis en vervolgens naar het omlaaglopende gedeelte met de waterslangen, 'dan komt het hier, het condenseert en druppelt zo de emmer in.'

'En dan drink je het en dan word je blind.'

'Als je alleen dit nog maar hebt,' Pavić legde een vinger onder zijn gezonde oog, 'kijk je daar echt wel voor uit.'

'Het is opmerkelijk hoe snel een mens aan iets went,' zei Ludde, 'in het begin keek ik eerlijk gezegd tegelijkertijd steeds wel en niet naar je, maar nu zie ik het al haast niet meer.'

'Een schrale troost,' Pavić draaide aan de kraan, 'gelukkig hoef ik geen troost, ik vind het wel goed zo.'

Er stroomde een beetje water uit de slang aan de bovenkant van de koeler. Pavić draaide de kraan weer dicht.

'Je moet het eerste gedeelte van het destillaat weggooien, of je kunt er de ramen mee zemen, zolang je het maar niet drinkt. En voor de rest is het een kwestie van gevoel.'

'Je vindt het wel goed zo.'

'Ja, dat zei ik. Ik heb mijn vrouw verloren, mijn land, mijn huis, mijn gezicht en de toekomst zoals ik die zag.'

'En toch vind je het dus goed.'

'Ja,' Pavić liep de boomgaard in, 'maar gek genoeg werd ik pas rustig nadat die vrouw wraak op me had genomen. Toen wist ik waar ik aantoe was, denk ik.'

'Terwijl ze met jou een verkeerde voor zich had.'

'Voor haar was ik van hetzelfde soort en daar had ze gelijk in. Het doet er niet toe of ik of iemand anders haar man en kind doodschoot. Ik betaal mijn schuld met mijn gezicht. En jij?'

'Ik?'

'Hoe betaal jij je schuld?'

'De schuld die ik heb of de schuld die ik voel?'

'Wat jij wilt.'

Ludde pakte een tak en hield die voor de bek van de hond.

'Ik voel geen schuld, wel schaamte. Ik schaam me ervoor dat we niet gedaan hebben wat we beloofd hadden, maar de schuld daarvoor ligt bij de politiek, die stuurde ons de hel in zonder brandblusser.'

'En de schuld die je hebt?'

Ludde gooide de tak weg. De hond liep er met tegenzin achteraan.

'Toen alles weer kalm was, toen iedereen weg was, toen werd het stil.'

De hond legde de tak voor Luddes voeten en ging liggen.

'En toen het niet stiller kon, ook de dieren deden hun bek niet meer open, toen zag ik hoe ze een vrouw een schuur in schopten, een eindje verderop, misschien honderd meter. Later gilde ze, en ik deed niets. En elke keer als ze opnieuw gilde, deed ik weer niets, tot het goddank eindelijk ophield.'

Pavić hurkte neer en zette zijn vingertoppen tussen de nagels van de voorpoten van de hond.

'Dat vind ik een lekker gevoel,' zei hij, 'en hij ook.'

De hond draaide zich op zijn rug. Ludde keek voor zich uit. Vanuit het huis klonk muziek, slepende muziek die uit Turkije leek te komen.

'De muziek van mijn vrouw. Ik ga het bos in.'

Pavić ging staan. De hond sprong op. Ludde liet zich zakken, ging achterover op zijn ellebogen liggen en stelde toen alsnog de vraag die hij al eerder had willen stellen.

'Wat was er met die leeuwerik?'

Pavić keek om.

'Toen ik mijn vrouw vond, stond er eentje boven me te zingen alsof er niets was gebeurd,' hij lachte cynisch, 'bij jou waren ze tenminste nog stil.'

Pavićs lichaamshouding drukte verzet uit tegen alles wat Ludde zou kunnen gaan zeggen, maar Ludde begreep dat het antwoord dat de leeuweriken er ook niets aan konden doen al te gemakkelijk zou zijn, dus hij hield zijn mond. Pavić ontspande.

Suad pakte Jovićs telefoon.

'Ja?'

'Bekker. Ben jij dat Suad?'

'Ja.'

'Waar is Petar?'

'Even weg. Wat is er?'

'Ik denk dat De Geus en Menkema vanaf het hotel waar ze zaten naar ons huis in de vallei zijn gelopen, dat kan gemakkelijk in een dag.'

'Wacht even, hier komt Petar.'

Suad stak de telefoon omhoog.

'Bekker, hij denkt iets bedacht te hebben, maar hij is slecht te verstaan.'

Jović nam de telefoon over.

'Regent het bij jou of zo?'

'Ja. Ik denk dat De Geus en Menkema naar je huis in de bergen zijn gelopen, waar wij altijd afspreken.'

'Waar jij bent neergeschoten,' Jović keek naar Suad die zijn hand opstak, 'Suad wil iets zeggen.'

'Pavić.'

'Wat?'

'De sluipschutter.'

Jović ging zitten.

'Pavić,' zei hij, 'Suad suggereert Pavić. Die woont daar nog met zijn dochter. Je kent haar nogal intiem, al is ze nu te oud voor je.'

Bekker antwoordde iets. Jović ging verder.

'Ja, dat klopt, dat huis was van de Pavićs. Die schotwond heb je denk ik ook aan hem te danken, een echte man wat dat betreft, hij had gewoon een vrouw van zijn eigen volk moeten neuken,' Jović keek naar Suad, 'zuiverheid in een ras is nog altijd het beste.'

Suad deed alsof hij niets hoorde. Bekker zei weer iets. Jović luisterde. Toen hij reageerde klonk zijn stem kalmerend.

'Goed, rustig maar. Ik stuur er iemand naartoe.'

De boomgaard gonsde van stilte. Mirjana was ergens in het huis. Pavić was al uren weg. Boven Luddes hoofd dreven wolken voorbij waar hij gedachteloos naar keek. De wind zwol aan en zakte weer weg. Er kriebelde iets onder zijn rug. Ludde krabde, geeuwde, ging toen ineens staan en liep naar de schuur. Even later kwam hij weer naar buiten met een oude leren hoed en een vetspuit. Hij deed zijn shirt uit, zette de hoed op, drukte de vetspuit op een smeernippel bij de messen van de maaimachine en pompte tot het vet uit de spuitmond naar buiten kronkelde. Toen hij ook de andere nippels had afgewerkt klom hij op de trekker, startte, reed de boomgaard in en liet de maaibalk zakken.

Het geronk van de dieselmotor, het ratelende geluid van de messen en de geur van het gemaaide gras maakten hem vrolijk, net als vroeger, toen hij als kind achter op het spatbord met oom Henderik meereed als die het gazon rond de boerderij maaide. Toen hij voorbij de keuken kwam zwaaide hij naar Mirjana, die vanachter het openstaande raam met een deegrol in haar hand terugzwaaide. Ludde gooide het stuur om zodat het uiteinde van de maaibalk rakelings langs een boomstam schoot. Het gras viel in geordende rijen achter hem neer. Algauw verzamelden grasrestjes en kleine insecten zich in het zweet op zijn rug.

Op het pleintje beneden in het dorp, een paar honderd meter lager in het dal, stapte een in een beige broek geklede man uit een auto. Hij nam een rotsig voetpad dat de bergen inliep tot hij het gegrom van een dieselmotor hoorde. Hij ging op zijn tenen staan om over de begroeiing naast het pad te kunnen kijken. Aan de overkant van de vallei, in de boomgaard naast het huis van de Pavićs, reed een trekker waarop een lange man zat met een cowboyachtige hoed op zijn hoofd die verder alleen een zwarte spijkerbroek droeg. Hij maaide het gras. Een paar meter lager dan het pad stond een hoge dennenboom. De man liet zich zakken, opende een tas, zette een fles whisky en een fles water in de schaduw en pakte een fototoestel met een lange voorzetlens die hij op het huis richtte.

De trekker laveerde behendig tussen de bomen door. Uit de schoorsteen van het huis kwam rook. De man legde het fototoestel neer, nam een slok whisky en richtte de lens daarna op de deuropening waarin een vrouw was verschenen die haar handen met een theedoek afdroogde. Ze leek een jaar of dertig en droeg haar haar in iets dat het midden hield tussen een vlecht en een paardenstaart. Ze was niet erg groot en droeg, net als de man op de trekker, een spijkerbroek waarboven ze een overhemd aanhad dat tot vlak boven haar borsten openhing. De man met het fototoestel zoomde op haar in en drukte af. Toen hij klaar was pakte hij zijn telefoon.

'Ja?'

'Ik ben bij het huis van Pavić. Er rijdt daar een man op een trekker die aan de beschrijving voldoet, lang, mager, zwarte spijkerbroek, volgens mij is dat Menkema, als ik het goed uitspreek. Hij maait het gras.'

Jović keek naar Suad.

'Menkema is bij de Pavićs. Ik dacht dat hij nog in zijn hotel zat.'

'Hij zal zijn sleutel wel niet ingeleverd hebben.'

'Hij maait het gras.'

'Hij doet wat?'

'Hij maait het gras.'

Jović legde de telefoon neer en keek nadenkend naar Suad.

'Bekker had dus gelijk. Menkema is bij de Pavićs. De Geus zal daar dan ook wel zijn geweest.'

'Wat gaan we nu doen?'

'Jij niets, ik ga iets doen. Ik ga morgen in jouw plaats die huisjes van je neef aan Menkema verkopen.'

Ludde en Pavić zaten bij het kampvuur. Vanuit een raam op de bovenste verdieping scheen gelig lamplicht naar buiten waarin af en toe de schaduw van Mirjana voorbijkwam. De hond sliep aan Pavićs voeten. Ludde stak zijn telefoon in zijn zak.

'Henri is er over een kwartier,' zei hij, 'heb je gezien dat ik je gras gemaaid heb?'

'Ja,' Pavić gooide een tak op het vuur, 'dat is mooi voor het paard de komende winter.'

'Hebben jullie een paard?'

Pavić wees de berg op.

'Ja, in een weitje verderop, een erfenis van mijn oudere broer die hier boven een huisje had.'

'Dat lijkt me wel lekker, hier paardrijden.'

'Ik loop liever. Die vriend van je, Henri, wat is dat voor man?'

'Henri is een prima politieman, hij is weduwnaar, hij heeft een dochter van in de dertig en hij drinkt niet meer,' Ludde nam een slok, 'alcohol stoken kun je.'

'Een dochter net zo oud als Mirjana.'

'Ouder, schat ik. Maar ik neem aan dat Mirjana over dat soort dingen zelf beslist.'

'Bij jullie thuis in jullie vrijgevochten landje misschien, hier niet.'

'Ook niet als die dochter Mirjana heet?'

Op het moment dat Mirjana de auto het erf op hoorde draaien, wreef ze voor de spiegel met een natte vinger over haar lippen om haar lippenstift te laten glanzen, waarna ze met gespreide vingers haar krullen omhoog kamde, zodat die wat meer volume kregen, het licht in haar slaapkamer uitdeed en naar het raam liep. De auto stopte. Het portier ging open. Mirjana voelde haar hart tegen haar ribben tikken toen ze De Geus met lange passen naar het kampvuur zag lopen. Zijn stem klonk vrolijk.

'Dag heren,' hij gaf Pavić een hand en ging naast Ludde zitten, 'is Mirjana er niet?'

'Die is boven. Hoe was je reis?'

'Prima. Is er hier nog iets gebeurd?'

'Niets. Ik heb het gras gemaaid.'

'Dat ruik ik. Waarom ben je niet in Sarajevo?'

'Omdat ik pas morgen een afspraak heb, met Suad. Ik zat me te vervelen. En er liep steeds een mannetje achter me aan, daar had ik geen zin meer in.'

'Behalve dan dat Jović nu niet weet waar hij je moet vinden.'

'Ik ben in het hotel, op mijn kamer wat hem betreft. Ik ga morgenochtend terug. Dat wilde ik eigenlijk vanochtend al doen, maar toen jij meldde dat je hierheen kwam, ben ik gebleven. Wat is er op je werk gebeurd?'

Mirjana zette haar ellebogen op de vensterbank.

'Ik ben tot mijn vreugde op non-actief gesteld wegens onenigheid over een beleidswijziging en het niet arresteren van een staatsgevaarlijk individu.'

'Tot je vreugde?'

'Ja, ik merk dat ik er blij om ben,' De Geus ging staan en liep in de richting van het huis, 'ik ga Mirjana dag zeggen.'

Mirjana kwam overeind uit haar gebogen houding, liep naar de deur en roffelde de trap af. Toen De Geus de keuken binnenkwam, stond ze gebukt voor de oven. Ze haalde een taart tevoorschijn.

'Appeltaart.'

Mirjana keek om.

'Dat ruikt lekker.'

De Geus stond net over de drempel. Zijn ogen keken onzeker naar Mirjana die de taart op de tafel zette en even onzeker terugkeek tot ze een stapje in zijn richting deed en haar hand uitstak. De Geus deed hetzelfde. Toen hun handen elkaar raakten, schoven ook hun lichamen als vanzelf tegen elkaar. De Geus stak zijn neus in Mirjana's haar.

'Nog lekkerder dan appeltaart, haar, hooi en vrouw.'

Mirjana deed een stapje terug zodat ze een beetje ruimte maakte en ging op haar tenen staan. Haar lippen weken iets uit elkaar. Na een paar minuten maakte ze zich los.

'Vreemd,' zei ze, 'dat je niet rookt en drinkt. Ik weet niet beter dan dat mannen naar alcohol en rook ruiken.'

De eerste fles whisky van de man bij de dennenboom was leeg. De paar lichtjes in het dorp en het kampvuur bij het huis van de Pavićs in de verder donkere vallei dansten voor zijn ogen. Hij bekeek zijn foto's. De foto van de auto met een buitenlands kenteken waaruit een man was gestapt, was ondanks het gebrek aan licht goed gelukt. De foto's van de vrouw ook. Het was best een mooie vrouw, vond de man, misschien iets te dik. Op de laatste foto stond ze achter het geopende keukenraam met haar armen om de man die net was aangekomen. Ook die informatie had hij aan Jović doorgegeven.

De zoom van het witte, kanten bloesje van het meisje, waarin haar borsten alle ruimte hadden, hing een paar centimeter boven haar navel. Haar spijkerrokje eindigde vlak voorbij de overgang van haar billen naar haar benen. Suad keek naar de getatoeëerde draak die vanaf haar onderrug een tong onder haar bloesje stak. Hij tikte op haar schouder toen ze net haar hoofd achterover deed om een slok uit haar champagneglas te nemen. Ze keek verwachtingsvol om, maar dat veranderde snel in iets wat eerder op angst leek toen ze Suad zag. Hij pakte haar arm met vingers waarin ze de botjes kon voelen.

'Meekomen, ik heb iets voor je.'

Het meisje verstond in de harde muziek nauwelijks wat hij zei, maar ze begreep wat hij wilde toen hij haar in de richting van een openstaande deur duwde, waarachter een trap naar boven liep. Op de trap liet hij haar los. Haar handen trokken haar rokje naar beneden, maar ze bleef zich bekeken voelen, een gevoel dat ongetwijfeld klopte, bedacht ze, terwijl ze het door de champagne veroorzaakte zwevende gevoel in haar hoofd probeerde te onderdrukken. Ze wist ineens dat ze wilde dat ze naar haar moeder had geluisterd, die had gezegd dat haar rok te kort was, maar haar moeder wist niet wat er nodig was om iets te verdienen in een nachtclub als deze, hoewel ze dus wel gelijk had. De trap eindigde bij een dubbele deur waarachter in een donkere ruimte zachte bankjes rondom tafeltjes stonden. De ruimte was leeg. Suad leidde haar verder langs de bar naar een kamer waarin op de middelste van een drietal in een U-vorm tegen elkaar aan geschoven banken, Jović zat, de baas. Het meisje voelde een vlaag van opwinding toen ze een prachtig beeld kreeg van zichzelf, een beeld waarin ze met wapperende haren naast Jović op de voorbank van zijn geweldige auto zat, met het dak open, zwaaiend naar haar vriendinnen, maar dat beeld verdween toen Jović naar de rode bank wees. Ze ging rechtop zitten, bang als ze was voor wat er komen ging. Bang en opgewonden.

'Wil je iets drinken?'

Het meisje knikte.

'Ik ben er nog steeds niet aan gewend dat vrouwen hier tegenwoordig drinken,' Jović schonk een borrel in en zette die voor haar neer, 'en eigenlijk ben ik er ook op tegen, maar ja, de tijden veranderen, vertel eens,' de uitdrukking op zijn gezicht was vriendelijk, 'hoe is het bij je thuis?'

'Bij mij thuis?' het meisje keek van Jović naar Suad die tegenover haar was gaan zitten, en toen weer naar Jović, 'heeft mijn moeder gebeld?'

Jović schudde zijn hoofd.

'Rustig maar, je heet toch Dana?'

'Danijela.'

'Hoe oud ben je?'

'Achttien.'

Suad gaf een opengeslagen mapje aan Jović.

'Ik ben net van school af.'

'Je hebt geen vader en je moeder werkt in een supermarkt?'

Danijela knikte. Ze boog zich voorover en pakte het glas tussen haar trillende vingers. Jović keek naar het enkele A-viertje dat in het mapje zat.

'Achttien zei je toch?'

'Ja,' het meisje nam een slokje, 'anders kan ik hier toch niet werken?'

Jović legde het mapje neer. Zijn stem klonk nog steeds vriendelijk.

'Je bent geen achttien, eerder zestien. Je identiteitskaart is vals.'

Het meisje zette haar glaasje voorzichtig neer. Jovićs stem klonk scherp nu, hard.

'Weet je hoeveel het me kost als de politie erachter komt dat hier minderjarigen werken?'

Ze schudde haar hoofd.

'Je bent ontslagen.'

Ze keek op, door de tranen heen die in haar ogen waren geschoten. Haar stem trilde, ze wilde iets zeggen, maar Jović was haar voor.

'Ik vroeg hoe het thuis was. Je hebt het geld zeker nodig?'

'Ja.'

'Je moeder was een hoer. Jij bent een kind van een hoerenloper.'

Het meisje durfde niets te zeggen.

'Wil je ander werk?'

Ze antwoordde niet.

'Je bent me tweeduizend euro schuldig.'

Ze keek in verwarring op.

'Je hebt hier twee maanden gewerkt. Al die tijd had ik een boete kunnen krijgen. Dat risico moet betaald worden. Tweeduizend euro.'

Het meisje wilde protesteren, maar toen ze het gezicht van Suad zag, hield ze haar mond.

'Je kunt het me terugbetalen. Ik heb werk voor je in het buitenland. Au pair.'

Het meisje voelde zich licht worden in haar hoofd, vrolijk bijna.

'Ga staan.'

Ze deed wat hij zei.

'Laat je kut zien.'

Het meisje legde geschokt een hand op haar buik, in een onbewuste poging zichzelf te beschermen. Jović kwam overeind. Hij kwam tot net boven haar hoofd. Hij keek haar aan en tikte haar met zijn vlakke hand op haar wang.

'Ik zei iets.'

Het meisje slikte haar tranen weg. Ze keek naar Suad in de hoop dat hij iets zou doen, maar hij schoof zijn benen voor zich uit zodat ze kon zien dat hij zich lichamelijk prima vermaakte. Danijela pakte de zoom van haar rok en trok die naar boven. Haar vingers vonden de rand van haar slip. Jović keek.

'In het vervolg helemaal kaal,' zijn stem klonk weer aardig, 'Suad vertelt je wat er verder gaat gebeuren.'

Hij liep weg, schoof een wandkleed met een afbeelding van een halfnaakte vrouw opzij, opende de deur die daarachter zat en verdween.

ZONDAG

'Als dit een gewoonte wordt,' Ludde keek mompelend naar zijn geplooide gezicht in de spiegel, 'zit ik straks naast Henri af te kicken.'

Hij liep naar de douchecabine die aan het eind van de gang op de eerste verdieping was ingebouwd. De rest van het huis was stil. Ludde zette het raampje open zodat hij tijdens het douchen de boomgaard in kon kijken, waar hij half en half Pavić met zijn benen omhoog tegen de walnotenboom verwachtte, maar Pavić was er niet. Toen hij zich had aangekleed ging hij naar de keuken, zette koffie en smeerde boter op een grof stuk brood dat hij uit een trommel met een groen deksel haalde. Daarna legde hij een briefje op het aanrecht waarin stond dat hij op weg was naar zijn hotel. Het feit dat hij de deur uitging en het bergpad opliep werd gefotografeerd en doorgegeven door de man aan de andere kant van de vallei.

Het monument lag nog in de schaduw van de ochtend. Ludde aarzelde en liep toen toch net als twee dagen eerder naar de rand om naar beneden te kijken. Voor hem vloog de steenarend haar rondjes. In de kloof was het nog zo donker als de nacht. De diepte maakte hem duizelig. Ludde deed een stap achteruit en liep naar de andere kant van het plateau waar de zon er al in was geslaagd om over de berg heen te komen. Hij ging zitten en keek hoe de rand van de schaduw steeds verder van hem af kroop. De steenarend wiegde met haar vleugels. Haar kop bewoog zoekend heen en weer.

Ludde nam een hap van het brood, maar hij hield daarmee op toen zijn gevoel van vredigheid werd verstoord door iets wat hij eerst niet thuis kon brengen, tot het tot hem doordrong dat hoog boven de steenarend een klein stipje kwinkeleerde, een dartel geluid dat hij als kind ook boven het land van Groningen had gehoord, een geluid dat later was verdwenen, samen met dat van de mussen in de heg van de moestuin en de zwaluwen op de stroomdraden vanaf de weg naar de boerderij. Een leeuwerik. Ludde dacht aan Pavić. Hij dacht eraan dat het niet mogelijk was om te begrijpen wat oorlog met iemand doet, zeker niet als je er niet uit kunt, zoals Pavić, of zoals Mirjana of zoals al die andere mensen die hier rondliepen met een verleden dat je aan de buitenkant niet kon zien. Ludde at de rest van het brood en zocht daarna vergeefs naar een flesje water.

Het stapelbed stond in een wit gesausde kamer. In de muur zat een klein raampje. Danijela's hoofd deed pijn. In een hoek lagen haar kleren. Naast haar, op de grond, lag een deken. Danijela stak haar hand uit, trok de deken over zich heen en krulde zich op. Het duurde lang voor ze warm was.

De Geus liep naar zijn auto, opende de kofferbak, pakte een paar klompen en liep de boomgaard in. Hij neuriede. Zijn klompen schopten door het gemaaide gras dat zijn groene kleur al bijna had verloren. Op het muurtje tussen de boomgaard en de weg naar boven lag een hagedis. De Geus stak een grasstengel in zijn mond. Toen vanuit het huis de lach van Mirjana klonk, draaide hij zich om met het gevoel een engel te zullen zien.

Vanavond neem ik een borrel, dacht hij, dat kan ik nu best weer hanteren. De gedachte droeg bij aan het eindeloze geluksgevoel dat hij al had.

De deur van het kamertje werd van het slot gedraaid. Danijela drukte haar knieën tegen elkaar. Jović kwam binnen.

'Heb je het begrepen?'

Zijn stem klonk vlak, aardig in zekere zin. Het meisje keek naar hem omhoog.

'Je gaat straks naar je moeder. Je vertelt dat je bent ontslagen, maar dat je nu in het buitenland gaat werken. Daarna kom je weer terug met een ingepakte tas.'

'En daarna?'

'Wat ik zei, naar het buitenland, als au pair.'

'En verdien ik dan ook?'

'Meer dan je hier krijgt.'

Het meisje draaide nerveus een streng haar om haar vinger.

'Ik moet geld verdienen voor mijn moeder.'

'Zeg tegen haar dat je minstens een jaar weg bent. Je krijgt duizend euro voorschot, dat geld geven we aan haar. We verrekenen dat met je loon.'

'En wanneer ga ik dan weg?'

'Binnenkort. Je gaat niet meer naar school?'

'Eigenlijk wel.'

'Maar je komt er nooit.'
Danijela schudde haar hoofd.
'Dan zullen ze je daar niet missen.'
'Kan ik niet bij mijn moeder blijven tot ik wegga?'
'Nee. Je blijft hier zo lang voor ons werken. Dan kun je alvast oefenen.'
Het meisje huiverde.
'Ik wil niet...' haar stem klonk onzeker en stotterend, 'ik wil geen rare dingen doen.'
'Ga staan.'
Ze deed wat Jović haar opdroeg. Hij pakte haar onder haar kin en keek haar recht in haar ogen.
'Je doet wat je wordt gevraagd. Zolang je dat doet gaat het goed met je, begrepen?'
Danijela voelde haar wil in zichzelf wegzakken. Ze knikte.

Het was een uur of tien in de ochtend toen Ludde het hotel binnenkwam. De receptionist wenkte hem.
'Zou u het ons willen laten weten wanneer u het hotel verlaat?'
'Uiteraard.'
'Anders hebben wij er geen zicht op wie er binnen is en wie niet. We hebben pas vanochtend uw kamer kunnen opruimen.'
'Ik was het vergeten, sorry. Ik was iets langer weg dan gepland.'
Nadat Ludde naar boven was gegaan pakte de receptionist zijn telefoon. Aan de andere kant nam Suad op.

'Ik kreeg net een bericht van Ludde,' De Geus nam een slok van zijn koffie, 'die afspraak om dat pand te bezichtigen is om twee uur.'
'Dat weet ik, ik ga er straks naartoe.'
Mirjana zat op het stropak aan de andere kant van de stookplaats waarop De Geus de as in een keurige hoop bij elkaar had geveegd. Hij keek naar haar en vond haar prachtig. Hij nam nog een slok.
'Ben je bang dat hem iets zou kunnen overkomen?'
'Misschien. Onder de huid van onze mannen zit nog steeds oorlog, en bij types als Jović moet die er regelmatig uit.'
'En dat betekent?'
'Dat hij slachtoffers wil zien.'
'Dan ga ik ook mee.'
Mirjana schudde haar hoofd.
'Jij blijft hier. Het is niet nodig dat ze weten dat jij hier bent. En je kent de stad niet.'

'Dan ben ik hier alleen.'

'Ja. Zou je de ramen dicht willen doen als het gaat regenen?'

Er kwamen vooral jonge mensen voorbij die er modieus uitzagen, hoewel veel meisjes hun verzorgde kleren combineerden met een decent hoofddoekje. Ludde liep naar de schaduw van de luifel voor een schoenenzaak aan de overkant van de straat. Het was benauwd. De zon blikkerde in de ramen van de hoge met glas bedekte toren een eindje verderop.

Voor het hotel aan de andere kant van de straat stopte een witte Mercedes met een open dak en een roodleren interieur. Ludde keek op zijn horloge. Het was net twee uur geweest. Jović zat aan het stuur. De portier van het hotel schoot toe, maar Jović wuifde hem weg. Naast hem zat Boris. Ludde stak over. Boris schoof zijn hand onder zijn colbert waar hij voor iedereen zichtbaar een schouderholster droeg. Jović wees naar de achterbank, maar Boris maakte een afwerend gebaar. Hij stapte uit, liet zijn handen over Luddes bovenlichaam glijden en liet ze daarna naar beneden afzakken. Ludde zette zijn voeten uit elkaar. Zijn armen hingen een eindje van zijn lichaam. Boris kwam overeind.

'Schoon,' zei hij, 'we kunnen gaan.'

Hij maakte een uitnodigend gebaar, wachtte tot Ludde naast Jović was gaan zitten en nam plaats op de achterbank. Jović reed weg. Zijn ogen waren verstopt achter zijn zonnebril.

'Ik dacht dat Suad zou komen.'

Jović zei niets. Ze volgden een deel van Snipers Alley, reden langs de rivier en sloegen bij de derde brug linksaf, de oude binnenstad in waar Jović vrijwel direct het trottoir opreed en stopte naast een politieman die iets leek te willen zeggen, maar wegliep toen Boris met het gezicht van een goedmoedige beer uitstapte. Ook Jović stapte uit.

Vlak voor de auto leunden twee armoedige pandjes met verstofte etalages tegen elkaar. Ludde deed zijn portier open. Boris ging achter hem staan. Het glas in de deuren van beide panden hing aan de binnenkant vol spinnenwebben. Jović stak een sleutel in het slot en trok een van de deuren open. Toen richtte hij zich voor het eerst die middag tot Ludde.

'Het ziet er klein uit,' zei hij, 'en er is nog wat oorlogsschade, maar er is veel meer ruimte dan je denkt.'

Ze kwamen binnen in een vierkante ruimte die een meter of vijf breed en diep was. De vloer bestond uit verzakte marmeren tegels. Het plafond was opgebouwd uit gebogen glazen panelen die uitzicht boden op de buitenlucht, hoewel het licht dat binnenkwam gefilterd werd tot een zonnig waas omdat ook hier het glas bedekt was met spinrag. In een nis was een mozaïek aangebracht waarop een heldhaftige man een rode vlag plantte op een afgebrande kerk. Op de tegels lagen de resten van een stoel. Jović bukte zich, pakte een stoelpoot en gebruikte die om naar de in de hoeken opgenomen pilaren te wijzen die aan de bovenkant waren voorzien van uitgehouwen proletarische koppen.

Aan de linkerkant liep een trap die uitkwam op een overloop die aan de verste kant ramen had die uitkeken over het glazen dak van de benedenverdieping. Links was een deur. De ruimte erachter was leeg. Ludde liep naar binnen. Jović volgde hem. Hij sloot de deur achter zich. Boris bleef buiten.

Ludde draaide zich om.

'Dit lijkt eerlijk gezegd allemaal toch net wat te klein.'

Zijn stem klonk verontschuldigend. Jović deed een stapje dichterbij. Hij zette zijn voeten iets uit elkaar. De stoelpoot landde al op Luddes linkerslaap voordat hij zijn handen omhoog had gebracht in een veel te late poging om de klap af te weren. De stoelpoot was weg, maar kwam vanaf de andere kant terug, deze keer op zijn ribben. Ludde wankelde. Zijn handen zochten steun bij de muur, maar ze gleden weg. Jović slingerde de poot in een hoek. Zijn vuist eindigde direct daarna in Luddes maag. Ludde klapte voorover. Jović deed een stapje achteruit met een geconcentreerde blik in zijn ogen. Zijn voet schoot uit. Ludde voelde zich achterovervallen, tegen de muur. Hij schoof onderuit. Jović tilde zijn linkerbeen op en trapte. De hak schampte langs Luddes knie en landde op het been dat daaronder lag zodat Jović moeite had om zijn evenwicht te bewaren. Hij ademde diep in en uit. Luddes lichaam lag stil. Zijn gezicht was wit. Zijn colbert zat vol bloed, net als zijn haar en net als de vloer onder hem. Jović wachtte tot het trillen van de spieren in zijn lichaam was weggezakt, draaide zich om en liep weg.

Vlak daarna galmde de tik van het slot van de buitendeur door het pand alsof het door de lege ruimte duizenden keren werd versterkt. Het geluid kwam Luddes oren binnen, maar werd verderop niet meer door zijn hersenen verwerkt. Ook de regendruppels die tegen de ramen sloegen, hoorde hij niet.

De Geus liep in een hoog tempo achter Pavić aan over een bospad. Links en rechts van het pad glooide de wand van de vallei omhoog en omlaag. Pavić had zijn geweer bij zich. De Geus hijgde. Zijn voeten probeerden balans te houden op de stenen en de wortels van het pad, maar toch gleed hij regelmatig uit. Pavić keek niet op of om. Hogerop klonk het geblaf van de hond. Pavić hing zijn wapen over zijn schouder. Aan de overkant van de vallei was af en toe het witte huis te zien.

'Hier zijn Ludde en ik ook langsgekomen,' de woorden kwamen hijgend uit De Geus' mond, 'we zijn hier recht naar beneden gegaan. We waren bang voor landmijnen.'

Pavić antwoordde zonder om te kijken.

'Die zijn er niet meer als het goed is.'

'We dachten dat hier normaal wel dorpsbewoners zouden wandelen of jagen of wat dan ook doen, maar het zag er zo ongebruikt uit dat we aannamen dat ze bang waren voor mijnen.'

'Dorpsbewoners komen hier niet. Deze vallei is van mij,' Pavić stopte zo plotseling dat De Geus tegen hem aan botste, 'wat is er tussen jou en mijn dochter?'

De Geus voelde zich de schooljongen die hij ooit was geweest, maar hij vermande zich snel.

'Wat mij betreft trouw ik met haar.'

'En wat haar betreft?'

'Daar hebben we het niet over gehad.'

'Je bent bijna net zo oud als ik.'

'Ja.'

'Vroeger zou ik je alleen daarom al van mijn erf hebben geslagen.'

De Geus keek neer op de kleinere man.

'Als je dat gelukt was.'

'Dat was mij zeker gelukt, maar de tijden zijn veranderd.'

'Gelukkig dan maar. Wat wilde je me laten zien?'

'Dit.'

Pavić liep een nauwelijks zichtbaar paadje op dat uitkwam bij een doorgang in een laag, uit keien opgebouwd muurtje, waarachter een huis was te zien. Voor het huis lag een door het muurtje afgescheiden ruimte waar ooit gras had gegroeid, maar dat nu was opgedroogd tot een stenige, harde vlakte. In het midden stond een waterput. Het huisje was niet veel groter dan de schuur beneden. Pavić duwde met zijn voet een steen opzij, pakte de sleutel die daaronder lag en opende de buitendeur die direct uitkwam op het enige vertrek dat het huis rijk was.

'Hier woonde mijn broer,' zei Pavić, 'die was al dood voor de oorlog begon, gelukkig.'

Hij zette zijn geweer naast een luik tegen de muur en deed het open. Ze keken uit op de vallei.

'Als je daar langs kijkt,' Pavić wees naar een breed uitwaaierende boom, 'kun je het huis zien. Iemand als ik zou hiervandaan iemand daar kunnen raken.'

De Geus dacht aan Aldwin Bekker, die door Pavić bij het witte huis was neergeschoten, maar hij zei niets.

'Hier kunnen jullie slapen,' Pavić schopte tegen een ledikant in de hoek, 'boven staat ook nog een bed, geloof ik. Als Jović er is, kun je van hieruit in drie kwartier bij hem zijn, mocht je dat willen. Volgens jou komt hij toch binnenkort?'

'Volgens een collega.'

'Ex-collega. Wat ga je doen nu je geen werk meer hebt? Kun je mijn dochter onderhouden?'

'Als die zich wil laten onderhouden, kan ik dat,' de stem van De Geus klonk defensief, 'ik had niet gedacht op mijn leeftijd nog zo'n gesprek te moeten voeren.'

Pavić luisterde niet naar het antwoord. Hij pakte zijn geweer en ging naast het open luik staan. De Geus kwam naar voren, maar Pavić hield hem met een handgebaar tegen. Hij tilde het geweer langzaam op en schoot. Buiten klonk een gil. Er roffelden poten. Pavić zette het geweer neer.

'Vanavond varken.'

Zijn stem klonk tevreden. De Geus keek naar buiten. In de doorgang in het muurtje lag een everzwijntje op wiens ruggetje nog heel vaag de streepjes van zijn jeugd waren te zien.

Er rammelde een tram voorbij die de auto van Jović een moment aan het oog onttrok. Mirjana dook dieper weg in het portiek. Toen de tram voorbij was stonden Jović en zijn bewaker buiten. Jović wreef in zijn handen met een brede grijns op zijn gezicht. Hij zei iets tegen de bewaker, stak zijn vingers in elkaar, keerde ze om en drukte zijn vingers naar buiten. Mirjana had het idee dat ze het kraken van de botjes kon horen. Daarna wees hij naar haar. Mirjana's hart begon te razen. Ze maakte zich klein. Jović zwaaide. De bewaker stak de straat over. Een paar seconden later was hij bij haar.

'Boodschap van de baas,' hij boog zich zo ver naar haar toe dat ze zijn adem kon ruiken, 'die man binnen heeft een opknapbeurt nodig. De baas zei ook dat je Hollanders allebei moeten vertrekken, doen ze dat niet,' hij wachtte om te controleren of zijn woorden bij Mirjana binnenkwamen, 'dan kun je ze nog een laatste keer opknappen zodat ze mooi in hun kist liggen.'

Hij lachte om zijn eigen manier van uitdrukken, draaide zich om en liep weg, terwijl hij over zijn schouder nog iets tegen haar zei.

'En jij moet leren wat minder op te vallen als je iemand volgt.'

Mirjana kon niet verder terug in het portiek hoewel ze dat graag had gewild. Voor haar voeten vielen de eerste regendruppels van de bui die direct daarna losbarstte met slagregens die over het plaveisel dansten.

Het varkentje bungelde aan Pavićs riem. De hond bleef deze keer in de buurt. De Geus dacht aan Mirjana en het leven dat zij met zich meebracht, een leven waarin hij op varkens zou schieten om 's avonds iets te kunnen eten waarbij hij in een taal zou moeten praten waar hij nu nog geen woord van verstond. Daarna dacht hij aan de borrel die hij die avond zou nemen.

Mirjana sloeg een steen door het glas. Het lawaai ging verloren in het onweer. Haar hand vond het slot aan de andere kant. De deur ging open. De hal was gevuld met het oorverdovende geluid van de regen op het koepeldak waaronder, telkens als het bliksemde, de koppen op de hoekpilaren naar haar grijnsden. Mirjana draaide zich met een ruk om toen de deur achter haar met een scherpe tik dichtsloeg. Haar voeten bewogen. Het geratel van de regen op het dak hield plotseling op. Het werd iets lichter, licht genoeg om te kunnen zien dat de hal leeg was.

Haar voeten brachten haar naar de trap waar in de oude, koude lucht de geur van bloed sterker werd. Ze liep naar boven, traag, omdat ze niet wilde zien wat ze wist dat ze zou gaan zien. Ze duwde een deur open. Ludde lag een paar meter van haar vandaan. Zijn bovenlichaam hing tegen de muur. Vanaf zijn linkerslaap stroomde een trage, rode rivier langs zijn oor in de kraag van zijn colbert.

Mirjana zette de stappen die ze nodig had om bij hem te komen. Ze zakte door haar knieën en legde haar hand op Luddes voorhoofd. Hij was warm. Haar hand zakte naar zijn borst. Zijn hart klopte. Ze legde haar vingers op zijn wang, en aaide zijn huid, langzaam. Zijn lippen bewogen. Ze boog zich voorover. Zijn tanden tikten op elkaar, en ineens, zonder waarschuwing, schreeuwde hij terwijl zijn benen in een kramp omhoogkwamen. Mirjana viel achterover toen een voet haar raakte. Luddes bovenlichaam schoot naar voren. Weer schreeuwde hij. Zijn ogen gingen open. Zijn benen schopten rond, maar ze raakten niets dan lucht. Mirjana ging staan.

'Ik ben het,' zij schreeuwde nu ook, 'Mirjana.'

Luddes ogen vlogen ongericht heen en weer. Zijn vingers gingen naar de wond aan zijn slaap. Mirjana stak voorzichtig een hand uit.

'Ik kom je helpen,' ze streelde met een vasthoudend gebaar over de bebloede hand die Ludde voor zijn ogen hield, 'ik ben Mirjana, weet je nog?'

Ludde draaide zijn hoofd naar haar toe. Ze keken elkaar aan. Mirjana probeerde haar lachje. Ludde vloekte. Hij bewoog zijn benen, nu op een normale manier, draaide zijn hoofd, zette zijn handen op de grond en duwde zich omhoog. Hij keek naar Mirjana.

'Jović heeft me in elkaar geslagen,' zijn stem klonk monotoon, 'is hij weg?'

Mirjana knikte.

'De volgende keer slaat hij je dood. Jullie moeten hier weg. Kun je lopen?'

'Ons etentje vrijdag moet wel doorgaan, je kunt niet zomaar een oud gebruik afschaffen.'

Aldwin Bekker keek vanuit het raam naar het zwembad. Het water rimpelde in de wind. Aan de rand van het gazon reed de robotmaaier achteruit het hok in waar een volle accu op hem wachtte. De zon had onder de donkere wolken in het westen ruimte gevonden zodat de werkkamer baadde in een roodachtig licht.

'Of ben je tegenwoordig als maffiabaas te groot om je nog met het uitvoerend werk bezig te houden?'

Hij luisterde. Af en toe speelde er een vrolijk trekje rond de voor zijn langgerekte gezicht te volle lippen. Vanuit de gang voor klonk het gerammel van een emmer. In de kamers van zijn vrouw, in de andere vleugel van het huis, waren de lampen aan. Bekker deed de deur open. Het meisje stond in de badkamer op haar tenen bij de spiegel. Bekker luisterde naar Jović terwijl hij naar haar bewegingen keek, tot hij zich omdraaide, de deur sloot en weer naar het raam liep. De maaier verliet het laadstation en scharrelde in de richting van de rozenhaag.

'Goed,' zei hij, 'ik kom dus vrijdag, we doen het net zo als we sinds de oorlog gewend zijn. Ik rij zaterdag terug. En nogmaals, je moet controleren of ze ook echt weggaan.'

De Geus legde een hand op Mirjana's knie. Ze zaten op een bank die tegen de muur van de wachtkamer was aangeschoven. Tegenover hen zat een oude man die voorovergebogen in zichzelf zat te praten naast een moeder met een kaal jongetje op haar schoot dat veel te grote ogen leek te hebben. De ogen van zijn moeder stonden dof in een afgemat gezicht dat vroeger mooi was geweest. De Geus beet nerveus op zijn lippen.

'Ik hoop maar dat het meevalt.'

'Dat zei je net ook al,' Mirjana keek naar het jongetje dat oplettend terugkeek, 'wat gaan we nu doen?'

'Afwachten.'

'Ik heb het niet over Ludde, ik heb het over Jović. Wat doen we nu hij heeft gezegd dat jullie weg moeten?'

'Ik denk dat we weinig anders kunnen dan gehoorzamen.'

'Zei mijn vader daar nog iets over?'

'Die zei alleen dat hij Jović af zou schieten als die in zijn buurt zou komen.'

Mirjana keek op toen er een vrouw in een witte jas binnenkwam.

'Mijn vader is een idioot.'

Ze liep in de richting van de vrouw. De vrouw zei iets waarop Mirjana iets terugzei. De man tegenover hen hield op met mompelen. Hij luisterde. Het kind had zijn ogen dichtgedaan en zijn hoofdje op zijn moeders schouder gelegd. De Geus liep naar Mirjana.

'En?'

'Ludde heeft niets gebroken. Ze hebben de wond bij zijn slaap gehecht. Ze willen hem hier houden. Morgen kan hij weg, als het vannacht goed gaat, er is altijd een kans op complicaties als je een flinke tik tegen je hoofd hebt gehad. Ze vroeg of ze de politie moest waarschuwen.'

'Wat heb je gezegd?'

'Dat ze dat maar beter niet kon doen.'

Ze liepen naar de deur die werd opengehouden door de arts. De moeder en haar zoontje liepen mee. Mirjana lachte naar het jongetje dat zijn ogen neersloeg, de hand van zijn moeder greep en zich dicht tegen haar aan drukte.

Alleen het bed tegenover Ludde was bezet. Aan de linkerkant van zijn gezicht zat verband. Naast het bed hing een plastic zak aan een standaard waarvandaan een slangetje onder een pleister op zijn arm verdween. Hij zwaaide met zijn vingers terwijl zijn lippen bewogen, maar het geluid was te zwak om hem te kunnen begrijpen. De man tegenover Ludde begon te praten. Mirjana luisterde, knikte, en liep toen naar De Geus die naast Ludde stond.

'Hij is net bijgekomen, zegt hij,' ze wees naar de man aan de overkant die tevreden terugkeek, 'ze hadden hem helemaal verdoofd, klaarblijkelijk.'

Ludde stak zijn hand op en liet die toen weer vallen. De Geus boog zich voorover en luisterde met zijn oor vlak bij Luddes mond. Ludde duwde zijn woorden één voor één over zijn lippen. De Geus kwam overeind.

'Hij zegt dat Jović hem in elkaar heeft geslagen, met een stoelpoot.'

'Die heb ik zien liggen,' Mirjana hield haar handen zeker een meter uit elkaar, 'zo'n ding was dat.'

'Hij kon niets terugdoen, hij lag al voor hij wist wat er gebeurde.'

'Al met al betekent dit dus dat Jović precies weet wat er aan de hand is.'

'Je bedoelt dat hij weet wie we zijn.'

'Ja, zijn bewaker had het ook over jou. Jović heeft ons in de gaten laten houden.'

'Waarom?'

'Hij zal hebben gedacht dat iemand als Ludde niet zomaar bij hem op bezoek komt, met een doorzichtig smoesje.'

'Ik heb jullie gewaarschuwd.'

Mirjana gooide driftig haar tasje op Luddes bed.

'Weet je wat ik vervelend vind? Mensen die het nodig vinden om achteraf hun gelijk te halen.'

Ludde keek van haar naar De Geus en weer terug waarbij hij alleen zijn ogen bewoog. Hij fluisterde weer iets. De Geus schoof een stoel naast het bed.

'Wat zei je?'

'Wat nu?'

'Ja, wat nu. Naar huis zodra dat met jou kan.'

Ludde schudde zijn hoofd.

'Ik ga niet naar huis.'

Het praten deed hem zichtbaar pijn.

'Jović zei dat we weg moesten. Als we dat niet doen is dat ook gevaarlijk voor Mirjana. En jij kunt toch niks, je mag blij zijn dat je nog leeft.'

Mirjana zette een stoel naast die van De Geus. Luddes ogen zakten dicht. Ze waren stil, alleen met wat ze dachten. Toen zei Ludde weer iets, zacht, in het Nederlands.

'Waarom?'

'Wat zegt hij?'

Mirjana keek naar De Geus.

'*Why*.'

'Waarom wat?'

'Waarom jaagt hij ons weg?'

'Juist,' Mirjana tikte met een vinger op Luddes bed, 'dat is de vraag, waar is Jović bang voor?'

De Geus ging geagiteerd staan.

'We zijn twee amateurs hier. En je kunt zeggen wat je wilt,' hij keek naar Mirjana, 'maar die infiltratie door Ludde was stom. Als we Jorrit van Aammen inlichten kan hij ervoor zorgen dat er via Interpol ingegrepen wordt, stel dat Jović in mensen handelt.'

Mirjana trok verontwaardigd haar neus op.

'Wat voor man ben jij, dat je wegloopt als het moeilijk wordt?'

'Ik neem mijn verantwoordelijkheid, ook als dat betekent dat ik me terug moet trekken,' de stem van De Geus klonk nu minstens zo verontwaardigd als die van Mirjana, 'jullie wonen hier.'

'Of je bent laf.'

Ludde schudde zijn hoofd en mompelde iets.

'Wat zegt hij?'

Mirjana pakte De Geus bij zijn arm.

'Dat ik niet laf ben.'

'Goed,' Mirjana verschoof een beetje ongemakkelijk op haar stoel, 'jullie gaan dus weg, maar zoals je zegt, wij wonen hier terwijl Jović de baas blijft in onze tuin, om het zo maar uit te drukken. Wat moet er dan van ons worden, ik bedoel van ons tweeën, jij en ik?'

Ze keek naar De Geus. De man aan de overkant van de kamer keek onverholen nieuwsgierig toe. Vanaf de gang klonk het gehuil van een kind. Luddes ogen waren weer dicht.

'Kortom,' het was De Geus die weer iets zei, 'stel, we gaan door. Goed. Wat doen we dan?'

'Ludde slaapt,' Mirjana legde een hand op het bovenbeen van De Geus, 'laten we het daar thuis over hebben.'

'Wil je ook?'

Mirjana schoof de fles naar De Geus. Hij schudde zijn hoofd.

'Nee,' zei hij, 'laat ik dat maar niet doen.'

Pavić keek misprijzend toe. Mirjana strooide suiker op haar pannenkoek.

'Smaken ze?'

'Dat is nog afwachten,' zei Mirjana, 'ze zien er in ieder geval goed uit, pannenkoeken bakken kun je in ieder geval.'

Pavić nam een slok van zijn slivovitsj, zette het glas neer en gromde iets wat De Geus niet verstond.

'Wat zei je vader?'

'Dat het de vraag is wat Jović van plan is.'

De Geus leunde voorover.

'Juist, dat zeiden wij in het ziekenhuis ook al. Verder met de logica,' hij stak zijn duim op, 'punt één, wat we ook doen, we moeten voor Ludde zorgen. Ergo, ik breng hem morgen naar een plek waar hij op kan knappen. Punt twee,' hij stak een tweede vinger omhoog, 'die plek is niet hier. Jović houdt ons in de gaten, dus we moeten ergens anders heen, zodat hij denkt dat we weg zijn.'

De middelvinger volgde.

'Ten derde. Ik bel met Groningen om te horen of Van Aammen meer weet, ten vierde,' De Geus stak zijn ringvinger op die een witte cirkel vertoonde op de plek waar zijn trouwring had gezeten, 'we moeten een realistisch plan hebben, en ten vijfde,' hij pakte de fles, 'neem ik toch een borrel.'

'Ik dacht dat je terug naar Nederland wilde.'

Mirjana schoof een glaasje naar hem toe.

'Nee. Als er een besluit is genomen dan ben ik loyaal, ook al ben ik het niet met dat besluit eens, maar...' hij schonk zijn glaasje vol, 'op zich ben ik nog steeds van mening dat het beter zou zijn om terug te gaan.'

Danijela zette haar tas naast haar moeder op de bank.

'Ik heb alles, denk ik,' ze liet haar stem zo stoer mogelijk klinken, 'dan ga ik zo.'

Haar moeder, een vrouw van eind dertig met een gezicht dat er in het halfdonker van de kamer moe uitzag, keek naar haar dochter die de lange benen van haar vader had.

'Je bent net zestien, je moet naar school, hoe kun je dan in het buitenland gaan werken?'

'Dat heb ik al gezegd,' Danijela ging ongeduldig zitten, 'als au pair kan dat. Als ze langskomen van school, zeg je maar dat ik een buitenlandstage doe, en bovendien komen ze toch niet, ze kunnen aan de gang blijven.'

Haar moeder stak een hand uit.

'Meisje, je hoort zulke rare dingen, ook over die baas van jou.'

'Dat is best een aardige man, hoor mam. Door hem krijg je nu eindelijk wat geld, als voorschot op wat ik ga verdienen, en...' Danijela sloeg een arm om haar moeder heen, 'ik beloof je dat ik zal sparen, en als ik dan terugkom, over een jaartje, dan hebben we genoeg geld, en dan begin ik een nagelstudio en dan kunnen we hieruit,' ze wees om zich heen in het kamertje, 'moet je die oude troep zien, het zou toch prachtig zijn als we een beter huis konden vinden en dat we daar dan van die dingen van de Ikea neer kunnen zetten? Dat is mooi en niet eens zo duur. Ik moet nu echt weg.'

Ze ging staan. Haar moeder keek van de bank omhoog.

'Die broek die je nu aan hebt is in ieder geval beter dan die korte rokjes van de laatste tijd. Als er wat is, hoe kan ik je dan bereiken?'

'Dat vertel ik je natuurlijk als ik er ben, mam, we kunnen toch bellen?'

'Dat is veel te duur uit het buitenland.'

Danijela trok ongeduldig de rits van haar tas dicht.

'Dan schrijven we, lekker ouderwets. En misschien moet je van dat geld een computer kopen, een tweedehandsje, dan kunnen we skypen.'

Ze trok haar moeder overeind en sloeg haar armen om haar heen.

'Doe je dat echt, schrijven?' Danijela's moeder keek met betraande ogen omhoog, 'je moet me niet vergeten hoor, ik weet nu al niet wat ik moet doen als je er niet bent.'

De tas was veel te zwaar. Danijela liet zich voetje voor voetje zakken tot ze beneden was en op de onderste trede ging zitten. Ze zette haar tas tussen haar voeten en begon te huilen zoals ze nog nooit had gehuild, zonder geluid en met het dubbele gevoel dat ze tegelijkertijd bang en blij was. Ze pakte haar hoofd tussen haar handen en schommelde haar lichaam zacht heen en weer.

Na een paar minuten, waarin ze langzamerhand kalmer werd, haalde ze een blauw met wit stoffen konijn uit haar tas dat haar met bekraste ogen aankeek. Zijn ooit door haar moeder vastgenaaide oren hingen langs zijn kop naar beneden. Danijela stak het dier met gestrekte armen voor zich uit.

'Ben jij verdrietig?'

Het konijn schudde zijn hoofd. Danijela lachte door haar tranen heen.

'Ga je met me mee?'

Het konijn knikte.

'Let jij op me?'

Het konijn knikte weer. Danijela aaide hem over zijn kop en drukte hem daarna tegen zich aan. Ze huilde nog een tijdje, wachtte tot dat overging, stopte toen het konijn terug in de tas en werkte in een spiegeltje haar ogen bij. Ze deed de buitendeur open en liep naar de tramhalte. Het was bijna donker. Aan de overkant stond een jongen uit de klas boven haar. Hij stak zijn hand op. Danijela zwaaide bedeesd terug. Hij kwam naar haar toe.

'Ga je op reis?'

Hij wees naar haar tas.
'Ja.'
'Ik zie je nooit meer op school.'
Danijela schudde haar hoofd.
'Ik vind school niet leuk, ik ben niet zo slim als jij.'
'Waar ga je naartoe?'
'Werken, als au pair.'
De jongen schoof nerveus met zijn voeten.
'Dan ben je dus een tijdje weg.'
'Ja, een jaar.'
'Jammer.'
Danijela keek opzij.
'Wat maakt jou dat uit?'
'Nou,' de jongen werd rood in zijn gezicht, 'ik had best nog eens met je willen praten. Heb je gehuild?'
'Hoezo gehuild?'
'Zo ziet het er een beetje uit.'
'Ik had ruzie met mijn moeder. Die is altijd zo bezorgd.'
'Daar zijn het moeders voor.'
'Nou, meestal lijkt het er meer op dat ik de moeder ben, en zij het kind.'
De jongen zei een tijdje niets. Danijela ook niet.
'Je tram komt eraan.'
Danijela pakte haar tas. De jongen deed een stapje opzij. Toen Danijela binnen was, stond hij er nog. Ze stak haar hand op. Hij zwaaide terug.

De Geus schonk in. Mirjana keek van hem naar de fles en weer terug.
'Dat is je derde. Wat zei je collega?'
De Geus dronk het glas leeg en schonk opnieuw in.
'En dit is de vierde. Die collega heet Jorrit, dat heb ik je net ook al gezegd, zo moeilijk is dat toch niet om te onthouden?'
'Ik vroeg wat hij zei.'
'Dat dat nummerbord inderdaad van Aldwin Bekker is,' De Geus stak de fles omhoog, 'dus we hebben iets te vieren.'
'Welk nummerbord?'
'Dat op een van jouw foto's stond. Daar was je toch bij, toen we het daarover hadden? Een Nederlands kenteken, dat zag ik direct, daar moet je politieman voor zijn.'
'En dat zeg je nu pas.'
'Ja, dat zeg ik nu pas.'

'Wat was er nog meer?'
'Dat Jorrit zeker weet dat Bekker binnenkort hierheen komt.'
'En dat vier je ook.'
'Dat vier ik ook, heb je daar iets op tegen?'
Mirjana's stem klonk afgemeten.
'Je gaat je gang maar, je bent je eigen baas. Waar is mijn vader?'
'Geen idee.'
Mirjana ging staan.
'Ik ga slapen.'
'Ik ga met je mee.'
Mirjana schudde haar hoofd.
'Dat dacht ik niet.'
De Geus zette de fles waarin hij de kurk net terug had geduwd met een klap op de tafel.
'Wat is er aan de hand?'
'Niets.'
'Dat ik een drankje neem? Bij het eten bood je me er nog een aan.'
'Ik stelde een vraag, ik bood je niets aan.'
Mirjana liep naar de deur.
'En je bent gewend aan mannen die naar alcohol en rook ruiken.'
Mirjana sloot de deur achter zich. De Geus tikte proostend met zijn glas tegen de fles en dronk het glas leeg. Daarna liep hij met de fles de schuur in, sleepte zacht vloekend een stropak naar de deuropening en zette de fles aan zijn mond. De slivovitsj brandde een prettig spoor via zijn keel naar zijn maag.

De hond was achter hem aan gelopen toen Pavić zijn gevoerde jas had aangetrokken en zijn geweer had gepakt. Vanuit de keuken had de stem van De Geus geklonken die aan het telefoneren was geweest. Buiten had Pavić rondgekeken, maar hij had niets gezien, niets vreemds opgemerkt.
De hemel hing vol dunne wolkenflarden die op een koude wind over de bergkam vanaf Sarajevo aan kwamen waaien. Hij hoorde het riviertje beneden in het dorp al ver voor hij er was. Het door de regen gezwollen water spatte omhoog tegen de stenen bruggenhoofden. De nog natte daken van de slapende huizen glommen in het licht van de sterren. Algauw vond hij de auto die hij zocht, een auto die niet van iemand was die hij in het dorp kende.

Danijela vloog omhoog van het onderste stapelbed toen de deur ineens opending en Suad binnenkwam. Achter hem stond een meisje dat met grote witte ogen in een pikzwart gezicht naar binnen keek. Ze had lang kroesend haar dat wijd om haar hoofd stond en droeg een blauw-wit-rood gestreepte plastic tas die om een kleine hoeveelheid bagage zat gerold.

'Zeg eens hallo tegen een nieuwe collega,' Suad trok zijn scheve lachje, 'zaterdag vertrekken jullie, maar voor die tijd gaan we nog een beetje plezier maken.'

Het meisje kwam naar binnen. Ze legde haar bagage op het onderste matras van het lege stapelbed tegenover Danijela en stak een hand uit.

'Ik heet Ayanna,' zei ze.

Danijela antwoordde met een zachte, onzekere stem terwijl ze met verbazing naar het meisje keek.

'Danijela.'

Suad draaide de deur achter zich op slot.

Uit de ogen van de man in het bed aan de overkant van de kamer spatte licht. Ludde trok het laken over zijn hoofd, maar de ogen bleven door het laken heen als groene, lichte vlekken te zien. Hij had geen idee waar hij was. Zijn handen klauwden in het dekbed dat nat was van het zweet. Zijn hart bonkte.

Op de gang klonken voetstappen tot de deur opending en er een in het wit geklede vrouw binnenkwam die een lamp aandeed waardoor de ogen van de man aan de overkant hun licht verloren. Luddes vingers plukten aan het ruwe ingeweven wafelpatroon van zijn deken. De vrouw maakte hem bang, ze wilde wraak nemen om iets wat hij niet had gedaan, iets wat hij wel had moeten doen. Ze kwam dichterbij. Ludde dook weg. Hij schreeuwde, hoewel er iemand in zijn hoofd was verschenen die tegen hem zei dat hij normaal moest doen, dat het niet klopte wat hij deed, dat die vrouw gewoon een vrouw was. Ze was nu vlakbij. Haar handen gingen naar het infuus. Ze draaide aan het kraantje. Ludde keek ernaar. De handen waren gewoon, gewoon handen. De vrouw zei iets tegen de man aan de overkant die begrijpend knikte. Luddes ogen sloten zich van binnenuit. Een donkere golf spoelde vanuit zijn middenrif naar zijn hoofd. Zijn vingers ontspanden zich. De vrouw sloot het gordijn om zijn bed, liep naar de deur en deed het licht uit. De man aan de andere kant van de kamer trok zijn kussens omhoog en knipte de televisie aan die aan het voeteneind boven zijn bed hing.

Pavić haalde een vizier uit zijn binnenzak en monteerde dat op zijn geweer. Hij schoof iets naar voren zodat hij over de rots kon kijken waarachter hij zich verscholen had. In het groenige beeld dat de lens doorgaf, kon hij de man goed zien, in elkaar gedoken met zijn rug tegen een boom, een meter of vijftig lager, met een fles in zijn hand. Pavić richtte, wachtte tot de man de fles aan zijn mond zette en drukte af. De fles spatte kapot. Pavić laadde door en draaide zich een kwartslag om zodat de loop naar een door de maan beschenen gedeelte van het pad wees. Toen hij de man zag rennen haalde hij de trekker weer over. Naast de voeten van de man sprong zand omhoog.

Pavić demonteerde lachend in zichzelf het vizier. Daarna nam hij een pad dat recht naar beneden het dal inliep. In de verte, vanuit het dorp, hoorde hij een auto starten. Na het diepste punt van de vallei klom hij omhoog tot hij na een kwartier tegenover De Geus ging zitten die hem zwaaiend met een bijna lege fles welkom heette. De hond ging liggen. De mannen praatten. Mirjana luisterde naar hun verwrongen stemmen, tot ze dieper in de nacht alleen nog de stem van haar vader hoorde en in slaap viel.

MAANDAG

Toen Mirjana de ziekenzaal inliep, zag ze dat Luddes bed leeg was. Ze keek naar het kamernummer. Het nummer klopte. De klok boven de klapdeuren bij de ingang van de gang gaf tien uur aan. Mirjana liep naar een glazen hokje waarin een vrouw in een wit uniform zat die er moe uitzag. Om haar nek hing een stethoscoop. Mirjana tikte op de deur.

'Waar is de Nederlander gebleven?'

De vrouw opende een dik schrift.

'Kamernummer?'

'Zesentwintig.'

'Bednummer?'

'Vijf.'

De vrouw sloeg een blad om.

'Vertrokken.'

'U bedoelt ontslagen.'

'Vertrokken. Hij heeft vannacht iedereen wakker geschreeuwd, maar vanochtend meende hij beter te zijn. Bent u zijn vrouw?'

'Nee, een vriendin. Ik wilde zien of ik hem mee kon nemen.'

'U kunt hem meenemen als u hem kunt vinden. Vertel zijn vrouw dat ze op hem moet letten. Hij maakt een verwarde indruk.'

'En lichamelijk?'

'Dat weten we niet zeker,' de arts bracht het schrift dichter bij haar ogen, 'hij heeft kneuzingen aan zijn ribben, erg pijnlijk, kneuzingen aan zijn rechterbeen, niets gebroken, dat is dus goed, maar hij heeft een klap in zijn buik gehad, en we weten niet wat dat binnenin heeft gedaan. Die wond aan zijn hoofd, die geneest wel, maar hij heeft een hersenschudding, en, zoals ik al zei, hij lijkt een beetje in de war, alhoewel,' de vrouw deed het schrift dicht, 'dat lastig is te zeggen, hij spreekt geen woord van onze taal. Hij is om negen uur weggegaan. Ik heb hem een oude houten kruk meegegeven, zo een die je onder je oksel steekt. U kunt die overigens houden. En nu moet ik weer aan het werk.'

Ze liep naar de deur en hield die uitnodigend open.

De zon brandde op Luddes hoofd. Voor zijn voeten, tussen de geparkeerde auto's voor het ziekenhuis, lag een ingedroogde plas water.

Toen Mirjana naar buiten kwam, zag Ludde niet meer van haar dan een vlek die opging in het zonlicht. Hij beet op zijn lippen om de pijn in zijn ribben te onderdrukken, stak zijn kruk omhoog en floot daarna, toen Mirjana hem niet zag, op zijn vingers. Mirjana keek om. Ludde zwaaide. Mirjana zwaaide terug, liep naar hem toe en sloeg tot zijn verbazing haar armen om hem heen.

'Je was er niet,' zei ze, 'ik was even bang dat Jović zijn werk had afgemaakt.'

Ludde maakte een uitnodigend gebaar naar het plekje naast hem op het muurtje, waar Mirjana's Lada Niva tegenaan stond geparkeerd. Mirjana ging zitten.

'Je zag mijn auto.'

'Ja, ik dacht dat ik net zo goed bij jou thuis op een bed kan gaan liggen als hier blijven.'

'De arts zei dat ze niet zeker weet of er niet iets vanbinnen kapot is bij je. Heb je zelf dat verband van je hoofd gehaald?'

'Ja, mijn oom zei altijd dat je de zon op je wonden moet laten schijnen.'

'Dat zal hij wel figuurlijk hebben bedoeld. Je lijkt sprekend op mijn vader met die hechtingen. Heb je al in de spiegel gekeken?'

'Nee, daar wordt het toch niet beter van. En die dokter kan zeggen wat ze wil, maar als er iets kapot was, zou ik dat wel voelen. En als Jović mij had willen vermoorden, had hij dat gisteren wel gedaan. Waar is Henri?'

'Die slaapt zijn roes uit.'

'O, drinkt hij weer?'

'Gisteravond, ik weet niet wat hij daarvoor deed.'

'Toen zijn vrouw doodging, was zijn rem weg, en toen het te erg werd, is hij gestopt. Hij wordt er agressief van.'

'Dat heb ik gemerkt. Zullen we gaan?'

'Waarheen?'

'Naar ons huis om Henri op te halen. Jullie moeten weg.'

'Hoezo weg,' de ruk waarmee Ludde zich naar Mirjana omdraaide, veroorzaakte een pijnscheut die hij opving met een grimas die over zijn hele gezicht trok, 'je denkt toch niet dat ik wegga?'

Mirjana pakte haar autosleutels.

'Ben je vergeten wat ik gisteravond tegen je zei?'

Ludde zette de kruk tussen zijn voeten en duwde zich omhoog.

'Gisteravond?'

'Toen Henri en ik bij jou waren.'

'Zijn jullie hier gisteravond geweest?'
'Ja.'
'Daar weet ik niets meer van, ik zal wel onder de dope hebben gezeten.'
'Wat weet je nog wel?'
'Dat ik als een blok heb geslapen en dat ik me nu, op een beetje pijn na, uitstekend voel.'
'Wacht maar tot de verdoving is uitgewerkt,' Mirjana deed het portier open, 'en weet je nog hoe je aan die pijntjes komt?'
'Dat weet ik zeker nog wel. Daarom wil ik hier ook blijven, ik laat me niet zomaar in elkaar slaan.'
'De volgende keer slaat hij niet, dan jaagt hij een kogel door je hoofd. Of hij laat het een ander doen, bijvoorbeeld die daar,' Mirjana wees naar een oude man die stapje voor stapje achter een rollater voorbij kwam lopen, 'kom je nog?'

Mirjana reed het erf op.
'Daar zit Henri,' ze wees naar een gebogen gestalte die op het bankje bij de boomgaard zat, 'ga jij maar eerst naar hem toe, ik kan niet zo goed tegen mannen die de volgende dag ergens spijt van hebben.'
Ze zette de auto in de schaduw van het huis. Ludde liet zich naar buiten zakken en strompelde in de richting van De Geus die zich omdraaide maar niet overeind kwam. De hond lag in de schuuropening. Ludde bewoog stapje voor stapje verder tot hij zich op het bankje kon laten zakken. De Geus pakte de kruk, bekeek die alsof het een museumstuk betrof en legde hem daarna op de grond.
'Ze hebben je losgelaten, zie ik.'
'Ik heb mezelf losgelaten. Ze wilden me houden, als ik ze goed begrepen heb, ze spraken daar geen woord over de grens. Hoe staat het er hier voor?'
'Goed.'
'Je ziet er beroerd uit.'
'Jij ziet er lekker uit, met die hechtingen. Je kan zo naast Pavić, je ziet het verschil niet.'
'Dat zei Mirjana ook al, en bij mij gaat het weer over, mag je aannemen. Is het zo erg?'
'Die hele kant,' De Geus wees naar de linkerkant van zijn eigen gezicht, 'is blauw en opgezwollen. En er loopt een wond overheen die ze gekramd hebben.'
'Zes, dat zeiden ze nog. Zes krammen, van die oude dingen die wij

niet meer gebruiken, dat zal een mooi litteken worden. Ik hoorde dat je vannacht hebt zitten zuipen.'

'Dat klopt.'

Ze waren beiden stil tot de hond naar hen toe kwam lopen, aan de kruk rook en erbovenop ging liggen.

'Die ruikt het ziekenhuis,' Ludde zei maar iets om de stilte te doorbreken, 'Mirjana zegt dat we moeten vertrekken.'

'Ja. Pavić heeft vannacht iemand weggejaagd die ons ergens vanaf daarboven,' De Geus maakte een zwaaibeweging naar de andere kant van het huis, 'in de gaten hield.'

Ludde zuchtte.

'Volgens Mirjana mag ik blij zijn dat ik nog leef. Daar komt ze aan.'

Toen Mirjana met drie kopjes aan de vingers van haar linkerhand en een koffiekan in de andere naar hen toe liep begon de hond met zijn staart op de kruk te roffelen. Ze zette de kopjes en de kan in het gras naast De Geus, die zich vooroverboog en de kopjes vol begon te schenken. Mirjana sprak hem aan toen hij weer overeind kwam.

'Je hebt dus een kwade dronk over je.'

De Geus sloeg zijn ogen neer.

'Dat heb je van Ludde.'

'Dat heb ik sinds gisteravond van mezelf.'

'Ik ben sinds vanochtend weer gestopt.'

'Mooi.'

'Dat zou jij ook moeten doen, stoppen met roken.'

Mirjana schudde haar hoofd.

'Maak er maar een jij-bak van. Krijg ik nog koffie?'

Suad liep naar Jović die uit het autoraampje leunde.

'Wat ga je doen?'

'De fotograaf heeft zich weg laten jagen,' Jović startte de auto, 'ik ga zelf kijken.'

'Hoezo weg laten jagen?'

'Hij vertelde dat zijn fles tussen zijn vingers uit werd geschoten.'

'Miloš Pavić.'

'Dat lijkt erop. Ben jij bij het ziekenhuis geweest?'

'Ja. Menkema is vanochtend vertrokken, een vrouw kwam hem ophalen.'

'Dochter Pavić.'

'Je hebt hem niet genoeg pijn gedaan.'

'Meer dan genoeg om hem naar huis te jagen.'

'Heeft je vrouw vandaag nog opnames?'
'Niet dat ik weet. Bel haar maar.'

'Jullie kunnen niet blijven,' Mirjana nam een slokje van haar koffie, 'dat is te gevaarlijk. Maar wat doen we wel?'

'Henri heeft vast een plan, dat heeft hij altijd. Heb je paracetamol in huis?'

Mirjana keek naar De Geus die met zijn armen over elkaar en met zijn ogen gesloten in de zon zat. Hij knikte.

'Ik heb Jorrit net gesproken. Als we het op kunnen brengen, wil hij nog steeds graag een observatierapport.'

'Hoe weet hij zo zeker dat Bekker hierheen komt?'

'Hij tapt zijn telefoon...' De Geus veerde ineens enthousiast omhoog, '... voor ik het vergeet, ik heb ook goed nieuws voor jou, Ludde, die Nederlandse auto op Mirjana's foto is van Bekker. Nog even, en hij hangt.'

Mirjana zette haar lege kopje neer.

'Iemand als Bekker hangt nooit, tenzij je met je eigen handen een strop om zijn nek legt.'

'Wat in een rechtsstaat niet mag.'

Mirjana snoof verachtelijk door haar neus.

'Doe niet zo superieur. Het is hier geen rechtsstaat. En bij jullie lijkt dat alleen maar zo.'

'Rustig maar,' zei Ludde, 'laten we de politiek erbuiten laten.'

'Juist,' De Geus ging verder, 'wij vertrekken straks. Jović houdt ons ongetwijfeld in de gaten. We rijden richting Kroatië. Ik breng jou onder in een hotel in Zenica.'

'Zenica, daar ben ik pas nog geweest.'

Mirjana schudde haar hoofd.

'Dat was Sevnica, in Slovenië. Henri bedoelt Zenica, een kilometer of zeventig hiervandaan.'

'Ja,' zei De Geus, 'en ik pak daarna vanaf Zagreb het vliegtuig naar huis.'

'Naar huis? Je bent hier net.'

'Jorrit van Aammen wil met me overleggen. En het lijkt me slim om Bekker te schaduwen, zodat we zeker weten dat hij hierheen komt, en wanneer dat is.'

'En ik?'

De stem van Ludde klonk lusteloos.

'Jij zorgt dat je weer gezond wordt, je ziet er beroerd uit.'

'Dank je, dat helpt,' Ludde keek naar Mirjana, 'als je hebt, zou ik wel graag een pijnstiller willen.'

Mirjana ging staan.

'Sorry, dat was ik vergeten, ik zal kijken.'

'En een dekentje, ik sterf van de kou.'

Mirjana, die al op weg was naar het huis, draaide zich weer om.

'Dat is niet normaal,' zei ze, 'het is bloedheet.'

'En toch heb ik het koud.'

'Je krijgt je dekentje.'

'Dan pak ik de bagage.'

De Geus liep achter Mirjana aan. Ludde probeerde zijn linkerhand, die op zijn knie lag te trillen, stil te houden.

De Geus nam Luddes tas over van Mirjana en zette die achter in de auto.

'We gaan,' hij stak zijn hand uit, 'ik hoor wel van je.'

'Doe niet zo raar.'

Mirjana sloeg haar armen om hem heen. De Geus legde schutterig zijn handen op haar rug.

'Je bent niet meer boos.'

Mirjana gooide haar hoofd achterover. De Geus boog zich naar haar toe.

Boven, aan de andere kant van de vallei, stond Jović naast zijn auto. De dochter van Pavić maakte zich los van de Hollander waarna hij instapte. De auto reed achteruit, maakte een halve draai en stopte. Het raampje aan de passagierskant was open. Mirjana Pavić stak haar hoofd naar binnen en ging even later weer staan. Menkema lag in de passagiersstoel met de rugleuning helemaal achterover. De bovenkant van zijn hoofd zat in een wit verband dat aan de onderkant rood was. Hij droeg een zonnebril. Toen de auto wegreed, probeerde hij een hand op te steken, maar dat leek hem nauwelijks te lukken. Mirjana Pavić zwaaide. Jović volgde de auto tot die beneden tussen de huizen van het dorp verdween, liet zijn verrekijker zakken en stapte in zijn eigen auto. Een kwartier later zag hij de Nederlanders een paar honderd meter voor zich de berg afrijden. Hij volgde ze tot hij ze de afslag naar Zenica zag nemen.

Het water dat vanaf de banden van de naast hem rijdende auto spatte, veroorzaakte een rood-geel-oranje waas op het raam.

'Regent het?'

'Ja. Ik zet je rechtop.'

De Geus drukte op een knopje. Luddes stoel kwam overeind. Hij verwijderde het verband van zijn hoofd.

'Dat kan er nu wel weer vanaf, waar zijn we?'

'Vlak voor Zenica. Nog een paar kilometer.'

'Dan heb ik niet echt lang geslapen.'

'Nee. Hoe voel je je?'

'Matig. Wat wil Van Aammen nou echt van je, dat je helemaal teruggaat?'

De Geus remde af achter een met boomstammen beladen vrachtauto.

'Hij wil het over het meisje hebben dat ik bij de Savornin Lomarks zag. Ze zou door Bekker aan hen geleverd kunnen zijn.'

'Dat kan toch via de telefoon?'

'Ik wil ook weten wat Bekker doet.'

'Ik dacht dat je misschien vond dat je beter een tijdje uit de buurt van Mirjana kon zijn, na gisteravond.'

De Geus keek naar Ludde.

'Dat ook wel. Ik bedacht vannacht dat ik me misschien wat al te snel in de liefde stort. Zag je Jović?'

'Nee.'

'Hij reed vanaf Mirjana's huis tot aan de rotonde achter ons aan, daarna had hij het waarschijnlijk wel gezien.'

'Ik heb ze persoonlijk weg zien gaan. Menkema zag er beroerd uit.'

Jović liep met zijn telefoon aan zijn oor vanaf het zwembad langs de coniferenhaag de patio op waar zijn vrouw met haar ogen dicht op een stretcher lag. Hij aaide haar in het voorbijgaan over haar hoofd. Ze glimlachte zonder haar ogen open te doen. Jović liep de kamer in.

'Voor mij is dat geen probleem,' hij keek met genoegen naar zijn vrouw die zich op haar rug draaide, 'ik heb de drie waar je om vroeg op voorraad, hoe eerder je komt hoe beter. En ik wil het geld in dollars.'

Hij luisterde nog even naar het antwoord voor hij de verbinding verbrak. Zijn vrouw was gaan zitten. Ze kreeg rimpels zag Jović, rimpeltjes die haar nog mooier maakten dan hij haar al vond. Ze wenkte hem.

'Wie was dat?'

'Bekker.'

Ze trok een vies gezicht.

'Suad is een zwijn, maar die Bekker helemaal, met die platte kop van hem.'

'Goed gezien, met meisjes is hij inderdaad een zwijn,' Jović ging naast zijn vrouw zitten, 'ik ben blij dat ik niet zo ben.'

De vrouw aaide over zijn hand.

'Ik ook, trouwens, Suad belde om te vragen of ik nog opnames had, maar ik wil hem er niet meer bij hebben, de meisjes voelen zich geremd als hij zit te kijken.'

DINSDAG

Ludde was nog net op tijd bij de wasbak. De pijn teisterde zijn ribben, elke keer als zijn maag samentrok. Toen zijn lichaam rustiger werd, zette hij de kraan open en keek met brandende ogen toe hoe de wasbak leegspoelde, waarna hij naar het bed liep, onder het dekbed kroop en zijn ogen dichtdeed tot hij, uren later, wakker werd van het gezoem van zijn telefoon. Buiten was de dag net begonnen. Hij knipte zijn leeslampje aan toen de telefoon opnieuw zoemde. Henri was aangekomen. Het was koud in Groningen.

Ludde tilde zijn benen van het bed op de grond en schoof naar de badkamer waar hij een tijdje in de spiegel keek. In het blauw van het bloed onder de huid op de rechterkant van zijn gezicht waren gele vlekken verschenen. Hij schuifelde naar de douche en draaide de kraan open. Elke ademhaling voelde aan alsof hij zijn ribben uit een pijnlijk dal omhoog moest trekken, waarna ze er even pijnlijk weer in afdaalden. Hij droogde zich af en slikte drie paracetamoltabletten. Toen zijn lichaam om nicotine begon te roepen ging hij op het balkon zitten, vanaf waar hij rokend uitkeek over het stadje, waarvan de skyline werd gedomineerd door een gebouw dat leek te zijn samengesteld uit andere tegen elkaar aan geschoven flatgebouwen van verschillende hoogte, zodat het in het licht van de opkomende zon op een magisch kasteel leek.

Een waterig koude westenwind joeg spierwitte wolken door een verder blauwe hemel. De Geus schakelde de trapondersteuning in en fietste naar Hoogkerk, waar hij afsloeg in de richting van Aduard. Aan de overkant van het Aduarderdiep maaide een boer het gras. De Geus' gedachten dwaalden rond de vraag of Mirjana zich in dit vlakke landschap thuis zou kunnen voelen, een vraag waarop hij nog geen begin van een antwoord had gevonden toen hij in Garnwerd voorbij werd gereden door een politieauto die een klein eindje verderop de parkeerplaats van café Hammingh opreed. De Geus stopte naast het portier.

'Dag Jorrit.'

Van Aammen stapte uit.

'Prima idee om hier af te spreken, dan kom ik weer eens in de natuur. Hoe is het?'

'Goed.'

Ze liepen naar het terras waar een serveerster met een vaatdoekje bezig was de tafels droog te maken.

'Hoe is het met Ludde?'

'Die ligt bij te komen in een hotel in Zenica, een uur rijden boven Sarajevo. Hij is gehavend, maar niet kapot.'

'En hoe was je reis?'

'Ook goed, gevlogen vanaf Zagreb, ik heb nog kunnen slapen gelukkig.'

'Ik hoor dat je op non-actief bent gesteld.'

'Klopt. Het bevalt me zeer. Hoe staat het met je onderzoek?'

De Geus ging zitten. Jorrit van Aammen deed hetzelfde. Ze bestelden beiden koffie. De bel bij de ophaalbrug over het Reitdiep rinkelde waarna de brug omhoogging en er vanaf de kant van Groningen een tjalk vol jonge mensen voorbijkwam die met het water mee in de richting van Zoutkamp verdween. De koffie werd gebracht.

'We gaan binnenkort tot arrestaties over.'

De Geus wreef zich in zijn handen.

'Mooi. Ook bij Bekker?'

'Bij Bekker niet, wel bij Savornin Lomark, dankzij die foto en die haren die jij stuurde.'

'Daar had je dus iets aan.'

'Ja, vooral aan die haren. Hoe heb je die te pakken gekregen?'

'Ik heb mijn hand op haar schouder gelegd, en ik had geluk. Ze trilde als een espenblad, dat arme kind, het zou mooi zijn als je haar daaruit haalt.'

'Heb je ook nog met haar gepraat?'

'Weinig, maar toen de oude Savornin Lomark, de man bedoel ik, zei dat ze uit Bosnië kwam, vroeg ik haar of dat Sarajevo betekende, en toen knikte ze.'

'Deze heb jij gestuurd,' Van Aammen legde een foto op het tafeltje, 'en dit is de foto van een vermist meisje uit Sarajevo dat op een lijst van Interpol staat.'

De Geus pakte de foto's en vergeleek ze.

'Ze zou het kunnen zijn,' zei hij, 'maar echt overtuigend is het niet.'

'Maar wat wel overtuigend is, is de match tussen het dna-profiel dat Interpol van haar heeft en die haartjes die jij stuurde. Maar ik zit nog wel met een probleem.'

'En dat is?'

'Dat ik niet weet wie bij de Savornin Lomarks de kwade genius is. Hij, zij, of allebei?'

'Dat zou ik ook niet weten, maar als ik een keus zou moeten maken, kies ik voor haar.'

'Waarom?'

'Omdat hij over de tachtig is en een aardige indruk maakt. Zij niet. Bovendien was zij het die mijn zaak seponeerde.'

Van Aammen knikte terwijl hij de foto's weer in zijn portefeuille stopte.

'Ik wil het ook nog met je hebben over hoe het nu verder moet met Bekker.'

De Geus zette zijn kopje neer.

'Je zou toch zeggen dat mensen als de Savornin Lomarks het zich kunnen veroorloven om zo'n kind te betalen, behalve natuurlijk als het om seks gaat, dan moet je het misschien zo doen.'

'Wat dan weer wel pleit voor de betrokkenheid van de oude man zelf.'

'Waarom?'

'Omdat het minder waarschijnlijk is dat het bij haar om seks zou gaan.'

'Ook vrouwen zijn niet vrij van zonde. Maar goed, je wilde nog iets kwijt.'

'Ja. Ik ben geschrokken van het gedrag van Ludde,' Jorrit van Aammen draaide een sigaret in de tijd die hij nam om na te denken over wat hij precies ging zeggen, 'het lijkt me goed om te benadrukken dat jullie daar niet formeel zitten, dus als het misgaat, sta je er alleen voor.'

'En die types hebben dan wel een grote bek over ondersoorten als allochtonen, verslaafden en werklozen.'

'Luister je wel?'

'Ja, dat we er alleen voorstaan als er iets misgaat.'

'Juist.'

'Maar je bent blij met foto's, tijden, plaatsen, alles wat concreet en bewijsbaar aan Bekker valt te koppelen als we hem daar zien.'

'Ja.'

'Morgen ga ik bij hem kijken, ik wil er bij zijn als hij naar Sarajevo vertrekt.'

'En je houdt me daarvan op de hoogte.'

'Ik hou je op de hoogte. Als je Savornin Lomark gaat arresteren, wil ik daar wel bij zijn.'

'Dat kan niet. Je staat op non-actief.'

'Sein me in ieder geval in als je iets gaat doen, dan kijk ik mee via het volgsysteem.'

'Goed, kun je daar nog in nu je uit functie bent?'

'Als ik ben afgesloten, merk ik het wel. Ik gok er maar op dat de bureaucratie nog niet aan me toe is gekomen.'

'Hoe is het met je verliefdheid?'

De Geus keek geamuseerd opzij.

'Goed.'

Van Aammen schoof een beetje ongemakkelijk naar voren op zijn stoel.

'Ik zei zoiets al eerder geloof ik, maar je weet toch dat de vrouwen daar graag met een West-Europeaan trouwen?'

De Geus stak een hand op. De serveerster kwam naar hen toe.

'De rekening graag.'

'Ik bedoel het niet kwaad,' Van Aammen kwam nerveus overeind toen De Geus opstond, 'ik dacht dat ik dat moest zeggen om je te helpen.'

'Of omdat je dan altijd achteraf, als het fout gaat, kan beweren dat je me gewaarschuwd hebt, een puur egoïstisch motief, lijkt me.'

Van Aammen gooide de resten van de sigaret die hij tussen zijn vingers had verkruimeld in de asbak.

'Zo is het niet,' zei hij, 'ik had mijn mond moeten houden.'

'Dat had je inderdaad moeten doen,' De Geus stak zijn hand uit, 'maar even goede vrienden.'

Niet lang daarna fietste hij onderlangs de dijk naar Aduarderzijl, waar hij zijn fiets neerzette, de dijk opliep en aan de andere kant uit de wind ging liggen in de inmiddels warme zon. Niet ver bij hem vandaan klonk het geplof van de naderende tjalk.

De receptionist wees naar Luddes kruk.

'Dat is zelfs hier inmiddels een antiek ding dat u daar hebt, ik wist niet dat die nog bestonden.'

'Meegekregen van het ziekenhuis.'

'Als u wilt, kan ik hem ruilen voor een modernere, ik heb er hier nog een staan, dan geef ik die van u aan mijn opa.'

Ludde legde de kruk op de balie.

'Graag.'

'Een ongeluk gehad?'

'Van de trap gevallen.'

'Dan heb ik een leuk adresje voor u,' de man schoof een visitekaartje over de balie, 'die mensen zijn echt geweldig.'

Ludde draaide het kaartje naar zich toe.

'Chinese massage, hier, in Zenica?'

'Chinezen zitten overal, wacht...' de man verdween door een deur en kwam even later terug met een metalen kruk, 'normaal is het vijf minuten lopen, maar u zult er wel iets langer over doen.'

Jović kwam met de kap open aanrijden en stopte naast Suad die voor de deur van de nachtclub stond. Suad legde zijn onderarmen op het portier.

'Hoe was het gisteren, zijn ze weg?'

'Natuurlijk zijn ze weg. Die dochter van Pavić stond te vrijen met die lange Hollander.'

'Wie van de twee? Ze zijn allebei minstens zo lang als ik.'

'Wat denk je? Menkema vrijt niet meer sinds hij hier tegenop is gelopen,' Jović stak twee vuisten omhoog, 'iets heel anders nu, morgen heeft mijn vrouw weer opnames maar ze zegt dat je de meisjes gespannen maakt, dus je bent niet welkom, en bovendien heb je geen tijd.'

Hij wachtte op een reactie, maar op Suads gezicht was niets te zien.

'Wat heb ik dan te doen?'

'Het huis moet klaar zijn voor vrijdag. Als je dat meisje dat jij geregeld hebt ook nog ophaalt, kunnen ze daar met zijn drieën schoonmaken,' Jović deed de deur van de nachtclub open en liep naar binnen, 'neem mijn auto maar. Waar zijn ze?'

'Boven.'

'Je moet dat zwarte kind zo lang maar op de vloer leggen, achterin, voor iemand haar ziet die weet waar ze vandaan komt, en we de jihadisten op ons dak krijgen, alhoewel die misschien ook wel blij waren dat ze van haar af waren. Zit je iets dwars?'

'Die afspraak vrijdag.'

Jović liep langs de fotowand naar de trap.

'Dat we daarheen moeten omdat Bekker dat zo graag wil?'

'Nee, dat vind ik best, ik vermaak me altijd wel, zeker als ik weer eens kan koken. Miloš Pavić bevalt me niet, we zijn niet veilig zolang hij daar rondloopt. Hij kan in het donker een fles uit iemands vingers schieten, vertelde je me, laat staan mij van een terras.'

Jović liep de trap op naar de bovenzaal en ging op de blauwe bank zitten.

'Je hebt gelijk. Ik regel wel iets met mijn politievrienden in Pale. Haal jij de meisjes?'

Suad verdween achter het tapijt. Een paar minuten later was hij terug. Danijela en Ayanna liepen voor hem uit. Danijela sloeg haar ogen neer toen Jović naast zich op de bank klopte. Ayanna liet zich onmiddellijk zakken. Danijela keek naar haar voeten.

'Ik wil graag iets vragen.'

'Eerst zitten.'

Danijela streek haar rok onder haar bovenbenen, ging zitten en keek toen verlegen naar Jović die haar vriendelijk toelachte.

'Heeft mijn moeder dat geld al gekregen?'

Jović keek naar Suad.

'Dat heeft Suad gisteren gebracht, ja toch Suad?'

Ook Suad trok een vriendelijk gezicht.

'Ja, ze was blij. Ze zei nog dat niet iedere moeder een dochter heeft die zo goed voor haar zorgt.'

Danijela ontspande. Ayanna keek onbewogen voor zich uit.

'Jullie gaan zo een reisje maken met Suad, in mijn auto. Jullie moeten aan de schoonmaak, oké?'

'Het lijkt net of je een niqab draagt zo,' Danijela keek achterom naar Ayanna die met een dekentje over zich heen voor de achterbank op de vloer van de auto lag, 'ik ben toch blij dat ik niet zo opval als jij.'

Ze keek weer voor zich. In het midden van het dashboard zat een radio. Ze stak een vinger uit, maar legde haar handen terug in haar schoot toen Ayanna, die haar hoofd onder de deken vandaan had gehaald, waarschuwend kuchte.

'Daar kun je beter afblijven.'

Suad stapte in. Hij drukte op een knop waarna de motor donker begon te roffelen, een geluid dat in Danijela's oren klonk als muziek, de muziek van rijke, onbezorgde mensen. Het dak schoof naar achteren. De zon verwarmde Danijela's gezicht, haar armen, haar blote schouders, haar buik en haar benen, een warmte die door haar hele lichaam trok. Suad legde nonchalant twee vingers op het stuur. Ze reden weg.

Danijela keek naar de mensen die naar haar keken. Haar haar waaide naar achteren. Suad zette de geluidsinstallatie aan. Klassiek, alsof ze in een film reden. Toen, na misschien een kwartiertje waarin Danijela niemand zag die ze kende, stopten ze voor een flatgebouw dat een eindje voorbij het voetbalstadion lag, waar ze ooit een keer met haar moeder was geweest toen die eindelijk weer eens een vriendje had gehad.

Suad toeterde. Uit het portiek van de flat kwam een jongensachtig meisje in een goedkoop zomerjurkje tevoorschijn. Ze had iets vreemds, ze leek niet te weten waar ze was. Ze had kort blond haar waardoor fletse rode strepen liepen en droeg een plastic tasje in haar hand. Haar gezichtje was te mager, maar mooi. Er liep een man naast haar. Toen ze dichterbij kwamen, zag Danijela een bloeduitstorting op haar bovenbeen. Het meisje schoof op de achterbank. Ze leek de afgedekte bundel op de vloer waaronder Ayanna lag niet raar te vinden, maar misschien zag ze het niet eens, omdat het leek alsof er niets tot haar doordrong, ze zei ook niets, zelfs niet hallo of iets dergelijks. Suad haalde een envelop uit zijn binnenzak en gaf die aan de man, die daarna zonder om te kijken wegliep. Danijela keek weer voor zich.

De etalage hing vol lampionnen waartussen een gele kat met haar voorpoot zwaaide. Toen Ludde de deur opendeed, klingelde er een hoogtonig belletje dat wegstierf toen er vanachter een kralengordijn een kleine Chinese vrouw met sluik zwart haar tevoorschijn kwam. Ludde gaf haar het kaartje.

'Massage?'

Hij vond zelf dat zijn stem nogal benepen klonk, maar de vrouw lachte lief en wenkte hem, waarna ze zich omdraaide en weer door het kralengordijn verdween. Ludde volgde haar. Achter het gordijn was een lange smalle ruimte waarin drie met groen leer beklede massagetafels stonden. Op de achterste lag een man met een witte handdoek over zijn onderlichaam. De vrouw wees naar de eerste tafel. Ludde zette zijn kruk tegen de muur en begon zich enigszins gegeneerd uit te kleden omdat de Chinese aandachtig bleef toekijken naar wat hij deed tot hij in zijn onderbroek op de tafel ging zitten.

'Ik kijk naar u en u hebt pijn,' zei ze, 'ribben,' ze legde haar hand bij zichzelf op haar hart, 'been,' ze voelde aan haar eigen bovenbeen, 'en uw gezicht is lelijk.'

Ludde voelde aan de korst die als een kabel van zijn slaap tot onder zijn oogkas liep.

'Kunt u dat verhelpen?'

'Helpen genezen,' ze duwde haar vingertoppen zacht maar beslist tegen Luddes bovenlichaam tot hij ging liggen en legde daarna een handdoek over zijn benen.

'U hebt ruzie gehad, een zwaar iets.'

Ludde sloot zijn ogen toen de vrouw haar handen vanaf de zijkant van zijn lichaam over zijn ribben tot bij zijn borstbeen liet glijden, maar direct daarna schoot hij vloekend overeind toen ze haar vingertoppen diep tussen zijn ribben naar binnen stootte. De vrouw drukte hem terug, wat de pijn verergerde, maar, toen Ludde weer lag, voelde het toch aan alsof het hielp. Het kralengordijn ritselde en er klonk een donkere vrouwenstem. De masseuse zei iets terug dat klonk als het gezang van een vrolijk vogeltje. Ludde deed zijn ogen open. De vrouw die binnen was gekomen was groot, net als haar handen die ze na een kort gesprekje met haar collega op zijn ribben legde. Ze keek hem aan, leek een eindje op te springen en kwam met haar volle gewicht op hem neer. Er kraakte iets naast het borstbeen. Ludde vloekte weer, nu in het Gronings. Ze verplaatste haar handen naar de andere kant van zijn borstkas en sprong opnieuw. De kleinere Chinese legde kalmerend een hand op Luddes voorhoofd, ze aaide zacht. De pijn nam af. Ludde ontspande. De Chinese liep bij hem vandaan en kwam terug met een spuitbus in witte en rode kleuren.

'Dit helpt erg goed,' ze spoot een koude nevel op Luddes borstkas, 'uw ribben staan weer recht.'

Een sterke mentholgeur vulde de kamer. Vanbinnenuit, onder de olieachtig gladde plek op Luddes ribben, werd het eerst ijzig koud en daarna warm.

'U hebt gevochten, meneer, dat moet u niet doen. Vechten is voor domme mensen. Nu moet u op uw buik.'

Ze wachtte tot Ludde zich had omgedraaid, legde de handdoek over zijn rug en tintelde met haar vingertoppen vanaf zijn tenen bijna zonder de huid aan te raken over zijn rechterbeen naar boven, tot vlak onder de rand van zijn onderbroek. Ludde draaide zijn hoofd opzij.

'Staat het daar nog recht?'

Hij verraste zichzelf met zijn vraag.

'Ja hoor, meneer.'

De masseuse antwoordde in het Duits en zei daarna iets in haar eigen taal tegen haar collega, waarop ze samen in een langdurig gegiechel uitbarstten.

De witte auto met het open dak reed zo langzaam voorbij dat Mirjana geen moeite had om Suad te herkennen. Ze plantte de hooivork in de grond. Naast Suad zat een meisje dat een grote zonnebril droeg, achterin stak een blond hoofdje maar net boven het chassis uit.

Mirjana rende naar de schuur, griste een tas van een spijker, sprong over het muurtje dat de tuin afscheidde van het bos en nam een pad dat bijna recht omhoogliep. Het donkere geronk van de acht cilinders van de auto viel weg. Mirjana klom rennend verder tot ze bij een nog steeds volop levende, omgevallen eikenboom kwam die in haar val een groot gedeelte van de ondergroei had meegenomen. Ze liep over het door de stam gevormde smalle pad dat schuin omhoog de majestueuze kruin inliep naar een plank die door Pavić over twee takken was getimmerd. De grond lag een paar meter onder haar. Ze ging zitten, pakte een verrekijker en stelde die scherp op het witte huis dat zich hemelsbreed misschien een halve kilometer verderop bevond, met daartussenin de diepte van de vallei.

De auto kwam aan. De beide meisjes stapten uit, gevolgd door nog een meisje, dat pikzwart was. Mirjana zoomde verbaasd op haar in. Suad liep naar de deur. De twee andere meisjes voegden zich bij het donkere meisje dat bezig was om haar kroeshaar in een staart bij elkaar te binden. Suad stak een sleutel in het slot, waarna hij zich omdraaide en iets zei. De meisjes volgden hem naar binnen.

De gele vlekken in de bloeduitstorting in Luddes gezicht waren naar beneden, naar zijn kaak gezakt. Hij liep traag van de badkamer naar het balkon en keek een tijdje uit over Zenica. Hij voelde zich ongedurig en verveeld, maar ook moe, zo moe dat hij op de ligstoel ging zitten en zich achterover liet zakken. Zijn ogen vielen dicht.

Hij zag een huis in een vallei, een huis met een rood dak met legervoertuigen ernaast. Er bewoog niets, alles was stil, maar Ludde wist, al bijna slapend, dat de stilte een deken was, een deken over geluiden die hij niet wilde horen.

Vanaf de eerste verdieping klonk de stem van Ayanna die iets exotisch zong. Suad zat op het terras. Hij sliep. Danijela zette de bezem tegen de muur, pakte haar zonnebril van de vensterbank, liep naar buiten, ging in de auto zitten en zette de radio aan. Een saxofoon speelde een verdrietige melodie die nog mooier werd toen een vogel, die ze als een stipje hoog boven de auto zag, vrolijk begon te zingen.

Ze deed haar ogen dicht. Af en toe viel een koude windvlaag over haar heen die de warme lucht een paar seconden verdreef. Ze wilde dat ze kon huilen, maar dat kon ze niet. Zaterdag ging ze weg, naar het Noorden, waar het koud was. Ze dacht aan haar school. Ze dacht aan de jongen bij de tram en ze dacht aan haar moeder, tot het moment dat de saxofoon stopte, een trompet begon en ze omhoogkwam omdat er iets hijgde, vlakbij, naast de auto, een dier.

Ze deed haar ogen open en schoof geschrokken opzij, weg van de grote hondenkop die over de rand van het portier stak, zo dichtbij dat een sliert speeksel die van zijn bek viel op haar been terechtkwam.

'Wie ben jij?'

Vanaf de andere kant van de auto klonk een stem. Danijela keek om. Ze hield haar adem in. Het gezicht van de man naast de auto zat vol littekens die als kleine heuvelruggen in elkaar overliepen. In zijn mondhoek zag ze het geelwit van zijn gebit. Hij had een geweer bij zich waarvan de loop naar beneden was geklapt. Aan zijn riem hing een dode vogel met kastanjebruine gespikkelde veren en een gekleurde kop, vooral blauw en rood.

'Wat doen jullie hier?'

'We moeten schoonmaken.'

'Van wie?'

'Van Suad,' Danijela wees voorzichtig naar het huis, 'hij zit op het terras.'

De man wreef over zijn littekens.

'Het jeukt,' zei hij toen hij zag dat ze keek, 'vroeger was ik mooier.'

Danijela wist niet wat ze moest zeggen.

'Dit is mijn huis,' de man zei het alsof het een mededeling zonder inhoud was, 'werk je bij Suad?'

Danijela schudde haar hoofd.

'Nee, nog niet, ik ga pas zaterdag weg om te werken.'

Ze had geen idee waarom ze dat zei.

'Wat ga je doen?'

De hond liep snuffelend rond de auto.

'Ik word au pair in het buitenland, dat heeft Jović geregeld.'

'Welk buitenland?'

'Dat weet ik niet.'

'En je gaat zaterdag weg.'

'Ja.'

'Jović en Suad zijn slechte mensen.'

Danijela keek naar de hond die in de schaduw van het huis was gaan liggen. Ze voelde iets knijpen in haar buik.

'Ik ben bang voor honden.'

Haar stem klonk klein.

De man floot. De hond sprong op, liep naar hem toe en ging aan zijn voeten liggen.

'Ik moet weer aan het werk,' Danijela klonk nog bedeesder dan daarvoor, 'we hebben hier vrijdag een feestje, ik had alleen even pauze genomen.'

'Jović en Suad verdienen veel geld aan domme meisjes zoals jij.'

Danijela wilde iets zeggen, maar hield haar mond toen Suad in de deuropening verscheen.

Het meisje holde naar de deur. Suad liep naar Pavić. Mirjana keek vanuit de verte, vanaf de omgevallen eikenboom, ademloos toe, niet in staat om iets te doen, behalve haar vader zacht in zichzelf te vervloeken, omdat die zoals hij altijd al had gedaan zonder overleg zijn eigen plannen volgde. De hond ging staan. Ze kon het niet horen, maar ze wist dat hij gromde, diep vanachter uit zijn keel. Het tanige lichaam van Suad wierp een lange schaduw over de auto. Pavić klapte zijn geweer dicht. Suad stak een hand in zijn overhemd. Toen de beide mannen vlak bij elkaar waren, stond Suad stil. Hij zei iets. Pavić antwoordde. De hond keek van de een naar de ander. Suad wees naar het huis en toen naar beneden, het dal in, waarop Pavić een stapje achteruit deed en de loop van zijn geweer optilde. Ook Suad ging achteruit. Hij had een mes in zijn hand. Pavić zei weer iets. Ook hij wees naar het huis. Mirjana voelde haar hart tekeergaan.

De hond ging voor Suad zitten, in de houding die Mirjana kende, de houding die betekende dat Pavić de hond had opgedragen ervoor te zorgen dat Suad niet van zijn plaats zou kunnen komen zonder gebeten te worden. Pavić liep naar het huis. Suad en de hond bleven op de plek waar ze waren. Pavić verdween door de deur. Suad maakte een beweging, maar toen de hond ook bewoog, bevroor hij weer in zijn eerdere houding.

Het duurde misschien een minuut voor Pavić weer naar buiten kwam. Hij legde een hand op Suads borst, duwde hem aan de kant en liep in de richting van het weiland. Mirjana hoorde een schelle fluit. De hond rende achter Pavić aan. Suad tilde het mes aan de punt boven zijn hoofd, maar liet na een paar seconden zijn hand weer zakken. Mirjana ontspande. Ze stak een sigaret op en richtte de verrekijker daarna weer op het huis. Suad zat op het terras, maar nu sliep hij niet.

'Heb je daar ook dat donkere meisje gezien?'

Pavić keek omhoog.

'Een donker meisje?'

'Ja, die zat ook in die auto, een negermeisje.'

'Een zwart meisje? Hier? Nee.'

'En wat zei Suad?'

Mirjana pakte een mes van de theedoek die naast haar in het gras lag en gaf dat aan haar vader. De hond volgde haar bewegingen nauwlettend.

'Dat ik moest oprotten.'

Pavić stak het mes met de punt onder het gelige vel van de fazant, maakte een snee, legde het mes naast zich neer, stak zijn hand naar binnen en trok de ingewanden naar buiten. De hond kwijlde. Pavić gooide de ingewanden naar hem toe. Ze waren binnen een paar seconden verdwenen.

'Wat zei jij toen?'

'Dat hij een smeerlap is die leeft over de ruggen van kleine meisjes.'

'En toen ging je het huis binnen.'

'Heb je heet water?'

Mirjana ging staan.

'Waarom ging je naar binnen?'

'Om die meisjes te waarschuwen.'

'Of om te laten zien dat je niet bang bent.'

'Ook.'

'Heb jij ooit zo'n meisje...' Mirjana zocht naar een woord, 'gebruikt, in de oorlog?'

Pavić keek naar zijn dochter.

'Nee.'

'Gelukkig.'

'Haal nu maar water.'

Mirjana liep naar de deur die rood geschilderd afstak tegen de witte muur. Pavić keek haar na, tot ze bleef staan en naar een auto wees die met de kap naar beneden langs het huis in de richting van het dorp reed.

'Daar heb je Suad,' Mirjana's stem klonk alsof ze de woede die ze voelde niet aan haar vader wilde laten horen, 'die is weer met die meisjes op weg naar Sarajevo.'

Pavić legde de fazant naast zich neer, maar toen de auto doorreed pakte hij het dier weer op.

'Schiet een beetje op, Mirjana,' ook in zijn stem klonk de woede door, 'ik wil vanavond nog eten.'

'Moet ik een borrel voor je meenemen?'

'Ja.'

'En als het klopt wat dat meisje zei, over zaterdag, zullen we Henri en Ludde dan waarschuwen?'

Pavić keek geïrriteerd op.

'Haal eerst dat water. En er moeten tomaten komen, en aubergine, en walnoten.'

De Geus voelde een golf van puberale warmte naar zijn gezicht trekken toen hij Mirjana's gezicht op het scherm van zijn telefoon zag.

'Dag Mirjana, is er iets?'

'Mag ik je niet gewoon bellen?'

'Natuurlijk, graag zelfs,' De Geus zette de televisie uit, 'hoe is het bij jullie?'

'Weet ik niet. Mijn vader heeft vandaag een meisje gesproken dat vertelde dat ze zaterdag weggaat.'

De Geus' gezicht drukte onbegrip uit.

'Ik snap je niet, wat bedoel je precies?'

'Er waren vandaag meisjes in ons huis boven. Ze waren aan het schoonmaken. Eén van die meisjes vertelde dat ze zaterdag weggaat, als au pair. Suad was er ook.'

'En die kwam er gezellig bijzitten.'

'Nee, dat meisje zat buiten in de auto. Suad kwam pas later. Hij heeft Pavić weggestuurd.'

'En dat meisje zei dat ze zaterdag zou vertrekken.'

'Ja. Pavić heeft haar gewaarschuwd, maar ik denk dat dat niet erg zal helpen.'

'Hoeveel waren er?'

'Drie.'

'Dat betekent dus dat ik er zaterdag eigenlijk zou moeten zijn.'

'Of vrijdag, dan hebben ze een afscheidsfeest.'

'Dat is overmorgen al. Heeft dat meisje ook iets over Bekker gezegd?'

'Nee, jij houdt hem toch in de gaten?'

'Dat wilde ik vanaf morgenochtend gaan doen.'

'Morgen ben je misschien te laat.'

De Geus trommelde nadenkend op de tafel.

'Ik wilde vannacht in mijn eigen bed slapen, maar,' zijn stem klonk nu afwachtend vrolijk, 'als Bekker naar jullie komt, en ik volg hem, dan zie ik jou ook weer.'

'Ja.'

'Dat klinkt niet erg enthousiast.'

Mirjana gilde. De Geus trok geschrokken zijn hoofd opzij, weg van de telefoon.

'Zo goed?'

'Wat zei je?'

'Of ik zo enthousiast genoeg was.'

De Geus voelde zich onzeker worden.

'Ik moet zeggen dat ik regelmatig aan je denk,' zijn stem klonk hem zelf nogal kinderlijk in de oren, 'ik fantaseer er steeds over om bij jou te wonen.'

'Henri,' Mirjana's stem aan de andere kant klonk net zo zoekend als die van De Geus, 'ik wil je best graag weer zien, maar andere dingen zijn belangrijker op dit moment. Misschien moet jij Ludde bellen.'

'Dat zal ik doen.'

'Misschien moet hij direct komen voor het geval jij te laat bent. Ik kan hem ophalen.'

'Het is maar de vraag of hij alweer iets kan.'

'Dat kun je hem vragen.'

'Wat dat meisje tegen je vader zei, klopt met de informatie van Van Aammen. Je zou Ludde misschien alvast naar het huis van je oom kunnen brengen, dat is een prima plek om alles te kunnen zien, hij hoeft alleen maar op een stoel te zitten met een goede verrekijker en een goede camera.'

'Heeft Ludde wel eens langer dan een uur op een stoel gezeten?'

De Geus lachte.

'Hij leest wel eens een biografie.'

'Als jij dat met Ludde regelt, dan kan ik de fazant besprenkelen.'

'De fazant besprenkelen. Stel dat ik bij jou zou wonen, moet ik dan ook fazanten besprenkelen?'

'Nee, dat doe ik. Jij moet ze schieten, en het liefst een vrouwtje, niet zo'n taai mannetje zoals Pavić vandaag. Ik verwacht wel een vent die hier een beetje past.'

'Jammer voor je dat Ludde al bezet is.'

'Dat is mijn type niet.'

'Hoezo niet?'

'Te donker in zichzelf.'

'Te donker in zichzelf. Goed, ik zal het hem zeggen.'

'Je doet maar. Bel me zodra je meer weet.'

'Pappa zwaait, zwaai eens terug.'

Ilias keek met koortsige oogjes in de camera.

'Ilias ziek,' zei hij, 'en papa ziek.'

Mahnaz zette Ilias op de grond.

'Hij heeft de hele nacht liggen huilen,' ze sloeg haar hand voor haar mond omdat ze moest geeuwen, 'Farima is weer naar bed gegaan, dus ik neem de honneurs waar. Hoe kwam dat nou dat je bent gevallen?'

'We waren aan het klimmen,' Ludde raakte de wond op zijn hoofd even aan, 'en toen gleed ik weg. Geef Farima een zoen van me, ik moet afsluiten, ik krijg net een telefoontje binnen van Henri.'

'Henri?'

'Henri de Geus, je weet wel, de politieman.'

'O ja, die. Goed, ik ga achter Ilias aan voor hij tegen een kangoeroe aanloopt. Beterschap.'

Ludde sloot de computer af en pakte zijn telefoon.

Ergens vanuit het dashboard klonken de ouderwetse tonen van een telefoon. Het duurde lang voor er werd opgenomen. Mirjana's stem klonk chagrijnig. De Geus sloeg linksaf naar Assen.

'Weet je hoe laat het is, ik sliep al.'

De Geus keek naar Mirjana's gezicht dat door warrige haren werd omzoomd. Achter haar was de vage omtrek van het kussen te zien dat ze achter haar rug omhoog had getrokken.

'Ja, dat weet ik,' De Geus likte over zijn lippen, 'maar ik moest je bellen omdat ik net weer met Ludde heb gepraat.'

'Heb je een nieuwe auto?'

'Een huurauto, die van mij staat in Zagreb. Ludde vond dat jij gelijk had, dat ik direct naar Bekker moest gaan, dus dat doe ik nu.'

'En waarom bel je me? Het is twee uur.'

'Ludde heeft geregeld dat hij om zeven uur in Sarajevo aankomt met de trein. Of je hem kunt halen.'

'O.'

'En normaal ben jij nu nog wakker, toch?'

'Normaal slaap ik om elf uur. Toen jullie er waren was het hier niet normaal.'

'Je ziet er prachtig uit.'

Mirjana duwde een haarlok achter haar oren.

'Dat zal wel. Hoe is het met Ludde?'

'Hij heeft zich laten masseren door een Chinese chiropractor.'

'Een wat?'

'Iemand die je botten weer rechtzet. Toen hij wakker werd, voelde hij zich een stuk beter.'

'En nu komt hij dus weer hiernaartoe.'

'Ja, en ik ga kijken wat Bekker doet.'

'Die komt ook hierheen.'

'Als dat zo is, zit ik achter hem. Waar is Pavić?'

'Geen idee.'

'Een aparte man, jouw vader.'

'Ja, gelukkig is hij nog net iets ouder dan jij, anders was het wel heel raar wat wij doen.'

'Wat doen wij dan?'

Mirjana trok een quasiboos gezicht.

'Zegt de oude man die misbruik maakt van een onschuldig jong meisje zoals ik.'

De Geus voelde een golf van vreugde door zijn lichaam trekken.

'Je dekbed glijdt weg, dat is gevaarlijk, ik rij.'

Mirjana legde een hand op haar buik en liet het dekbed nog verder van haar borsten zakken, waarna ze overeind kwam uit haar halfliggende houding.

'Zo beter?'

'Ja, mooi. Ik hoop maar dat Bekker inderdaad naar Sarajevo gaat.'

Mirjana's gezicht veranderde, alsof ze zojuist een klap had gekregen. Ze trok het dekbed weer omhoog.

'Als hij komt, dan hoop ik dat hij nooit meer weggaat. Dan hoop ik dat ik kan spugen op zijn lijk.'

Danijela gooide het watje waarmee ze zich had afgeschminkt in een plastic mandje onder de wastafel. Toen ze in de spiegel keek, ontmoetten haar ogen de ogen van het stille meisje dat ze die ochtend hadden opgepikt.

'Heb je dat zelf gedaan, je naam in je arm tatoeëren?'

Ze wees met de achterkant van haar tandenborstel naar de blauw uitgelopen tatoeage op de bovenarm van het meisje. Ze zei niets.

'Je zegt niet veel hè, je heet dus Selma?'

Weer zei het meisje niets.

'Je hebt de hele dag je mond nog niet opengedaan. Vertrouw je ons niet?'

Deze keer wees Danijela van zichzelf naar Ayanna die op het bovenste stapelbed was weggekropen in een verkleurde, groene slaapzak.

'Ben je geslagen?'

Ayanna kwam ineens overeind.

'Stop met die vragen, ze wil rust.'

Danijela schroefde de dop van een tube tandpasta.

'Ik probeer alleen maar lief voor haar te zijn, en omdat we alle drie hier zitten dacht ik, wie weet helpen we elkaar.'

'Met wat?'

'Met bedenken wat we gaan doen. Heb jij gehoord wat die man met dat vreselijke gezicht vanmiddag zei toen hij binnenkwam?'

Ayanna schudde haar hoofd.

'Nee, ik was helemaal boven.'

Hij zei dat we weg moesten gaan, dat ze alleen maar geld aan ons willen verdienen, dat het slavenhandelaren zijn,' Danijela's stem, die daarvoor nog meisjesachtig vrolijk had geklonken kreeg een nerveuze bijklank, 'ik heb daar wel eens over gelezen. Ze willen seks of je moet hard werken, en alles voor niets.'

Ayanna schoof weer onderuit.

'Ik kom uit Somalië, mij gebeurt niets meer wat erger is dan daar. Ik laat me naar een rijk land brengen en verdwijn.'

'Hoe lang ben jij hier al?'

'Hoezo?'

'Omdat je onze taal spreekt.'

'Ik woon hier al een tijdje, ik zat in een dorp met jihadisten, ergens in de bergen.'

'Hoe kwam je daar terecht?'

'Dat is een lang verhaal. Er woont daar een familielid dat hier in de oorlog heeft gevochten. Daarna is hij met een Bosnische vrouw getrouwd om hier te kunnen blijven wonen, maar toen ik daar aankwam viel ik nogal tegen.'

'Je viel tegen.'

'Ja, in dat dorp was ik ook te zwart. Hoe meer mensen zelf gediscrimineerd worden, hoe erger ze anderen discrimineren die nog minder zijn dan zijzelf, zwarter bijvoorbeeld, of nog andere dingen.'

'Wat voor andere dingen?'

Ayanna antwoordde niet op de laatste vraag van Danijela.

'Ik heb daar maar een paar maanden gewoond,' zei ze, 'maar voor mij was dat genoeg om de taal te leren, ik heb een sterk gevoel voor talen, ik was de slimste op school, overal ben ik de slimste, eigenlijk.'

'En hoe wil jij dan verdwijnen als je in het Noorden bent? Dat lijkt met jouw kleur nog niet zo gemakkelijk.'

'In die landen zijn veel meer zwarte mensen dan hier. In Nederland was iemand zoals ik zelfs de baas, en nu is ze de baas in New York. Een vrouw uit Somalië, net als ik.'

Danijela snoof.

'Dat zal wel.'

Ze keek om toen ze zag dat het meisje dat misschien Selma heette haar benen in haar slaapzak stak.

'Jezus meid,' Danijela sloeg haar hand voor haar mond toen ze ook op de magere rug van het meisje een blauwe plek zag, 'Jezus. Somalië zal wel erg zijn, maar waar jij vandaan komt ook, zo te zien.'

Ayanna kwam weer overeind.

'Als jij je bek opendoet over dat ik ervandoor ga, dan leef je niet lang meer.'

Danijela probeerde gewoon te reageren, zoals ze naar een vriendin zou hebben gedaan, maar dat lukte niet helemaal.

'Ik heb nog nooit iemand verraden,' ze legde haar tandenborstel met een klap neer, 'mag je hier niet proberen normaal te doen of zo.'

'Niks is hier normaal. Doen ze normaal tegen jou?'

Danijela keek tersluiks omlaag naar haar alweer doorkomende schaamhaar en bedacht dat ze geen keus had dan dat voor de volgende ochtend weer af te scheren.

'Nee, dat doen ze niet, ik ga ook maar slapen,' ze ging op het bed onder Ayanna liggen en deed het licht uit, 'wat ik ook doe, het is toch niet goed. Ik kan niet weg omdat ik ze geld schuldig ben.'

'Zeggen zij,' de stem van Selma klonk rasperig, 'dat is om je te vangen.'

'Goh, je kan praten.'

'Ik dacht dat je aardig wilde doen,' Ayanna's reactie klonk snibbig, 'zegt ze eindelijk iets, doe jij zo.'

'Jullie zijn ook niet zo lief.'

'Ik heb die tatoeage om niet te vergeten dat ik Selma ben. En nu wil ik slapen.'

'Ik ook,' zei Ayanna.

Danijela huilde geluidloos met haar konijn tegen haar ogen tot ook zij in slaap viel.

WOENSDAG

In de verte klonk het gezoem van de A12. De Geus zette zijn auto weg en liep een fietspad op waarop grote plassen water lagen. Het was vier uur, het begon al licht te worden. Aan de rechterkant van het pad liep een langgerekte, uit bakstenen opgetrokken muur. Er was niemand te zien.

Na een paar honderd meter ging hij linksaf, een nog kleiner pad op, dat na een paar bochten bij een afrastering van gaas uitkwam. Hij stopte, haalde een tangetje uit zijn jaszak, knipte het gaas vlak bij een paal kapot, boog het terug tot hij naar binnen kon en liep een kleine vijftig meter verder tot hij aan de overkant van een gazon een landhuis zag.

Er brandde licht in de garage waarvan de deuren naar beide kanten waren opengeslagen. De Geus zocht steun bij een dennenboom en pakte een fototoestel. In de garage stonden drie auto's. Naast de linker stond Aldwin Bekker, met achter zich een meisje met een tas in haar hand. De Geus nam een paar foto's, draaide zich om en rende terug.

'En, hoe zie ik eruit?'

Ludde gaf Mirjana een hand.

'Als een gehavende adonis, wat je aan jezelf te danken hebt.'

Ludde zette zijn kruk naast zijn voet en deed een stap in de richting van een zuil in de stationshal waarnaast rieten stoelen stonden.

'Ik heb zin in koffie. Waar zou ik dit dan aan verdiend moeten hebben?'

Mirjana pakte Luddes weekendtas.

'Aan je roekeloosheid. Voor hetzelfde geld had Jović je doodgeslagen.'

'Ik kan me niet herinneren dat jij zo tegen die actie was.'

Mirjana snoof verontwaardigd door haar neus, maar ze zei niets meer tot ze gingen zitten.

'Maar hopen dat iemand van Jović ons hier niet ziet,' zei ze toen, 'maar ik heb ook zin in koffie.'

'En daarna?'

'Naar huis. Kun je paardrijden, of op zijn minst op een paard zitten?'

'Dat kan ik,' Ludde stak een hand omhoog naar het meisje achter de toonbank, 'volgens mijn oom Henderik hoorde dat bij de opvoeding.'

'Je oom Henderik.'

'Ja, die heeft me samen met mijn moeder opgevoed. Mijn vader is al jong doodgegaan, gestikt in een gierkelder.'

'Hoe oud was je toen?'

'Acht. Worden jullie nog in de gaten gehouden?'

'Geen idee. Ik breng je ook niet naar ons huis, ik breng je naar het boerderijtje van mijn oom. Vanaf daar kun je het witte huis goed zien, zodat je foto's kunt nemen voor het geval Henri te laat is.'

De Geus was nog net op tijd met zijn auto aan de voorkant van Bekkers landhuis om hem vanaf de oprijlaan de weg op te zien draaien. Naast Bekker zat iemand met lange blonde haren, ongetwijfeld het meisje dat in de garage had gestaan. Bekker nam de afslag naar de A12, in de richting van Arnhem. Het was drukker geworden. De Geus liet zich door een paar auto's passeren. Bekkers Chrysler stak boven de meeste andere auto's uit. Hij hield zich keurig aan de snelheid. De Geus volgde.

Nadat ze de scherpe bocht om de kerk beneden in het dorp had genomen, remde Mirjana zo plotseling af dat Ludde in zijn veiligheidsgordel naar voren schoot waardoor zijn ribben naar binnen werden gedrukt. Hij vloekte van de pijn. Mirjana draaide het plein achter de kerk op en stopte. Aan de bergkant van het plein kleurde de ochtendnevel afwisselend blauw en rood in een snel en onregelmatig patroon.

'Dat is bij ons huis, politie,' Mirjana gooide het portier open, 'blijf zitten, ik ga kijken.'

Ze verdween zonder op een antwoord te wachten. Ludde draaide het raampje naar beneden. Er stroomde koude buitenlucht naar binnen. De zwaailichten in de nevel riepen associaties op met het noorderlicht. Een oud vrouwtje in sombere kleren schuifelde zonder op of om te kijken voorbij. Ludde legde zijn arm in het raampje. De nevel was plotseling weg. De vallei opende zich, oprijzend in groene kleuren onder een violette gloed, met daarboven het nog fletse ochtendblauw van de hemel en daaronder het even fletse blauw van de lampen van de politieauto's bij het huis van Mirjana en Pavić.

Ze staken de Maas over. Aldwin Bekker reed verder Venlo in tot hij in een smalle straat stopte bij een pand aan het eind van een lange muur waarboven een fabrieksschoorsteen uittorende. De gevel van het pand was aan de onderkant verdeeld in hoge smalle ramen die met rolluiken waren afgesloten. Het was nog net geen zeven uur. De hemel boven Venlo was grauw.

Bekker stapte uit en opende de kofferbak. De Geus parkeerde honderd meter achter hem en pakte zijn fototoestel. Het rechterportier van Bekkers auto ging pas open toen ook de deur in de hoek van het pand opengina en er een vrouw van een jaar of veertig naar buitenkwam, die voor de deur bleef staan en toekeek hoe er een blond, langharig meisje uit de auto stapte dat wachtte tot Bekker een weekendtas op de grond had gezet en de kofferbak dicht had gedaan. De vrouw voor de deur sloeg haar armen over elkaar. Het fototoestel van De Geus zoemde bij elke foto die hij nam. Het meisje nam de tas van Bekker over. Toen er naast de auto een kinderwagen verscheen waarachter een jongeman liep, schoof De Geus onderuit, maar hij bleef fotograferen, ook toen het meisje de tas liet vallen en begon te rennen, op een manier waaraan je kon zien dat ze nauwelijks geloofde in wat ze deed. Haar hakken tikten over de trottoirtegels terwijl ze uitweek voor de jongeman die verbouwereerd omkeek. Bekker volgde een paar seconden later, licht hinkend, maar snel genoeg om het meisje in te halen.

De Geus verstelde de binnenspiegel zodat hij kon blijven zien wat er gebeurde. Het meisje schopte haar schoenen uit, maar toen ze struikelde greep Bekker haar vast. Hij keek even om zich heen en sloeg. De Geus nam een foto in de spiegel en dook daarna nog verder weg. Bekker sleurde het meisje omhoog. Ze huilde. De jonge vader vroeg iets toen Bekker en het meisje hem voorbijliepen. Bekker zei iets terug, liep door en verdween in het huis waarbij hij het meisje voor zich uit duwde. De deur ging dicht. De man met de kinderwagen draaide zich om en klopte op het raam van de auto. De Geus opende het raampje. Hij geeuwde.

'Hebt u gezien wat er gebeurde?'

'Wat?'

'Die man met dat meisje? Hij zei dat opvoeden soms moeilijk is.'

'Ik sliep,' De Geus deed zijn best slaperig te kijken, 'ik weet niet waar u het over heeft.'

'Hij sloeg haar.'

De Geus spreidde zijn handen.

'Sorry.'

'In dat huis zit een bordeel.'

'Ik weet echt niet waar u het over heeft, ik ben niet van hier.'

Het kind in de wandelwagen begon te huilen. De man kwam overeind en liep weg. De Geus pakte zijn telefoon en gaf het adres van het bordeel door aan Jorrit van Aammen. Daarna wachtte hij af wat Bekker zou gaan doen.

Mirjana rende de parkeerplaats op en plofte even later neer op haar stoel achter het stuur.

'Ze hebben Pavić opgepakt.'

Ze hijgde. In haar ogen stond paniek, maar ook woede.

'Waarom?'

'Weet ik veel, daarom.'

In de verte klonk het gejank van sirenes. Mirjana's hand ging naar de autosleutel, maar ze stopte halverwege. Het oude vrouwtje kwam weer voorbij en weer keek ze niet op of om.

'Dat is mijn oude schooljuf. Als ik gas geef, is ze dood.'

Ludde keek verbaasd opzij.

'Waarom zou je?'

'Omdat het een kreng is.'

De sirenes klonken dichterbij. Op de weg die de vallei inliep, reed een politieauto, met vlak daarachter een busje met tralies voor het raam.

'Ik denk dat Jović hierachter zit,' zei Mirjana, 'een geluk dat ik er niet was.'

'Waarom zou Jović hierachter zitten?'

'Jij stelt alleen maar vragen,' de stem van Mirjana klonk gespannen, 'ik heb behoefte aan antwoorden.'

'Misschien omdat je vader laatst op die man heeft geschoten die ons bespioneerde?'

'Misschien,' de stem van Mirjana klonk nu meer boos dan gespannen, 'of omdat ze hem voor vrijdag uit de weg willen hebben.'

'Doet de politie wat Jović zegt?'

'Ja.'

De beide politiewagens draaiden het pleintje op, raceten langs en verdwenen achter de kerk.

'Eerlijk gezegd weet ik dat niet zeker, maar het zou goed kunnen. Bij de politie verdien je niet zoveel. Of Jović heeft daar een neef of iemand die gratis over zijn meisjes mag.'

'En nu?'

'Ik denk,' Mirjana startte de auto, 'dat ik je gewoon naar het huis van mijn oom breng. En daarna ga ik naar Pale.'

'Wat moet je in Pale?'

'Daar staat het politiebureau.'

'En als ze jou dan ook arresteren?'

'Dan moet je je maar alleen zien te redden.'
'Heb je nog iets van Henri gehoord?'
Mirjana reed weg.
'Ja, hij schaduwt Bekker.'
Mirjana sloeg een onverhard weggetje in dat omhoog kronkelde tot het doodliep op het hek van een weiland waarboven een paardenkop vol manen hing.
'Dat is ons paard,' zei Mirjana, 'ze heet Werra.'
'Een ruin,' Ludde aaide het paard over de neus, 'waarom is het dan een ze?'
'Omdat een hengst zonder ballen een vrouwtje wordt,' Mirjana stapte uit, 'ik heb alleen een touwhalster, dus je zult het zonder zadel moeten doen.'
'Geen probleem. En jij?'
'Ik loop met je mee.'

Het paadje zigzagde omhoog. Ludde zat op Werra's rug met de van touw gevlochten leidsels in zijn handen. Hij keek naar het wiegen van Werra's hoofd waarboven een wolkje insecten hing. Het pad volgde de schaduw van dicht op elkaar groeiende loofbomen. Mirjana had haast, maar het paard liet zich niet opjagen.
'Naar wat voor huisje gaan we toe?'
'Een huisje dat ooit van mijn oom was. Het is er droog en je kunt er slapen en koken, maar er is geen elektriciteit en geen water, behalve uit de regenput. Ik laat het paard bij jou, je weet ermee om te gaan zie ik.'
'En jij gaat naar Pavić.'
'Ja. Vanavond breng ik je wel te eten.'
'Behalve als ze je arresteren.'
'Dan niet nee, dan leef je maar uit het bos.'
Ze liepen verder tot Mirjana in een bocht de vallei in wees.
'Daar naast die rots.'
Toen Ludde zich van Werra's rug omhoog duwde om naar beneden te kunnen kijken kreunde hij, meer in zichzelf dan hardop. Naast de rots zag hij een met platte stenen bedekt dak. Het paard snoof.
'Werra heeft hier altijd gewoond, ze was van mijn oom.'
'Is er voer?'
'Er ligt hooi, maar laat haar maar gewoon lopen, dat deed mijn oom ook altijd. Ze scharrelt haar eigen kostje wel bij elkaar.'
Het paard zette zich ongeduldig in beweging. Mirjana liet haar los. Werra stapte verder tot ze plotseling linksaf de helling afging, op een

plek waar die scherp naar beneden liep. Ludde leunde achterover. Werra's hoeven gleden weg over de losse steentjes, maar ze wekte de indruk dat ze precies wist wat ze deed toen ze even later op een lager gelegen pad kwam dat naar de opening in een uit keien opgebouwd muurtje liep, dat een ruimte afscheidde die je een patio zou kunnen noemen. Werra stapte naar binnen en liep recht naar een trog waarin water sijpelde vanuit een pijpje dat uit de muur van het huis stak. Ze dronk. Ludde liet zich van haar rug glijden, maakte het touwhalster los en aaide over de zijkant van haar hals. Mirjana kwam naast hem staan.

'Geen last van je benen, zo zonder zadel?'

'Nee, misschien komt dat nog.'

'Ik ga,' Mirjana zette een tas neer, 'hier zit nog wel iets te eten in. Ik zie je vanavond.'

Ze draaide zich haastig om. Ludde ging naast het paard op het muurtje zitten. De vallei baadde in de zon. Het witte huis lag op de helling aan de andere kant, misschien vierhonderd meter verder, iets schuin boven hem. Hij keek om.

In het midden van de gevel van het huisje van Mirjana's oom zat een ruwe deur met daarnaast een raam waarvan het kozijn en de gesloten luiken ooit blauw waren geweest. Het huis was tegen de rotswand aan gebouwd, net zoals de overdekte ruimte zonder muren naast het huis waarin een stapel hooipakken lag. Aan de achterwand hing een houten ruif. De grond bestond uit aangestampte aarde die vermengd was met kleine steentjes. Het paard gooide haar hoofd omhoog, brieste, draaide zich om en verdween door de opening in het muurtje. Ludde onderdrukte de neiging om haar tegen te houden.

Ze lieten Venlo achter zich, op weg naar Duitsland, keurig op de route naar Sarajevo die De Geus op de routeplanner had ingesteld. Op de radio werd de federalisering van Europa besproken, maar De Geus dacht aan het meisje dat door Bekker naar het bordeel was gebracht. Het zat hem dwars, hoewel hij wist dat hij niet alle ellende altijd voor iedereen kon voorkomen. Bekkers Chrysler sloot aan achter een rij auto's die een vrachtauto passeerde en verdween uit het zicht.

Op de radio was het onderwerp overgegaan op de toenemende onveiligheid, hoewel alle statistieken al jaren lieten zien dat die onveiligheid afnam, maar zowel de beller als de presentator leek daar geen boodschap aan te hebben. De angst is dichterbij dan het verstand, dacht De Geus. Hij gaf gas toen de rij naast de vrachtwagen was verdwenen. In de verte zag hij het hoge dak van Bekkers auto. Hij schoof weer naar de rechterkant. Toen de telefoon ging, sprong zijn hart omhoog. Mirjana.

'Dag meisje.'

De Geus hoorde het zichzelf zeggen. Mirjana keek hem via het schermpje aan.

'Je zit in de auto.'

'Ja. Bekker rijdt voor me. Wat is er? Je kijkt zo.'

'Hoe kijk ik?'

'Alsof er iets aan de hand is.'

'Dat is er ook.'

Achter Mirjana waren huizen te zien.

'Je bent in Sarajevo.'

'Nee, in Pale, mijn vader zit vast.'

'Wat?'

De stem van De Geus schoot uit.

'Ze hebben hem vanochtend gearresteerd.'

'Waarom?'

'Dat weet hij niet.'

'Je hebt met hem gepraat.'

'Ik kom net bij hem vandaan. Hij weet niets en ze vertellen hem niets,' Mirjana's gezicht drukte ongerustheid uit, 'ze lachten me uit, de klootzakken.'

'Maar je mocht dus wel met hem praten.'

'Ja. Hij maakt zich geen zorgen, hij zei dat ze hem snel weer los zullen laten.'

'Hij wist toch niet waarom ze hem hebben gearresteerd?'

'Nee, dat hebben ze nog steeds niet gezegd, maar hij had het over iemand die hem vrij zou kunnen krijgen, iemand uit de tijd dat hij nog actief was in het leger.'

'Wacht even, ik ga de grens met Duitsland over, even opletten wat Bekker doet,' De Geus scande de auto's voor hem, 'ik heb hem weer. Ik durf te wedden dat hij naar Sarajevo gaat. Morgen ben ik bij je.'

'Je moet je niet bij mij laten zien, je moet naar het bovenhuis. Ludde is daar al.'

'Het bovenhuis?'

'Het huisje van mijn oom.'

'Waar Pavić dat varkentje schoot.'

'Ja. Volgens mij zit Jović erachter.'

'Met als reden?'

'Pavić voor vrijdag uit de weg hebben. Hij schiet nogal goed.'

De Geus knikte.
'Dat klinkt niet onlogisch. Hoe gaat het met jou?'
'Hoe zou het met mij moeten gaan?'
'Mis je me een beetje?'
Mirjana trok haar schouders naar achteren.
'Mijn vader is opgepakt en jij vraagt of ik je mis. Wat voor soort mannen kweken ze daar toch bij jullie?'
'Sorry, dit soort vragen moest ik nou juist leren stellen van mijn vrouw.'
Mirjana tuitte haar lippen alsof ze hem een zoen gaf.
'Ik mis je niet, maar ik zie je wel graag. Hou me op de hoogte waar je bent. En kom onder geen beding naar mijn huis.'

Ludde duwde de luiken open. Het zonlicht stroomde binnen zodat hij kon zien dat de vloer uit aangestampte aarde bestond, net als de patio buiten. Alleen voor het granieten aanrecht tegenover het venster lagen tegels. Op het aanrecht stond een gasstel met schuin daarboven een pomp. De rots waar het huisje tegenaan was gebouwd vormde de achterwand en een deel van de zijwand. In de hoek, een metertje verwijderd van de rots, stond een smeedijzeren kachel waarvan de afvoerpijp door het plafond verdween. Naast de kachel stond een eenvoudig ledikant. Direct bij de ingang liep een ladder naar boven die eindigde tegen een gesloten luik. De ruimte boven had een schuin oplopend dak dat net als de achterwand beneden tegen de rots eindigde. Door een raampje in de voorgevel viel een beetje licht op een kast waarnaast een matras lag.
Ludde ging weer naar beneden. Hij opende Mirjana's tas en vond een paar met koud, wittig vlees belegde broodjes. Het vlees had een sterke wildsmaak. In een leren foedraal zat een fototoestel met een voorzetlens. Ludde liep naar het raam, richtte op het witte huis aan de overkant, zoomde in en nam een foto waarop hij de verdorde bladeren van de stokbonen van elkaar kon onderscheiden. Daarna liep hij de trap zo ver op dat hij een foto kon nemen van de schemerige zolder. Ook deze foto was uitstekend. Het paard kwam over de patio aanlopen. Ludde ging naar buiten.
'Ha Werra.'
Hij stak een hand uit, maar Werra liep zonder naar hem te kijken naar de open schuur waar ze met haar lippen aan een pak hooi begon te rukken.

Een dikke man maakte Pavićs handboeien los.

'Ik ken jou,' Pavić wreef over zijn polsen, 'je was korporaal.'

De man wurmde zich achter zijn bureau.

'En jij was Miloš Pavić, onze beroemde sluipschutter.'

'Dat ben ik nog steeds,' Pavić klonk tegelijkertijd spottend en hooghartig, 'alleen lelijker intussen.'

'Het is dat je het zelf zegt.'

De man legde zijn pet voor zich neer.

'Jij jaagt op verboden plekken.'

'Waar heb je het over?'

'Ik heb je laten arresteren omdat je illegaal jaagt.'

'Ik jaag in mijn eigen vallei.'

'Die intussen van het leger is.'

'Die vallei is van de Pavićs,' deze keer klonk er naast hooghartigheid ook woede in Pavićs stem, 'en dat zal hij altijd blijven.'

'Ik heb een paar dagen nodig om dat uit te zoeken.'

Pavić boog zich voorover.

'Ik heb je in de oorlog gezien,' hij vertrok zijn gezicht op die manier waarvan hij wist dat die de meeste afkeer opriep, 'jij hoorde toch bij Petar Jovićs militie?'

'Ik diende onder hem, ja,' de politieman zwaaide als een schoolmeester met een vinger, 'en daar ben ik nog steeds trots op.'

'Ook als je denkt aan die mensen die je moest executeren?'

De politieman liet zich achterover zakken. Om zijn mond speelde een minzaam lachje.

'Ik doe wat mijn land mij opdraagt.'

Pavić trok zijn lippen op.

'Jij heet toch Goran?'

'Ja, ik heet Goran.'

'Wat vindt je vrouw ervan dat je een paar jaar moordend en verkrachtend door het land bent getrokken?'

Het gezicht van de politieman werd rood, wat hij probeerde te verbergen door zich met zijn pet koelte toe te wuiven.

'Wat is dat voor vraag?'

'Gewoon informatief, niets bijzonders.'

'Je wilt me kwaad krijgen, maar dat gaat je niet lukken. Bereid je maar gewoon voor op een paar dagen cel.'

'Zodat ik Jović niet dwars kan zitten.'

'Je denkt maar wat je wilt denken.'

Goran drukte op een knopje. De deur achter Pavić ging open.

'Ik zou nog even wachten,' Pavićs stem kreeg een scherpe klank, 'weet jij wie Jovićs chef was?'

'Ja, dat weet ik.'

'En weet je wie daar weer de chef van was?'

'Nee.'

'Ik wel. En ik weet ook waar je die tegenwoordig kunt vinden,' Pavić wachtte tot de deur na een teken van Goran weer dichtging, 'en ik raad je aan om hem zo snel mogelijk te bellen, want hij zal niet blij zijn als hij hoort dat ik hier zit.'

Goran bukte zich en haalde een fles uit een la tevoorschijn. Hij zette er twee glaasjes naast.

'Jij ook?'

'Graag.'

'Over wie heb je het?'

'Zoran Prole van defensie. Vertel hem dat jij me vasthoudt en wacht zijn reactie af.'

'Nooit van die man gehoord.'

'Dat zou dan tijd worden.'

Goran schoof een glas over zijn bureau naar Pavić.

'Misschien doe ik dat,' hij nam een slok en veegde daarna zijn lippen af met de mouw van zijn uniform, 'weet je,' zijn stem kreeg een vertrouwelijke klank, 'we zijn motten op weg naar de kaarsvlam, maar als mot weet je dat tenminste niet.'

Pavić zette zijn lege glas op het bureau.

'Dus voor de landgenoten die je doodschoot, was jij een kaarsvlam.'

'Wat jij deed vanuit een bos, deed ik als ik ze aankeek. Wat is het verschil?'

'Werd je er niet misselijk van?'

'Niet misselijker dan toen ik mijn tante met een touw om haar nek aan haar eigen appelboom zag hangen. Nadat ik dat had gezien, was mijn liefde voor mijn landgenoten snel over en deed ik wat je als man hoort te doen.'

'Zoals het verkrachten van kinderen.'

Goran schonk Pavićs glas eerst weer vol voor hij antwoordde.

'Alleen vrouwen die kinderen konden krijgen. Atilla deed niks anders, de Romeinen niet, de Duitsers, de Engelsen, de Polen, de Amerikanen, de Congolezen, de Vietnamezen, iedereen, vroeger en nu nog steeds. De winnaar zaait zijn zaad.'

'Is jouw God daar niet tegen?'

'Dat maakt niet uit,' Goran schonk de glaasjes weer vol, 'we gaan toch naar de hel,' zijn stem kreeg een door alcohol aangedreven galm, 'jij net zo goed als ik.'

'Jij komt uit Somalië, toch?'

Danijela keek naar Ayanna die in haar onderbroekje voor de spiegel stond.

'Ja.'

'Je bent echt overal pikzwart, raar eigenlijk.'

'Wat is daar raar aan?'

Danijela sloeg, ineens zenuwachtig, haar hand voor haar mond.

'Ik bedoel daar niks verkeerds mee, ik zeg soms zomaar iets, ik bedoel, raar eigenlijk dat mensen zo kunnen verschillen, en toch zijn we hetzelfde, ik bedoel, we hebben allemaal borsten en zo.'

'Ja, en dit,' Ayanna legde haar hand in haar kruis, 'wat hier zit, willen ze allemaal hebben, wat het ook is, mannen,' ze likte aan een turkoois gekleurd oogpotlood, 'weet je, die man van gisteren, die had gelijk, ze gebruiken je als hoer, je verdient zelf niks, en als je je mond opendoet slaan ze je in elkaar.'

'En jij dan, dat geldt dan toch net zo goed voor jou?'

Ayanna bestudeerde het resultaat van het oogpotlood in de spiegel.

'Ik gebruik ze als vervoer naar een rijk land, de rest neem ik op de koop toe,' ze legde het potlood neer, 'ik zei al, ik ga weg zodra me dat goed uitkomt. Hoe vind je die kleur zo?'

'Wel mooi, hoe dat turkoois afsteekt tegen dat zwarte. Wat vind jij, Selma?'

Het meisje in het andere bed trok haar slaapzak over haar hoofd.

'Je moet haar met rust laten.'

'Oké, al goed. Ze hebben de deur op slot gedaan, wist je dat?'

'Ja, natuurlijk. Anders loopt het kapitaal weg.'

'Hoezo kapitaal?'

'Nou, dat kapitaal ben jij, ze verdienen in een jaar duizenden euro's aan je, dat geld wil ik zelf wel.'

Danijela hield haar mond. Ze staarde een tijdje naar de rode vegen in Selma's haar dat boven haar slaapzak uitstak.

De parkeerplaats aan de *Autobahn* was overvol. De Geus liet het autoraampje zakken. Bekker was op weg naar het toiletgebouw. Zijn lange lichaam was gekleed in een zomers maatkostuum dat eruitzag alsof het hem die ochtend was aangemeten, ondanks de uren die zowel hij als De Geus in de eindeloze file bij Darmstadt hadden doorgebracht. Bekker droeg een zonnebril in een vliegeniersmodel.

De Geus trommelde met zijn vingers op het stuur, keek naar de klok die aangaf dat het bijna vier uur was, dacht aan Mirjana, raadpleegde de routeplanner, zette de motor aan, reed achteruit en verliet de parkeerplaats langs een bord waarop werd aangegeven dat de luchthaven van Nürnberg nog twintig kilometer verderop lag.

Toen hij zich tussen een rij vrachtauto's door de weg had opgewurmd, gaf hij gas. De zon scheen door zijn achterruit. De bekleding van de auto gaf de lichte leergeur af waar hij zo van hield. Hij deed de radio aan waarna Maria Callas' stem door het luxueuze interieur klonk, mooier dan ooit iemand in een concertzaal had gehoord.

'Eten, koffie en thee,' Mirjana zette een mandje op de waterput in het midden van de patio, 'en de groeten van mijn vader.'

'Je mocht dus met hem praten, dat valt me mee,' Ludde liep met de mand naar binnen, 'en ze hebben je niet gearresteerd, wat bewijst dat het ze alleen om hem gaat.'

'Die conclusie had ik ook getrokken.'

'Zal ik iets te drinken maken?'

'Je loopt alweer aardig, zie ik.'

'Wij Menkema's kunnen veel hebben. Wil je iets?'

'Koffie graag. Je hebt het hier aangenaam gemaakt,' Mirjana stak haar neus in de bos bloemen die Ludde op de tafel had gezet, 'en je hebt zelfs opgeruimd, je bent een huiselijke man.'

'Meer een verveelde man,' Ludde stak het gas aan, 'wat zei je vader nog meer?'

'Hij zei dat hij snel weer vrij zou zijn met hulp van een man die hij nog van vroeger uit het leger kent, maar ik zie het nog niet gebeuren.'

'Afwachten dan maar. Prima spullen heb je, dat fototoestel en zo.'

'Ja,' Mirjana aarzelde, 'ik wilde je nog iets vragen, ik wilde je vragen wat Henri voor een man is.'

Ludde draaide de bovenkant van de cafetière los.

'Dat heb je al eerder gevraagd en je vader vroeg het ook al.'

'Vroeg Pavić naar Henri?'

'Ja. Ik heb hem verteld dat Henri een man is met een beheerst drankprobleem, dat hij slim is, trouw, weduwnaar, en een dochter heeft. De rest moet je zelf maar uitzoeken. Hoe wil je je koffie?'

'Zwart. Heb je een sigaartje voor me?'

Ludde wees naar de tafel. Even later liep Mirjana rokend naar het openstaande raam.

'Ik word gek van dat gewacht. Er gebeurt niets, maar je weet dat dat zo kan veranderen en dan weet je weer niet wat je moet doen.'

Ludde kwam naast haar staan, gaf haar de koffie en legde zijn telefoon in de zon.

'Hij moet opgeladen.'

'Hoe is het met je?'

Ludde rekte zich uit.

'Mijn ribben doen pijn, maar dat is te doen. Mijn been,' hij legde zijn hand op zijn spijkerbroek, 'is stijf, maar ik loop zonder kruk. En mijn hoofd zie ik zelf niet, dus dat maakt niet uit.'

'Je hoofd ziet eruit als een rotte appel,' Mirjana blies de rook van het sigaartje uit het raam, 'lekkere koffie.'

Het paard schraapte met een hoef over de grond. In de verte hoorden ze een auto. Mirjana stak een hand op.

'Dat is de winkelier. Hij komt naar boven.'

Ludde pakte een verrekijker. Het geluid van de auto werd sterker.

'Hij is er zo,' zei Mirjana, 'nu schakelt hij terug, anders haalt hij die bocht niet met dat vrachtwagentje van hem.'

'Volgens mij rij jij die weg met je ogen dicht.'

'Ik hou van sturen ja.'

'Ik ook. Als we hier klaar zijn, doen we een wedstrijd, wie het eerst boven is.'

Bij het witte huis verscheen een oude, kleine vrachtwagen die stopte en daarna tot vlak voor de deur terugreed. Het portier ging open. Ludde keek door de verrekijker. Naast hem klikte het fototoestel. Een man deed de laadklep open en trok een kratje naar buiten.

'Drank,' zei Ludde toen de winkelier met een kratje in het huis verdween, 'daar heb je je actie.'

'Wat je actie noemt,' Mirjana legde het fototoestel neer, 'kun je je die oude vrouw nog herinneren, beneden in het dorp?'

'Die jij dood wilde rijden.'

'Ja die, dat is zijn moeder,' Mirjana wees naar de man die nu twee afgesloten emmers van de vrachtwagen pakte, 'ik zat bij hem in de klas en zij gaf ons les. Ze had een hekel aan me omdat mijn moeder moslim was, en hij,' Mirjana wees weer naar de man, 'volgde haar goede voorbeeld.'

'Hij pestte je.'

'Ik liet me niet pesten. Hij sloot me buiten.'

'Vandaar dat je haar dood wilde rijden.'

Mirjana schokschouderde.

'Ach,' zei ze, 'dat was bij wijze van spreken. Ze heeft erg pijnlijke kanker, dus laat haar maar leven,' ze trok haar schouders nog een keer op, 'mijn vader zei ook nog dat je onder de tegels voor het aanrecht moest kijken.'

De deur van de cel ging open. Pavić stond met zijn rug tegen de muur. Hij balde zijn vuisten, maar ontspande die weer toen Goran binnenkwam met achter zich een politieman die een geweer in de aanslag had. Goran grijnsde.

'Bang?' vroeg hij, 'je staat daar zo defensief.'

'Ik heb zo mijn ervaringen,' Pavić bleef staan waar hij stond, 'wat wil je?'

'Je vertellen dat Zoran Prole in New York zit.'

'Ja, en?'

'Dat betekent dat ik hem niets kan vragen.'

Pavić liep naar het bed in de hoek van zijn cel. De politieman volgde hem met de loop van zijn geweer. Goran deed een stapje achteruit. Pavić ging zitten.

'Je gaat heel veel spijt krijgen,' zei hij rustig, 'als je niet heel erg je best doet om hem toch te spreken te krijgen.'

'Wat denk je, dat het hier het presidentiële bureau is? Ik heb geen lijntjes naar New York.'

'En toch heb je straks geen baan meer. Dan kun je als dikke man in de pornofilms van Petar Jovićs vrouw gaan spelen.'

Gorans gezicht werd rood.

'Als dronken, dikke dwerg, voor de komische noot,' Pavić lachte zijn mismaakte lachje, 'ik geef je deze nacht, morgen laat je me gaan.'

Ludde zette zacht vloekend een tegel tegen het aanrecht.

'Dit moet ik eigenlijk niet doen, het doet verrot veel pijn.'

Mirjana schoof haar vingers onder een volgende tegel.

'Alleen deze nog, hoe meer je beweegt, hoe sneller het overgaat.'

'Ja,' zei Ludde, 'en hier piepen mannen toch niet?'

'Nee.'

'Maar ze zuipen des te meer,' Ludde nam de tegel van Mirjana over, 'laten we het geheim onthullen.'

Hij liep naar buiten, duwde tegen de kont van het paard zodat hij bij de schep kon die onder de ruif lag, liep weer naar binnen en zette de schep in de grond.

'Doet dat geen pijn?'
Mirjana's stem klonk spottend.
'Jawel, maar ik piep niet. Daar ligt iets, een kratje of zo.'
Ludde groef verder tot hij een langwerpige kist in een groene legerkleur bloot had gelegd, schraapte het deksel schoon, en wipte daarna met zijn schep het uiteinde naar boven. Mirjana bukte zich.
'Ik denk dat ik weet wat hierin zit.'
'Ik ook,' Ludde tilde de kist op en liep ermee naar de tafel, 'heb je een beitel of zo?'
'Het kan ook zo.'
Mirjana zette de schep onder het deksel dat probleemloos omhoogkwam. Ze zagen een naar olie ruikende, groene doek die om een langwerpig voorwerp was gewikkeld.
'Een geweer,' zei Mirjana.
'Ja, vast van Pavić, uit de oorlog. Pak jij het maar,' Luddes vingers lagen begerig op de rand van de kist, 'hij is tenslotte van je vader.'
Mirjana vouwde de doek open. In de doek lag een geweer met een open bruin-rode kolf.
'Een Snajperka,' Luddes stem klonk enthousiast, 'die is eigenlijk meer voor scherpschutters. Mag ik?'.
Hij pakte het geweer voorzichtig op.
'Hier heb je het vizier,' Mirjana legde een opgerold stukje leer op de tafel, 'en ook munitie.'
'Voor gebruik tot een kilometer, zoiets, misschien wel verder,' Ludde zette het geweer tegen zijn schouder, stak de loop uit het raam en maakte een horizontale zwaaiende beweging, 'als ik je vader goed begreep, mocht ik hem proberen?'
'Vast wel. Laat hem niet vallen.'
Ludde liet het geweer zakken.
'De kruidenier gaat weg. Geef me dat vizier eens, wil je?'
'Hier.'
Ludde zette het vizier vast.
'Ik kan zijn nummerplaat lezen,' hij keek om naar Mirjana die de lege mand had gepakt, 'wat ga je doen?'
'Naar beneden. Misschien hoor ik iets. En ik heb geleerd dat je beter uit de buurt kunt blijven van mannen met geweren.'

Vanuit de boomgaard klonk het gejammer van de hond. Mirjana klom over de omheining en zag dat het dier zijn achterlijf in de holte in de onderkant van de stam van de notenboom had geworsteld. Hij tilde zijn kop op, keek naar Mirjana, zuchtte diep, en liet zijn kop weer zakken. Mirjana bleef staan.

'Ik weet dat Pavić weg is,' ze tikte met haar voet zacht tegen een van zijn voorpoten, 'hij komt wel terug, ga maar een eindje wandelen.'

De hond trok zijn lijf tevoorschijn en liep achter haar aan de schuur in.

'Zal ik je eens iets vertellen?' Mirjana legde haar hand op zijn kop, 'in een volgend leven word ik kat. Jij loopt achter me aan en je mist Pavić, je bent net een mens. Ik word een kat, een kreng dat altijd ontspannen is omdat het haar niet kan schelen dat ze alleen maar aan zichzelf denkt.'

Mirjana ging het huis binnen. De hond liep haar weer achterna en duwde zijn kop tegen haar hand. Mirjana pakte haar tablet.

'Wacht beest, ik word gebeld,' ze keek op het schermpje, 'door mijn Nederlander.'

Ludde stond achter het raam. Hij stak een duim omhoog, sloot zijn rechteroog, keek over de duim naar een dode boomstam in het bochtige gedeelte van het weggetje aan de overkant van de vallei, deed zijn oog weer open en sloot het andere. Zijn duim versprong naar links over een afstand die hij op een meter of zeven schatte. Hij pakte de Snajperka, stelde het vizier in op zevenhonderd meter en klikte het magazijn vast. Daarna controleerde hij de andere instellingen, legde de loop op het kozijn en liet zich zo ver zakken tot hij door het vizier kon kijken. Hij schoot. Uit de stam sprong een stofwolkje op, te hoog en te ver naar links. Hij liet het geweer zakken, verstelde het vizier en schoot opnieuw.

Na drie keer legde hij de Snajperka in de kist en zette die in de verste hoek van de kamer, waar het donker was. Daarna vulde hij het gat voor het aanrecht en legde de tegels terug. In de kamer hing de geur van kruit, een geur die hij met welbehagen opsnoof, maar die hem tegelijkertijd gespannen maakte, een spanning die hij kende van vroeger.

Hij liep naar buiten, sneed de touwen om het bovenste hooipak kapot en vulde de ruif aan de muur. Het paard keek hem dromerig aan. Om haar hoofd cirkelden tientallen vliegen. Ludde pakte het touw dat hij net had losgesneden, ploos het uit en knoopte het daarna als kopstuk aan de halster van het paard. Daarna ging hij op het muurtje naast de ingang van de patio zitten. De zon raakte de toppen van de bergen tussen hem en Sarajevo. Het was stil, erg stil.

'Ik ga ervan uit dat hij naar Sarajevo gaat, dat is toch niet zo gek?'

'Nou, ik vind het niet slim, zeker niet voor een politieman. Hij kan elke afslag nemen die hij wil om voor altijd te verdwijnen.'

De Geus keek een beetje verward via het schermpje naar Mirjana.

'Wat is er nou, ik dacht dat je het leuk zou vinden als ik wat eerder kwam.'

'Je kunt hier niet terecht. Als ze je zien loopt alles in de soep, dat doet het nu al, met mijn vader en Ludde en zo.'

'Er loopt niets in de soep. Vrijdag komt Bekker. Vrijdag komt Jović. Wij observeren, verzamelen bewijs en na een tijdje wordt dat hele zaakje opgerold.'

Mirjana snoof sarcastisch.

'Ten eerste geloof ik er niets van dat dat hele zaakje dan wordt opgerold. Als Bekker al die jaren beschermd is geweest, dan is hij dat volgende week ook nog wel, en ten tweede, ook al wordt hij opgepakt bij jullie in Holland, dan loopt Jović...' haar stem schoot uit, 'hier nog steeds en hebben wij er niets aan.'

De Geus keek voor zich uit, langs de camera van zijn mobiel. Het duurde even voor Mirjana weer iets zei.

'Waar ben je ergens?'

'Op het vliegveld van Nürnberg.'

'Dan haal je het vanavond helemaal niet.'

'Nee, lang niet. Ik vlieg vannacht en kom dan vanaf Zagreb met mijn eigen auto.'

'En dan? Je neemt een paar foto's, Bekker vertrekt met zijn meisjes naar Nederland, en dan is alles weer zoals het was.'

'Behalve dan dat wij elkaar hebben leren kennen.'

'Doe niet zo zoetsappig. Ben je vergeten wat ik wil? Ik wil dat Bekker hier niet levend vandaan komt. Ik wil ons huis terug, ik wil onze vallei terug. En ik pieker er niet over om hier weg te gaan en hoe wil jij hier dan met mij leven met Jović aan de andere kant van de berg en Bekker in Nederland? Denk je dat we dan gezellig gaan shoppen in Sarajevo? Zit je nou te janken?'

De Geus keek in de camera.

'Als ik eerlijk ben, bijna, ik had gehoopt dat je het leuk zou vinden me te zien en ik ben bekaf. Ik dacht dat het misschien iets betekende, tussen ons.'

Mirjana was lang stil, langer dan De Geus leuk vond.

'Dat doet het ook wel,' zei ze toen, 'ik ben een beetje van slag, door mijn vader denk ik, ik heb het gevoel dat dit allemaal alleen maar ellende oplevert. Bel me morgen maar om te vertellen waar je bent.'

De Geus knikte.

'Goed,' zei hij, 'maar ik ga niet iemand doodschieten, ook niet als jij het vraagt.'

Mirjana zuchtte weer, dieper deze keer.

'Ik haal je morgen op bij Doboj, dat ligt op twee uur rijden noordelijk van Sarajevo, en breng je naar Ludde. Ze mogen je hier echt niet zien, ook onderweg niet. Ludde is aan het oefenen met het geweer van Pavić.'

'Waarom dat?'

'Weet ik veel, misschien omdat hij dat leuk vindt.'

Boven, over de platte stenen van het dak, liep iets, een dier dat van de duisternis geen last had. Ludde lag op zijn rug op het bed beneden met zijn ogen open, hoewel dat nauwelijks uitmaakte omdat het aardedonker was.

'Nieuwe maan,' mompelde hij, 'dan komen de wolven.'

Hij probeerde zijn handen onder zijn hoofd te leggen, maar dat deed te veel pijn. Zijn hoofd bleef helder. Hij luisterde een tijdje naar de krekels, in de hoop dat die zijn gedachten stil zouden zetten, maar ook dat gebeurde niet, totdat erin zijn hoofd harde mannenstemmen klonken, een vrouw gilde en hij schreeuwend wakker werd. Zijn lichaam leek verlamd, tot hij erin slaagde met zijn handen zijn gezicht aan te raken. Het paard brieste zenuwachtig. Ludde ging zitten, tilde zijn benen met zijn handen van het ledikant en ging staan. Toen hij naar buiten keek, zag hij een bewolkte hemel. Boven de bergkam zag hij heel zwak het licht van Sarajevo.

Selma draaide zich om in haar slaapzak. Danijela sloot haar ogen en probeerde het gesnurk van Ayanna niet te horen. Er reed iemand weg in een auto. Danijela zag haar moeder voor zich die moe was van haar werk. Ze zat op de bank, ze keek televisie, naar iets wat haar niet interesseerde. Ze telde de euro's van Jović en ze miste Danijela, maar ze kon eten kopen, misschien een nieuwe jurk en ze kon ook eindelijk eens uitgaan. Danijela dacht eraan dat ze moest onthouden dat ze tegen haar moeder moest zeggen dat ze ook eens uit moest gaan, een beetje plezier maken, misschien een man vinden, zo oud was ze niet. Ze deed haar ogen open en gluurde naar het stapelbed aan de andere kant. Selma huilde, heel zacht, maar ze huilde. Danijela kwam overeind.

'Wat is er?'

Er kwam geen antwoord. Ze hoorde Selma niet meer. Toen, voordat ze wist wat ze deed, stond Danijela op. Ze pakte haar konijn, ging naast Selma liggen en legde een arm over de slaapzak waarin het meisje lag. Haar hart bonkte, ze had geen idee waarom. Ze verschoof haar hand naar Selma's hoofd. Toen het lichaam van Selma zich ontspande, ontspande Danijela ook. Ze rook de geur van tranen.

DONDERDAG

Ludde schoof de tafel voor het raam, zette er een stoel achter en legde zijn tablet neer. Door de vallei dreven wolken die het licht grijs maakten. De tablet piepte. Het eerste bericht was van Mirjana, ze keek met een bijna boze blik in de camera.

Henri komt hiernaartoe. Hij komt vliegen. Ik weet niet hoe dit allemaal verder moet, ik zie je vanmiddag.

Ludde klikte door naar het volgende bericht. Farima was een stuk vrolijker dan Mirjana. Ze vroeg hoe het ging, ze vertelde dat zij het erg naar haar zin had, dat Ilias regelmatig naar zijn vader vroeg en dat Mahnaz een Australisch vriendje had opgeduikeld. Het derde bericht was van De Geus.

Ik heb besloten dat ik naar jou toe kom. Ik heb Bekker gevolgd tot bij Nürnberg, dus ik ga ervan uit dat hij op weg is naar Sarajevo. Ik neem straks het vliegtuig naar Zagreb, ik kan niet de hele tijd achter hem aan blijven rijden met het risico dat hij me ziet, ik had ook wel genoeg van het autorijden, hoewel wachten op een vliegveld ook niet echt ontspant. Mirjana brengt mij naar jou, ze haalt me op in een of ander stadje, Doboj, ze is bang dat Jović me anders ziet. Ik sprak haar gisteravond, ze maakt zich zorgen over Pavić. We praten vanavond verder. Ik hoor dat je oefent met Pavićs geweer. Hou je een beetje koest en zorg er liever voor dat je weer op de been komt. Er is een goede kans dat Van Aammen binnenkort iets gaat doen, hij wacht op toestemming van de openbaar aanklager.

Toen Ludde de tablet af wilde sluiten verscheen Mirjana in beeld via een directe verbinding.

'Ik ben bij Pavić geweest,' zei ze, 'het gaat niet goed.'

'Wat gaat er niet goed?'

'Ze laten hem niet gaan. Ze kunnen die connectie van hem niet vinden,' het gezicht van Mirjana drukte twijfel uit, 'of ze doen hun best niet.'

'Heeft die connectie een naam?'

'Prole, van het ministerie van Defensie. Hij zit in New York, zeggen ze.'

'Ik zal kijken wat ik kan doen.'

'Wat zou jij kunnen doen?'

'Gebruikmaken van de naam van mijn vrouw.'

'Ik snap je niet.'

'Geeft niet. Ik ga iets proberen, geen garantie dat het lukt. Ik bel je zodra ik meer weet.'

Ludde sloot de verbinding en opende de zoekmachine. Een klein uur later zocht hij weer contact met Mirjana.

'Ik heb onze ambassade gebeld, ze gaan Prole opsporen.'

'Hoe heb je dat voor elkaar gekregen?'

'Door naar de ambassadeur te vragen. Farima, mijn vrouw is nogal bekend, en...' Ludde keek een beetje besmuikt, 'jouw vader blijkt ook tamelijk beroemd. Hij staat op een officiële lijst van sluipschutters, met het aantal van de aan hem toegeschreven doden achter zijn naam. Veertien.'

'Dat wist ik, en ik ben er niet trots op.'

'Tja,' Ludde klonk nog ongemakkelijker, 'troost je, bovenaan staat een Fin met meer dan vijfhonderd slachtoffers.'

'En jullie ambassadeur weet wie Prole is?'

'Ja, dat weet ze. Ik sluit af. Doe Henri de groeten.'

Ludde daalde af naar het riviertje dat door het diepste punt van de vallei stroomde, ging op een steen zitten en masseerde de kuit van zijn rechterbeen. De wolken waren verdwenen. Boven het water krioelden ontelbare insecten. Een libel met een felgroen lichaam hing een tijdje stil, vlak voor zijn ogen, als een Apachehelikopter op zoek naar een slachtoffer.

Toen de kramp uit zijn kuit was weggetrokken, begon Ludde aan de klim over het pad aan de overkant van het water, naar de andere kant van de vallei. De laatste tien meter naar de weg die van het dorp naar het witte huis voerde, waren steil. Ludde pakte een stok. Zijn kuit was hard. Hij plantte de stok tussen de witte stenen van het pad, zette zijn linkerbeen ernaast, trok zijn rechterbeen naar boven, stond stil, legde zijn hand op zijn ribben, wachtte een paar seconden en herhaalde wat hij had gedaan tot hij eindelijk boven op het pad in de zon aankwam waar hij leunend tegen een rots als een reiger die in de bergen de weg is kwijtgeraakt zijn kuit vastgreep, tot hij verder kon strompelen naar de boom die hij de vorige dag als doelwit had gebruikt. Hij telde de inslagen. Twee. Plus het eerste schot, een schampschot dat in de bast een diep spoor achter had gelaten, waarin het witte hout rood was verkleurd. Ludde peuterde in het bovenste gat, maar de kogel zat te diep.

Vanuit het dal klonk het geluid van een auto die snel dichterbij kwam. Ludde liet zich op zijn knieën zakken, kroop naar boven en bukte in de schaduw achter de stam. In een stofwolk in een bocht, een eindje lager op de weg, reed een SUV met een ondoorzichtige voorruit. Ludde zocht naar het fototoestel, maar de auto was al voorbij. Ludde wachtte tot het stof was gezakt, hees zich met behulp van zijn stok overeind, gleed terug naar het pad en begon aan de afdaling. Toen de ergste steilte voorbij was, ging hij zitten. Zijn linkerhand trilde. Bij het witte huis liep Suad naast een donker meisje. Ludde nam een paar foto's. Diep beneden zich hoorde hij het gemurmel van het riviertje.

Er kwam een vrouw in een versleten uniform Pavićs cel binnen. Ze droeg een dienblad met een bord en een kopje waarboven een beetje stoom hing. Achter haar verscheen een gewapende politieman. De bewaakster zette het dienblad neer waarbij ze het angstvallig vermeed om naar Pavićs gezicht te kijken. De geur van thee vulde de cel.

'Ik wil Goran spreken,' Pavić probeerde zo autoritair mogelijk over te komen, 'vertel hem dat ik haast heb.'

De bewaakster liep naar de deur en ging naar buiten. De politieman deed de deur dicht en draaide de sleutel om.

De Geus zette zijn zonnebril af toen hij Mirjana vlak boven Doboj de parkeerplaats van het wegrestaurant op zag rijden. Hij beet nerveus op zijn lippen. Ze parkeerde haar auto vlak naast de zijne. De Geus bukte zich naar zijn weekendtas, maar hij liet de hengsels weer los toen Mirjana's schaduw over hem heen viel. Hij ging staan. Ze deed een stapje naar voren.

'Ik ga niet huilen,' zei ze, 'maar toch is het vandaag een rotdag.'

De Geus legde een hand op haar schouder. Mirjana's armen bleven bewegingsloos naast haar lichaam hangen tot De Geus haar tegen zich aan trok.

'Hoe dan ook, ik ben blij je te zien.'

Mirjana leek iets te ontspannen.

'Hoe was je reis?'

'Goed, alleen dat stuk door de Republika Srpska was unheimisch, nieuwe huizen met de oude kapotte er nog vlak naast. Toen ik daar laatst met Ludde reed sliep ik, dus ik had nog niets gezien.'

Mirjana legde haar handen plat naast elkaar tegen De Geus' borstkas, alsof ze hem tegelijkertijd aan wilde raken en weg wilde duwen.

'Alles is zo zinloos, wat er daar is gebeurd en wat wij willen doen.'

De Geus boog zijn hoofd zodat hij de geur van Mirjana's haren op kon snuiven.

'Zal ik maar rijden?'

'Ben je niet moe?'

'Nee, ik was hier al op tijd, ik heb een paar uur kunnen slapen. Als we nu weggaan zijn we rond twee uur bij jou.'

Mirjana's handen schoven omhoog.

'Pavić dacht iemand te kennen die hem los zou kunnen krijgen, maar dat valt tegen.'

'En Ludde?'

'Die zit in het huisje van mijn oom.'

'Loopt hij alweer?'

'Ja. Hij doet net of er niets aan de hand is.'

Mirjana's handen eindigden op De Geus' schouders. Ze ging op haar tenen staan en gaf hem een zoen.

'Kom, we gaan. Het is nog zo'n honderdvijftig kilometer.'

Ludde liet zich op een steen zakken waarachter de berg steil afdaalde naar het riviertje dat een meter of vijf lager in de zon voorbij stroomde. Hij legde de stok naast zich neer. Het pad onder zijn voeten was nat. De boven hem uittorenende bomen hielden de warmte van de zon ver bij hem vandaan. Hij begroef zijn vingers in de kuitspier van zijn rechterbeen. Het geraas van het water overstemde de verwensing die hem ontsnapte toen er vanuit zijn enkel een pijnscheut naar boven schoot. Hij rilde door een kou die diep uit hem kwam. Ik moet naar beneden, dacht hij, naar de zon.

Hij pakte de stok en liet zijn linkerbeen zakken tot hij een steunpunt vond, naast het pad. Hij draaide zich om met zijn gezicht naar de berg en greep zich vast aan een heideachtig plantje dat vlak naast de steen groeide waarop hij net had gezeten. Hij verplaatste de stok. Het plantje schoot los. Ludde sloeg achterover. Hij klauwde zich vast in de rotte overblijfselen van een stam, die onder zijn hand verpulverde. Zijn rechtervoet schoot weg. Zijn kuit verkrampte. Er schuurden stenen onder hem door, een tak, een puntige rots raakte hem. Hij greep om zich heen, maar zijn lichaam stopte niet tot hij water voelde.

Een paar meter verderop scheen de zon, op een platte rots. Ludde kroop. Hij vloekte om de pijn in zijn kuit en in zijn ribben te overschreeuwen tot de zon zijn rug raakte en hij zijn hoofd tussen zijn handen kon klemmen en toe kon geven aan de misselijkheid die in hem naar boven golfde. Hij gaf over met zijn ogen dicht en zag nog net hoe het oranjerode licht van de zon dat door zijn oogleden naar binnen scheen, overging in zwart. Hij merkte niet meer dat hij opzijzakte en ook niet dat de hond van Pavić voorzichtig, poot voor poot, naar hem toe liep, aan zijn gezicht rook en zich toen terugtrok naar een schaduwrijk plaatsje aan de rand van het water waar hij zich oprolde met zijn ogen gericht op Luddes bewegingsloze lichaam.

Het jasje van het uniform spande om Gorans rug. Pavić liep in een lichte geur van alcohol achter hem aan naar een matglazen deur waar het licht van de buitenlucht doorheen kwam. De deur ging open. Goran deed een stapje opzij. Pavić stopte op de drempel. Voor hem, op een binnenplaats, stond een auto met geblindeerde ramen. Goran maakte een knikkende beweging naar een in burgerkleren geklede jongeman die bij het geopende achterportier stond. Pavić stapte in. In de buitenmuur schoof een hek open. De auto vertrok en volgde daarna een korte kronkelweg die naar een druk bereden straat leidde die buiten Pale overging in een weg die tussen lage bergen door naar beneden in de richting van Sarajevo liep.

Ze reden door een aantal tunnels tot vlak bij de stad en klommen weer omhoog tot ze tussen grote, afgesloten, voorname huizen aankwamen waar ze stopten in een smalle straat bij een huis met een donkergroen geverfde muur, waarop een aantal koperen bordjes zat vastgeschroefd. De chauffeur stapte uit en opende Pavićs portier. Een ouder echtpaar schuifelde hand in hand tegen de helling van de straat op en stond stil voor een van de bordjes. Edin Adić, 1973-1993, een sterfjaar dat ook op de andere bordjes te lezen was. De vrouw rekte zich uit om het bordje aan te kunnen raken. De man ondersteunde haar. Pavić wachtte, naast de chauffeur. Achter hen haalde een toerist de kap van zijn fototoestel maar toen Pavić zijn gezicht naar hem toe draaide, liet hij zijn camera zakken. De chauffeur glimlachte.

'Een gezicht als het uwe is misschien net iets te karakteristiek, komt u mee, u wordt verwacht.'

'Door wie?'

'Iemand die u kent.'

'Ik dacht dat ik op het ministerie van Defensie terecht zou komen.'

'Maakt u zich geen zorgen, u bent precies op de plek waar u moet zijn.'

De jongeman opende de deur naar een hoge middengang waarvan de vloer was betegeld met marmer. Rechts en links zaten gesloten deuren. Aan het eind liep een trap.

'Gaat u maar, ik moet hier zijn,' de jongeman legde een hand op de klink van een van de deuren, 'boven, de eerste deur direct rechts.'

'Het lijkt op sommige plekken in dit land inderdaad of het leven nog geen tijd heeft kunnen vinden om door te gaan,' Mirjana maakte een beweging die het midden hield tussen huiveren en rillen, 'ik ben altijd blij als ik weer in onze vallei ben.'

De Geus remde af om beter te kunnen kijken.

'Weer een kerkhof.'

'Rij nou maar door, het is hier geen openluchtmuseum.'

De Geus gaf gas. Mirjana draaide haar raam open en stak een sigaret aan. De Geus keek naar haar, maar toen ze strak voor zich uit bleef kijken, wees hij naar een mast vol rood-wit-blauwe wimpels.

'Een land dat onzeker is laat graag veel vlaggen zien,' zei hij, 'misschien omdat zij de agressors waren.'

Mirjana gooide met een korte zwaai haar half opgerookte sigaret naar buiten.

'Wat weet jij nou van agressie,' ze leek ineens boos, zoals ze vaker had laten zien dat emoties bij haar snel konden wisselen, 'er waren meer goeie Serven dan jij denkt en er waren meer slechte Bosniakken dan jij denkt, en andersom.'

De Geus schrok.

'Oké, ik zal me erbuiten houden, maar toch vind ik Sarajevo leuker.'

'Sarajevo is leuker omdat je niet goed kijkt. Rij nou maar door. Hoe eerder ik thuis ben, hoe liever het me is. En ik rook in mijn eigen auto wanneer ik dat wil, hoe je ook naar me kijkt. Er piept iets in je bagage.'

'Het is al goed, ik krijg er alleen een rauwe keel van. Zou je mijn mobiel even willen pakken?'

Mirjana draaide zich om naar de weekendtas die achter haar in de bagageruimte stond, haalde de telefoon tevoorschijn en probeerde het bericht te lezen dat op het scherm stond.

'Dat lukt me niet, het zal wel Nederlands zijn.'

Ze draaide het mobieltje zo dat De Geus het scherm kon zien.

'Van Aammen.'

'Je collega.'

De Geus knikte terwijl hij de tekst scande.

'Hij heeft toestemming om tot arrestaties over te gaan, de komende nacht. Met een beetje geluk kunnen we dat zien.'

'Met als gevolg dat Bekker ervandoor gaat.'

'Misschien. Ze zullen hem wel afsluiten.'

'Hoe bedoel je?'

'Dat ze ervoor zorgen dat zijn apparatuur het niet meer doet, zijn telefoon en wat hij ook bij zich heeft.'

'Kunnen ze dat?'

'Ja, natuurlijk.'

Pavić stak een hand uit die werd aangenomen door een onopvallende, kleine man die vanachter zijn bureau was opgestaan toen Pavić binnen was gekomen.

'Ga zitten Miloš Pavić. Koffie?'

'Liever een borrel.'

De man liep naar de deur, riep iets door de gang en ging weer achter zijn bureau zitten.

'Je had me nodig om je uit de cel te halen.'

'En dat heb je gedaan.'

'Niet helemaal. Ze hebben je laten gaan onder voorwaarde dat ik je hier vasthoud.'

'Dat schiet dan lekker op.'

'Maak je geen zorgen, je mag weg als mij dat goed uitkomt.'

'Ondanks de politie?'

'De politie mag denken wat ze wil. Welke smoes hadden ze om je te arresteren?'

'Dat ik de jachtwet had overtreden.'

'Jović zat erachter.'

Pavić keek verbaasd op. De man tegenover hem legde zijn vingers tegen elkaar.

'Het is mijn werk om dingen te weten,' hij keek vergenoegd, 'daar komt je borrel.'

Pavić keek om naar een jonge vrouw die een fles en een borrelglas op de tafel zette. Net als al de andere mensen die hem voor het eerst zagen, kon ze niet vermijden dat haar blik over zijn gezicht gleed. Pavić boog zich voorover en pakte de fles. Het meisje verdween. Pavić stak de fles omhoog naar de man achter het bureau.

'Proost Zoran Prole, ze zeiden dat je in New York zat.'

'In Moskou, maar dat is alweer een paar dagen geleden. Ik werd gebeld door een collega van de Nederlandse ambassade, ik wist niet dat je daar connecties had.'

'Ik ook niet. Ik ben blij dat ik op je kan rekenen.'

'Ik ben je enige dank verschuldigd, lijkt me.'

'Ja.'

Prole zakte naar het leek een paar seconden weg in herinneringen tot hij Pavić weer aankeek.
'Ik heb nooit begrepen waarom je me spaarde.'
'Ik wel. Omdat je bezig was met vredesbesprekingen waarvan ik wilde dat ze iets op zouden leveren. Je leek me een fatsoenlijk mens.'
'Dank je. Fatsoenlijk tot op het moment dat dat niets meer oplevert. Hoe zie ik eruit door een vizier?'
'Hetzelfde als nu, een beetje jonger toen.'
'Wie gaf opdracht om mij te liquideren?'
'Mensen die wilden dat die gesprekken zouden mislukken.'
'Was dat een bevel of een verzoek?'
'Een bevel. Ik doe geen verzoeken, ik volg bevelen op als ze worden uitgevaardigd door mijn meerderen.'
'Maar niet altijd, zoals in mijn geval.'
'Soms mislukken ze.'
'En dan verdwijnt er een kogel in een deurpost in plaats van in een hoofd. Ik heb die kogel laten zitten, als herinnering aan het feit dat ik voorzichtig moet zijn.'
'Ik had je gewaarschuwd.'
'Ik dacht dat ik mijn kleinere behoeften in mijn eigen tuin kon blijven doen.'
Pavić schonk een slivovitsj in.
'Ik observeer altijd eerst. Ik zag je inderdaad in je tuin, 's morgens rond een uur of zes en 's avonds als je thuis was nog een paar keer.'
Prole boog erkennend zijn hoofd.
'Dat krijg je als je een boer in de stad laat wonen,' hij legde zijn handen nu voor zich neer, 'na die kogel heb ik die gewoonte opgegeven, tot blijdschap van mijn vrouw,' hij opende een la, 'kijk eens.'
Hij legde een vergeeld stuk papier op zijn bureau dat ooit van een kladblok was gescheurd. Pavić pakte het op.
'Je hebt het bewaard.'
'Ja. Lees voor als je wilt, het lijkt me mooi om je stem erbij te horen.'
Pavić zette zijn glas neer.
'Mr. Prole. Ik heb opdracht u te elimineren. U kunt beter blijven leven. De waanzin moet ophouden. Zorg daarvoor. Laat u niet zien waar ik u kan zien. Miloš Pavić.'
'Wat mij verbaasde, is dat je je naam eronder had gezet.'
Pavić legde het papiertje terug.
'Ik heb een vooruitziende blik. Ooit zou er een dag komen als vandaag.'

'En je wist dat ik je naam en je reputatie kende.'

'Wat niet hielp.'

'Nee. Een mens wil zich ergens veilig voelen, voor mij was dat mijn tuin,' Prole schoof de la weer dicht, 'ook nu nog is dit papier een bedreiging voor je, als ik het bij de juiste persoon neerleg.'

'Dat klinkt als chantage.'

'Ja. Ik heb je expertise nodig.'

'Ik ben geen huurmoordenaar. Ik heb zelfs de verkrachter van mijn dochter niet doodgeschoten, terwijl dat gemakkelijk had gekund.'

'Ik snap dat je dat onderscheid maakt, maar omdat je formeel nog steeds in dienst bent van het leger van Bosnië en Herzegowina, en ik intussen generaal ben, kan ik je een bevel geven, zo legaal als je wilt.'

'Om wat te doen?'

'Iemand uitschakelen die schade toebrengt.'

'Wie?'

'Petar Jović.'

Pavićs hand trilde toen hij zijn glas naar zijn mond bracht.

'Jović is geen staatsvijand, lijkt me.'

'Dat is hij wel. En jij hebt er zelf ook belang bij.'

'Eigen belangen maken het alleen maar lastiger. Jović is een oorlogsmisdadiger, maar daar lopen er nog veel meer van rond, dat is geen goede reden.'

'Hij wordt te groot. Hij koopt politici. Hij controleert een deel van de politie. Hij creëert een maffia die op den duur onze positie in Europa zal ondermijnen.'

'Niet genoeg.'

Zoran Prole sloot zijn ogen, en deed ze daarna weer open.

'Ik haat die man, met reden.'

'Ik ook. Mag ik die reden weten?'

'Nee. Haal die trekker over. Ik dek je formeel en je krijgt je vallei en je huis terug. Ik zei al dat ik fatsoenlijk ben tot op het niveau dat dat kan.'

Pavić knikte bedachtzaam, maar hij knikte.

Uit de richting van het witte huis klonk harde muziek. Pavićs hond rekte zich uit, dronk water uit de rivier, stak zijn kop omhoog en jankte. Ludde bewoog. De hond liep naar hem toe en krabde met zijn voorpoot over Luddes borst. Luddes ogen gingen open. De hond deinsde terug. Ludde keek verwilderd om zich heen, zag de hond en zei iets dat verdween in het geluid van het water. De hond rende naar het paadje aan de overkant van het riviertje, stopte en keek om. Ludde pakte zijn stok.

De hond begon te kwispelen, rende een paar meter verder het pad op en wachtte op Ludde die stapje voor stapje naar boven kwam, waarbij hij zich vastklampte aan de wortels van de bomen naast het pad dat ook aan deze kant van de rivier de eerste meters steil omhoogliep. Iemand in het witte huis draaide de muziek nog harder. Onder de bomen was het koud.

De soldaat keerde de jeep en reed weg. Pavić liep langs een geel plaatsnaambord dat doorzeefd was met kogels. Na een kleine honderd meter nam hij een nauwelijks zichtbaar paadje dat omhoogliep naar een kale heuveltop. Toen hij boven was, keek hij om naar de huizen beneden die nog niet zo lang geleden opnieuw waren opgebouwd. Nog veel dieper lag de stad waarin de spiegelende ramen van een hoge om haar as gedraaide toren de laatste stralen opvingen van de zon laag boven de bergen in het westen. Daarna verdween hij onder de bomen waar het al donker was.

De Geus stopte geld in de automaat aan het einde van de tolweg, trok op toen de slagboom omhoogging en reed door tot hij bij een rotonde de auto aan de kant zette.

'Wat is het plan?'

Mirjana toverde een lachje om haar mond.

'Nog steeds boos?'

'Boos?'

'Dat ik rook.'

'Nee. Dat vind ik niet leuk, maar het blijft jouw lijf. En je overleeft me toch wel.'

'Dat zullen we zien. We zitten vlak voor Sarajevo. Het plan is dat ik nu ga rijden, jij gaat achterin. Ik wil niet dat iemand je ziet.'

'De kans is wel erg klein, dat iemand die me ziet, weet wie ik ben.'

Mirjana stak waarschuwend haar hand op.

'Je doet wat ik zeg,' haar hand landde op De Geus' bovenbeen, 'Sarajevo is een dorp.'

'Goed, fijn dat je genoeg ruimte hebt,' De Geus gebaarde naar het vierkante interieur van de Lada Niva waarin de achterbank ontbrak, 'ik pas erin, zoals je weet.'

'Zo is het,' Mirjana deed de deur open, 'en niet zo negatief over mijn auto. Hij laat je nooit in de steek, tenminste, je kunt hem altijd zelf repareren met een schroevendraaier en een touwtje.'

Ze stapten uit. De Geus liep naar achteren, deed de laadklep open en ging zitten. Mirjana aaide hem over zijn hoofd, deed de laadklep dicht en reed in de richting van Sarajevo. De Geus zette zich schrap tegen de zijwand om de schokken van de harde vering op te vangen.

Er gleden flatgebouwen voorbij. Het was druk. De hemel achter de flats vertoonde een oranje kleur die naarmate de tocht vorderde donkerder werd. Boven de bergen aan de andere kant van de stad klom de maan in een smalle sikkel omhoog. Er ging een lange tijd voorbij waarin ze steeds weer stopten en steeds weer optrokken tot ze vastliepen in een groep zingende mannen.

'Het stadion,' de stem van Mirjana kwam nauwelijks boven de herrie uit, 'je zou het moeten zien als ze hebben gescoord, dan staat de hele tribune in de fik, allemaal fakkels en vuurwerk. We kunnen wel een keer gaan kijken.'

'Dan moet je bij Ludde zijn, ik heb niks met voetbal.'

'Ik eigenlijk ook niet. We zijn zo door de stad, dan gaan we weer omhoog.'

De auto bonkte verder. De weg werd bochtiger. De Geus probeerde zich in alle houdingen die hij kon verzinnen te ontspannen in het halve uur dat het nog duurde voor Mirjana stopte, uitstapte en de achterklep opendeed.

'Hoe goed kun jij je oriënteren?'

'Als ik hier uit mag, kan ik alles.'

De Geus trok zich naar buiten en rekte zich uit. Toen hij zijn armen liet zakken, vielen ze als vanzelf om Mirjana heen die vlak voor hem was gaan staan en haar lichaam tegen hem aan vlijde.

'Ik vind je best wel een leuke man.'

De Geus kneep zijn armen zo hard samen dat Mirjana haar adem uit haar lijf moest laten ontsnappen. Haar warmte drong door zijn overhemd.

'Wat bedoel je met oriënteren?' De Geus ontspande zonder Mirjana los te laten, 'moet ik ergens heen?'

'Ja, de kans is aanwezig dat iemand van Jović ons huis in de gaten houdt, dus je moet hiervandaan lopen,' Mirjana wees met haar hoofd naar een pad dat links voor de auto op de weg uitkwam, 'als je dat pad volgt, kom je vanzelf vanaf de bovenkant bij het huis van mijn oom, waar Ludde zit.'

'Geen mijnen?'

'Niet dat ik weet. Gewoon op het pad blijven.'

'En jij?'

'Ik rij naar huis en kom dan ook. Als het goed gaat zijn we er allebei over een uur.'

'Het is al bijna donker.'

'Je hebt een beetje maan en je hebt de sterren, je moet het pad kunnen zien, het zijn allemaal witte keitjes. Is je collega in Nederland al begonnen?'

De Geus keek op zijn tablet.

'Nee, maar meestal doen we dingen als een inval later in de nacht.'

'En hoe wil je dat hier kunnen bekijken?'

'Via het volgsysteem, als ik daar nog in kan, gezien mijn ontslag.'

De achterlichten van Mirjana's auto verdwenen. De Geus liep het pad op. De steentjes strekten zich als een kleine Melkweg voor hem uit. Hij betrapte zichzelf op de gedachte dat Ludde misschien een fles slivovitsj mee had genomen, een gedachte die hem tegelijkertijd vrolijk maakte, en afkerig van zichzelf.

Het pad liep licht stijgend min of meer parallel aan de langgerekte top van een heuvel, via een aaneenschakeling van weilanden bovenn een dal, waarin beneden lichtjes waren te zien en ergens een vuur brandde dat de geur van brandend hout de helling opstuurde.

De Geus liep verder over het pad dat hoog bleef. Om hem heen waren miljarden krekelgeluiden te horen die, toen hij weer een bosje inliep, werden onderbroken door het woedende geblaf van een aanslaande hond onder uit het dal. Het pad ging nog verder omhoog, deze keer langs een riviertje dat door de kloof naast het pad liep, passeerde een heuvelrand en daalde daarna steil af. Vanaf rechts klonk ineens harde muziek.

Het pad ging naar links, bij de muziek vandaan en daalde toen snel tot De Geus na een kwartiertje lopen het huisje van Mirjana's oom herkende. Het huis was donker. De muziek stopte, maar begon vrijwel onmiddellijk weer opnieuw.

De Geus liep langs een paard de patio op. Hij riep Luddes naam. Er kwam geen antwoord. In het huis was niemand. De Geus riep nog een keer, maar ook deze keer bleef het antwoord uit. Ook boven was het leeg. Toen De Geus het keukenkastje opendeed vond zijn hand als vanzelf een fles die hij mee naar buiten nam. De muziek stopte weer. Er klonk een meisjesstem.

De Geus ging op de waterput zitten. De alcohol gleed zacht brandend door zijn keel naar zijn maag. Een deel van zijn lichaam juichte. Hij sloeg zijn benen over elkaar en wachtte. Af en toe nam hij een slokje. De sterren en het kleine sikkeltje van de maan zetten alles in een koud, wit licht waarin de contouren van het bos scherp afstaken.

Vanaf het witte huis riep weer iemand iets, deze keer leek het een man. De Geus ging staan en luisterde, maar hij hoorde niets meer tot hij ineens, vlakbij, vanachter de muur die om de patio liep, het hijgen van een hond hoorde, Pavićs hond, die nog geen seconde later binnenstormde, tegen hem opsprong en weer wegrende, waarna hij even later op het pad was te zien, dieper de vallei in.

Op het pad liep Mirjana. Ze bukte zich om de hond te kalmeren. De Geus floot. Mirjana floot terug. De hond rende voor haar uit, sprong weer tegen De Geus op, draaide zich om en was weer weg tot hij samen met Mirjana de patio opkwam.

'Geen Ludde?'

'Nee.'

'Ook niet boven in bed? Hou toch op,' Mirjana duwde de hond van zich af, 'wat is dat beest onrustig.'

'Zeker blij dat je hem losliet.'

Mirjana schudde haar hoofd.

'Losliet? Die hond zit nooit vast, die loopt overal.'

'Hij kwam hier binnenstormen vlak voordat ik jou zag.'

'Nou, hij was niet bij mij.'

'Hij wil dat we met hem meegaan.'

Mirjana pakte de fles van de waterput.

'Dat zal wel. Jij drinkt, zie ik.'

'Ja.'

'Ga je dan straks weer lullig doen?'

'Dat was ik niet van plan,' De Geus wees naar de hond die weer van de patio af was gelopen, 'ik ga achter je hond aan, ik denk dat Ludde daar ergens is.'

'Dan zal ik wel mee moeten.'

De Geus was al een paar meter verderop. De hond keek om. Zijn tong hing ver uit zijn bek. Zijn achterlichaam leek zijn kop vooruit te willen duwen, maar hij bleef staan tot De Geus vlakbij was voor hij verder rende, met zijn neus tegen de grond.

'Ga jij maar voorop, jij kent hier de weg,' De Geus wachtte tot Mirjana bij hem was, 'voor je al je Nederlanders kwijt bent.'

Mirjana tilde een tak omhoog, liep eronderdoor, legde in het voorbijgaan een hand in de zij van De Geus en daalde verder het pad af dat alleen hier en daar licht opving. De hond blafte.

Mirjana keek om.

'Je hebt gelijk, daar zit hij.'

Op een min of meer open plek, in een vlekje licht een tiental meters verderop, zat de lange gestalte van Ludde, met zijn rug tegen een boom. De hond zat naast hem. De Geus holde ernaartoe en zakte op zijn hurken.

'Je leeft nog.'

Ludde probeerde opgewekt te kijken, waardoor hij er niet beter uit ging zien.

'Ja. Ik was er bijna,' zijn stem klonk schor, 'maar dat verdomde been begaf het.'

'Als jij dood bent, moeten ze je dat vertellen, anders loop je gewoon door.'

'Behalve vandaag dan.'

Mirjana bukte zich over Ludde heen.

'Ik ga het paard halen, waarom heb je niet geroepen?'

'Ik was bang dat Suad me zou horen, hij zit daar met een negerinnetje,' Ludde wees in de richting van het witte huis, 'ik zag ze aankomen en daarna heb ik mezelf iets overschat.'

'Wat is er nou precies gebeurd?' De Geus hielp Ludde omhoog, 'wat had je hier te zoeken?'

'Ik wilde weten hoe ik die boom geraakt had. Het lopen viel een beetje tegen, ik gleed uit,' Ludde begon te rillen, 'ik ben een tijdje buiten westen geweest, geloof ik.'

'Hoezo welke boom geraakt had?'

'Ik liep gisteren te klooien met Pavićs geweer. Ik wilde weten wat ik ermee kon, dus schoot ik op een boom aan de overkant, en daar ben ik gaan kijken.'

'Kortom, je verveelde je.'

'Ja, dat ook.'

'Weet je hoe je eruitziet?'

'Nee.'

'Als een overreden kat. Je bent verdomme net uit het ziekenhuis.'

Ludde legde zijn hand op de schouder van De Geus en zette gewicht op zijn rechterbeen. Daarna liet hij los.

'Ik kan er alweer op staan,' zei hij, 'geen probleem.'

'Bij jou is nooit iets een probleem.'

'Zo ver was het ook weer niet. Ik heb het alleen verrekte koud, nat geworden, ik lag half in de rivier. Ik heb Suad naar boven zien gaan.'

'Dat zei je, met een zwart meisje. Dat zal hetzelfde meisje zijn dat Mirjana ook al had gezien.'

'Ja, zo donker als de nacht. Ze hebben wel plezier geloof ik, aan de muziek te horen. Is Pavić al vrij?'

'Dat weet ik niet, ik denk het niet. Vraag het Mirjana, zo te horen komt ze eraan.'

Ludde klappertandde. Werra stapte in het licht. Mirjana trok aan de halster zodat het paard haar hoofd omdraaide, en manoeuvreerde haar achteruit.

'Ik help je wel.'

De Geus pakte Ludde bij een elleboog, maar die duwde hem opzij. Hij legde een arm over Werra's rug, pakte de touwhalster en wipte zich op zijn linkerbeen omhoog zodat hij met zijn bovenlichaam op het paard terechtkwam, schoof zijn rechterbeen over haar rug en ging zitten. Mirjana prevelde iets in Werra's oor en liet het hoofd los. Ludde boog zich voorover en gaf het dier een klein tikje met zijn hakken. Ze begon te klimmen. Mirjana en De Geus volgden.

Vanaf het witte huis klonk weer muziek, deze keer een golvende stem met een Arabische intonatie begeleid door een bluesachtig klinkend snaarinstrument dat weemoed uitdrukte, tot de muziek ineens weer ophield en een harde mannenstem iets riep.

Pavić liep de patio op. Hij deed de deur open en knipte een zaklamp aan die een dunne straal licht door de kamer wierp. De tegels voor het aanrecht waren van hun plaats geweest. De lichtstraal schoot verder tot hij bleef rusten op de langwerpige kist van de Snajperka tegen de achtermuur. Pavić liep ernaartoe, pakte het geweer, stak een doosje patronen in zijn zak en legde het deksel terug. Daarna ging hij naar boven waar hij een gevulde plunjezak uit de kast haalde en een poncho van de plank daaronder pakte.

Hij ging naar buiten. Aan de rand van het bos stond het paard. Ludde zat op haar rug. Pavić bleef staan. Het paard liep verder. Ludde stak aarzelend een hand omhoog. Pavić knikte. Ludde liet zich op de grond zakken.

'Het is dus gelukt,' Luddes ogen gleden over het geweer in Pavićs hand, 'ze hebben je losgelaten.'

'Waar is Mirjana?'

Ludde wees achter zich.

'Ze komen eraan, Henri is er ook. Ik heb gisteren met je Snajperka geschoten.'

'Je kent in ieder geval het merk.'

'Natuurlijk. Wat ga je doen?'

'Ik moet weg.'

'Je wacht niet op Mirjana?'

'Nee,' Pavić leek onzeker over wat hij moest zeggen, 'ze mag niet weten dat ik hier ben. En je vriend ook niet.'

'En ik ook niet.'

'Nee, maar daar is het te laat voor.'

'Wat is het geheim?'

'Dat ik nu weg moet en niemand om me heen kan hebben.'

'Een opdracht.'

Pavić zette het geweer met de kolf op de grond. Vanuit het bos klonk Mirjana's stem. Ludde gaf het paard een klopje op haar rug. Ze liep de patio op.

'Ik heb vanochtend mijn ambassadeur gebeld. Zij zou Prole waarschuwen. Heeft ze dat gedaan?'

'Ja.'

'Prole is hoog in het leger.'

'Ja.'

'Hij heeft je een opdracht gegeven.'

De stem van Mirjana klonk dichterbij. Pavić legde een hand op Luddes arm.

'Vertel niet dat ik er ben.'

Toen Pavić in het donker onder de bomen boven het huis was, liet hij zich op zijn hurken zakken waarbij hij het geweer als steunpunt gebruikte. De hond kwam als eerste uit het bos, niet lang daarna gevolgd door Mirjana en De Geus, die vlak achter haar liep.

Pavić glimlachte vergenoegd toen de hond snuffelend vanaf de patio weer terug het maanlicht inliep, zijn neus in het gras stak en toen naar boven keek. Pavić kwam overeind en wachtte tot de hond met lange sprongen bij hem was, waarna hij het dier een tikje op zijn rug gaf en wegliep. De hond keek om naar Mirjana, beneden bij het huis. Ze tuurde het bos in. De hond volgde Pavić.

Het gestamp van de muziek uit de nachtclub beneden drong door in het kamertje waar Danijela vanaf haar bed naar het naakte lichaampje van Selma keek.

'Ik weet dat je niet praat,' zei ze, 'maar ik kan niet zonder. Als je niks zegt, ook goed, maar als ik niet kan praten, word ik gek. Ik wilde dat ik naar mijn moeder kon, maar ik kan niet weg, ik moet ze tweeduizend euro betalen en ik ben bang voor ze. En ik kan hier in Sarajevo toch niets beginnen, ik kan niks, ik heb geen school, het enige wat ik kan is tekenen, en...' Danijela stopte toen Selma zich bukte om een handdoek te pakken, 'en ik kan heel mooie nagels maken. Heeft je vader je geslagen?'

Selma wreef als antwoord over de bloeduitstorting op haar been waarna ze naar het stapelbed liep, een slipje aantrok en het T-shirt aanpakte dat Danijela haar aangaf.

'We zitten samen in een mooi schuitje,' Danijela giechelde zenuwachtig, 'er waren eens drie meisjes, het lijkt wel een sprookje. En ik heb Ayanna de hele dag nog niet gezien.'

'Ayanna is geen meisje.'

De raspende stem van Selma vanonder het T-shirt klonk veel lager dan je zou mogen verwachten.

'Hoezo is Ayanna geen meisje. Ze heeft grotere borsten dan ik, en ze zijn zeker groter dan die dingetjes van jou.'

'Ik ben nog maar veertien. Ayanna heeft een piemel.'

Danijela sloeg haar hand voor haar mond, zodat haar antwoord onduidelijk klonk.

'Ze heeft gigantische borsten zei ik toch, dan kun je toch geen piemel hebben?'

'Soms is dat zo. Dan zwemmen de hormonen een beetje te veel door elkaar in de baarmoeder.'

'Daar geloof ik niks van.'

'Dan geloof je het niet.'

'En als dat zo is, is ze dan een jongen?'

'Of iets ertussenin, of allebei, of van allebei niets, weet ik veel. Mag ik bij jou slapen?'

'Ben jij lesbisch?'

'Nee. En jij?'

'Ik ben niks meer sinds ik hier ben. Waarom praat je nu ineens wel?'

Selma ging zitten. Ze legde haar hoofd tegen Danijela's schouder.

'Ik heb een stoornis, ik flip heen en weer. Ik voel me rot en dan heb ik een hekel aan iedereen en dan word ik weer blij en val ik iedereen in de armen, maar er valt niets aan te doen, we kunnen de pilletjes niet betalen.'

'Ik ga liggen,' Danijela sloeg haar slaapzak open en schoof haar konijn opzij, 'hoe kom je nou aan die blauwe plekken? En ben je echt nog maar veertien?'

'Hoe oud ben jij dan?'

'Zestien.'

'De vriend van mijn moeder heeft me geslagen. Hij werkt bij Jović. Hij heeft me verkocht, met de garantie dat ik maagd ben.'

'Hoezo verkocht. Je bent toch geen slaaf. En ben je nog maagd?'

'Ik ben net zo goed een slaaf als jij en Ayanna. Kun jij doen wat je wilt?'

'Nee, maar zodra ik dat geld heb betaald wel.'

'Als jij je schuld hebt betaald, heb je alweer een nieuwe, tot je tussen je benen zo rauw bent als een ui.'

'Wat praat je rot,' Danijela kroop tegen Selma aan, 'jij weet wel veel voor een maagd van veertien, Ayanna een pik, ik een slaaf, hormonen in de baarmoeder, weet ik veel.'

'Ja, vroeg wijs, vroeg rot,' Selma pakte Danijela's konijn, 'wat een schatje.'

Danijela lachte een beetje treurig.

'Die heb ik van een tante gekregen, bij mijn geboorte. Je kunt hem vragen stellen,' ze pakte het konijn over van Selma, 'doe maar.'

'Hoeveel is twee plus twee?'

Danijela liet het konijn zijn hoofd schudden.

'Rekenen kan hij niet,' zei ze, 'je moet een vraag stellen waar hij alleen ja of nee op kan zeggen.'

'Is Ayanna een meisje?'

Het konijn probeerde nadenkend te kijken, maar er kwam geen antwoord.

'Je moet ook niet van die ingewikkelde dingen vragen, vraag iets over jezelf, of over de toekomst.'

'Word ik gelukkig, ooit?'

Het konijn knikte heftig. Selma glunderde.

'Wat een liefje.'

Danijela brak. Ze begon te huilen.

'Ik kan toch zeker altijd weglopen?'

Selma pakte het konijn en liet hem zijn hoofd schudden.

'Dan slaan ze je moeder in elkaar,' zei ze, 'kom maar.'

Ze trok het hoofd van Danijela naar zich toe en streelde haar tot Danijela iets rustiger werd.

Mirjana ging naast Ludde op de waterput zitten.

'Zag jij waar de hond bleef?'

'Nee.'

'Hij rende daar het bos in,' Mirjana wees naar boven, 'vreemd.'

'Die gaat toch altijd zijn eigen gang?'

'Als het donker is, blijft hij meestal in de buurt, behalve als hij met mijn vader mee is,' Mirjana ging nerveus weer staan, 'dat telefoontje met je ambassadeur heeft nog niet erg geholpen.'

Ludde schudde zijn hoofd.

'Nee. Hebben jullie iets te eten? Al met al is deze onderneming een grandioze mislukking.'

'Hoezo een mislukking?'

De Geus reageerde op de laatste opmerking van Ludde, die in dezelfde sombere toon antwoord gaf.

'Wat hebben we bereikt? Niets. Behalve dat ik in de kreukels lig.'

De Geus ging op zijn hurken voor Ludde zitten. Hij keek kalm omhoog.

'Het is onze opdracht om informatie te verzamelen, en dat gaat volgens plan. En ik kreeg vanmiddag een bericht van Van Aammen,' zijn vingers gleden langs Luddes kuit, 'hard, maar ik denk niet dat het trombose is. Je voelt je verder wel goed?'

'Moeite met denken. Ik ben vanmiddag een tijdje bewusteloos geweest, de tijd was ineens weg. De hond heeft me wakker gemaakt.'

'Moe?'

'Leeg,' zei Ludde, 'en koud. Misschien moet je me maar gaan instoppen met een grog en een handje paracetamol. Wat wilde Van Aammen?'

'Kom maar mee.'

Ludde zette zijn kruk tegen de muur naast de tafel voor het raam waaraan Mirjana en De Geus voor een tablet waren gaan zitten waarop een plattegrond was te zien waarin in verschillende kleuren kleine rondjes knipperden.

'Wat heb je daar?'

Ludde pakte de stoel aan de andere kant van De Geus. De Geus wees naar het scherm. Een van de rondjes vouwde zich open tot een zenuwachtig bewegend beeld waarin een huis was te zien dat in diepe rust op een gazon stond.

'Het volgsysteem,' De Geus keek naar Ludde, 'dat is de laatste drie jaar operationeel.'

'En wat is dat, het volgsysteem?'

De Geus wees weer naar het scherm. Het beeld van het huis verdween en maakte plaats voor een bijna identiek beeld, vanaf een andere plaats op het gazon.

'Van Aammen is bezig om verdachten op te pakken. Zo'n operatie coördineren we tegenwoordig vanachter het bureau. Het huis dat je ziet is van de Savornin Lomarks. Iedereen die daar nu rondloopt, elke agent, elke rechercheur, heeft een camerahelm, vandaar dat die beelden nogal heen en weer zwabberen. Ze komen realtime binnen, moet je dit zien.'

De Geus tikte weer op het scherm.

'Dit is van bovenaf,' op het scherm lag hetzelfde huis midden op een gazon, 'gemaakt vanuit een drone, een onbemand vliegtuigje, en het wordt nog mooier als ik overschakel op infrarood, dan zie je temperatuurverschillen en dus de lichaamswarmte,' in het beeld van het huis verschenen drie rode vlekken, 'en dus de aanwezige levende wezens, drie mensen in dit geval, je ziet precies waar,' De Geus wees, 'de Savornin Lomarks slapen apart, zoals je ziet, en dat meisje is nog wakker, ze zit.'

'Welk meisje?'

'Dat ik daar heb gezien, ik was daar een paar dagen geleden. Dat heb ik je toch verteld?'

Pavić maakte een bed van beukenbladeren tegen een rots niet ver van de bank bij de cipressen. Hij ging zitten en legde de Snajperka dwars over zijn schoot. De hond ging naast hem liggen. In het witte huis was het donker. De hond krulde zich op. Pavić pakte een heupflesje uit zijn binnenzak, nam een slok en stopte het flesje weer terug. Daarna legde hij een arm om het lijf van de hond, deed zijn ogen dicht en ontspande zich.

Een oude man keek verdwaasd omhoog naar de politieman naast zijn bed. Het beeld was afkomstig van een camera die door iemand gedragen werd die zich in de hoek van de slaapkamer bevond.

'Dat is de oude Savornin Lomark, ik denk niet dat hij er iets mee te maken heeft, maar goed,' De Geus praatte tegen Ludde die gebiologeerd naar het scherm staarde, 'laten we eens kijken hoe het met zijn vrouw gaat,' De Geus bewoog zijn vingers over het scherm, 'daar heb je haar.'

Savornin Lomarks vrouw zat in een ochtendjas bij een tafeltje vol flesjes naast een spiegel in wat zo te zien haar slaapkamer was. Voor haar stond een vrouwelijke rechercheur die iets zei. De Geus zette het geluid harder.

'Ik vroeg of u mevrouw Savornin Lomark bent.'

'Dat ben ik, ja. Wat moet u hier?'

'Hier hebt u het huiszoekingsbevel.'

De rechercheur stak een papier in de richting van de vrouw die dat met een hooghartig gebaar weigerde.

'Ik neem aan dat u uw formele zaakjes voor elkaar heeft. Aan dat bevel heb ik niets, ik wil de reden weten.'

'We hebben boven een jonge vrouw aangetroffen. In welke relatie staat die tot u?'

'Tanja, dat is onze hulp.'

'We hebben aanleiding om te denken dat dat meisje illegaal in Nederland is.'

'Dat kan niet, haar papieren waren in orde.'

'Kent u iemand met de naam Aldwin Bekker?'

'Ja.'

'Is dat meisje via hem bij u binnengekomen?'

'Ja.'

Mirjana geeuwde.

'Ik versta er niets van,' zei ze, 'wordt die vrouw gearresteerd?'

'Ze heeft een meisje in huis dat hier in Sarajevo als vermist staat opgegeven, dus de politie in Nederland doet wel degelijk iets, ondanks jouw cynisme.'

'Mooi. Jammer dan dat het hier Nederland niet is. Wat betekent dat daar?'

Mirjana wees naar een Japans aandoend symbool rechtsboven in het beeld.

'Raak het maar aan.'

Mirjana deed wat De Geus zei. Op het scherm verscheen het bovenaanzicht van een straat waarin een hoekhuis centraal stond.

'Ook vanuit een drone. We gaan naar binnen.'

De Geus manipuleerde een paar knoppen tot ze een bank zagen waarop vijf jonge vrouwen zaten die nauwelijks kleren aanhadden.

'Dit is een bordeel in Venlo. Het adres heb ik nog aan Van Aammen doorgegeven omdat Bekker daar een meisje naartoe bracht, daar zit ze,' De Geus wees naar het meisje helemaal links op de bank, 'gedwongen prostitutie.'

Hij keek opzij. Luddes hoofd was voorover op de tafel gezakt. Hij sliep. De Geus tikte hem op zijn hand. Ludde keek verward op.

'Je kunt beter naar je bed gaan, lijkt me.'

Ludde knikte.

'Vertel me morgen maar hoe dit afloopt.'

VRIJDAG

De fluisterende stemmen van Mirjana en De Geus beneden in de kamer vormden de achtergrond van Luddes gedachten, die van Miloš Pavić, met zijn Snajperka ergens in het bos, naar Farima en Ilias dwaalden. Suad en het zwarte meisje kwamen voorbij, het paard, de kapot gegilde zondagochtend lang geleden, de concentratie in de ogen van Jović toen hij de stoelpoot door de lucht zwaaide en de drones die rondvlogen op plaatsen waar je ze niet zag. De pijn was weg, weggedrukt door de paracetamol. De warmte van de deken verspreidde zich door zijn lichaam, en langzaam zakte hij in een slaap waaruit hij alleen een paar tellen wakker werd toen hij De Geus en Mirjana beneden naar bed hoorde gaan, waarna hij uren sliep tot hij overeind schoot in het licht van een nevelige ochtend.

Hij wachtte tot hij wist waar hij was en wat hij wilde, kleedde zich aan en liep met een stijf lichaam naar buiten waar de zon door de nevel heen kwam. Behalve het geritsel van de bladeren van de bomen in de wind was het stil, zo stil als de natuur in de vroege morgen kan zijn. Hij liep langs het paard, pakte zijn mes, sneed een tak van een boom, liep terug naar de put, zette het lemmet op de bast en draaide de tak rond waardoor het lemmet in een spiraal door de bast naar boven sneed. Toen hij klaar was liep hij steunend op zijn nieuwe wandelstok naar Werra en deed haar de halster om.

'Vandaag gaat het dus gebeuren.'

Danijela zette haar tas op het bed naast Selma, die zoals gewoonlijk niets terugzei. Ze liep naar het raam en keek naar de kraampjes op het pleintje voor de nachtclub waar oudere vrouwen die hoofddoekjes droegen groenten en fruit verkochten.

Achter de kraampjes leunde een in een grijs linnen pak geklede man tegen de motorkap van een grote auto met een geel nummerbord. De auto schitterde in de zon. De man droeg een zonnebril die donker afstak tegen het bleke vel op zijn vreemdgevormde, langwerpige hoofd. Jović stond met hem te praten waarbij hij zijn handen heftig bewoog. De andere man ging staan. Hij was veel langer dan Jović. Ze liepen naar de ingang. De lange man sleepte een beetje met zijn linkerbeen. Voor hen uit verscheen als vanzelf een pad omdat de mensen tussen de kraampjes opzijgingen, alsof ze gevaar roken. Danijela draaide zich om toen ze uit het zicht waren verdwenen.

'We zullen zo wel gaan,' ze ging naast Selma zitten, 'ik zag Jović buiten.'

Selma dook in elkaar. Op de huid in haar nek onder het paardenstaartje dat ze die ochtend met enige moeite in haar korte haar had weten te maken, zaten rode vlekken. Buiten de deur klonken voetstappen. De sleutel draaide in het slot. De deur ging open. Jović verscheen op de drempel met een pistool in zijn rechterhand. Zijn gezicht stond joviaal.

'Zo dames,' zei hij, 'we hebben vandaag een feest,' hij stak het pistool omhoog, deed alsof hij schoot en blies daarna de denkbeeldige rook van de loop, 'jullie gaan zo naar mijn auto. Dit pistool is dan niet meer te zien, maar het is er nog wel, en...' hij vertrok zijn mond in een grijns, 'denk niet dat de mensen buiten je gaan helpen. Ze weten te goed wie ik ben en ze weten nog veel beter wie ik vroeger was.'

Selma ging als eerste staan. Danijela volgde. Ze was blij dat ze de lange man nergens zag, een gevoel dat ze pas begreep toen ze bedacht dat dat de man was die haar mee zou nemen naar het Noorden.

Het paard stapte zoekend met haar hoeven tussen de begroeiing op het pad naar boven. Ludde bewoog soepel mee in haar cadans, terwijl hij het witte huis observeerde dat diep onder hem aan de overkant van de vallei lag. De toppen van de bomen sloegen heen en weer in de wind die aangewakkerd was. Werra stapte over een omgevallen boom en daalde daarna af naar een nauwelijks zichtbaar stroompje waaruit ze dronk. Ludde liet haar begaan. Het pad draaide dalend af naar links in de richting van het witte huis. De terrasdeuren stonden open.

De hond lag met zijn kop op zijn poten op een platte rots die net boven de bladeren uitstak. Pavić lag op zijn buik naast hem. Hij keek door het vizier van de Snajperka. Vlak voor hem liepen de eerste meters van de vallei scherp naar beneden naar een naaldbos dat de daar licht glooiende bodem een meter of vijftig naar beneden volgde om daarna weer omhoog te klimmen naar het witte huis dat een kleine driehonderd meter van hem verwijderd op ongeveer dezelfde hoogte lag.

De pijl die het onderste been van het richtkruis in het vizier vormde, schoof over de open deuren van het terras. Er was niemand buiten. Links, dieper in het dal, was, als je wist waar je moest kijken, het dak van het huisje van zijn broer te zien. De hond knaagde tussen zijn tenen.

Pavić ging zitten. Zijn vingers verstelden de instellingen van de Snajperka tot ze de waarden hadden die hij nodig had. Daarna pakte hij een fles, gooide water in de holte van zijn hand en liet de hond drinken. Toen hij iets zag bewegen in de kamer achter de terrasdeuren ging hij liggen, maar hij kwam weer overeind toen er niemand kwam.

De hond keek om. Hij gromde. Ergens in het bos knapte een tak. Pavić schoof naar achteren, dicht tegen de rots. De hond kroop naast hem. Het geluid kwam dichterbij. Er snoof een paard. De hond sloeg met zijn staart in de bladeren maar hield daarmee op toen Pavić hem iets toesiste.

Het paard duwde de onderste takken van een naaldboom verderop opzij, stapte van het pad en kwam naar beneden. Pavić keek naar Ludde die zich op haar rug soepel mee liet glijden, volkomen vertrouwend op de natuurlijkheid waarmee het dier haar weg zocht. Het paard stopte naast de rots. Ze brieste. Pavić kwam tevoorschijn. Ludde stak zijn hand op.

'Ik zocht je.'

'Het is niet de bedoeling dat je me dan ook vindt.'

'Ik heb Werra het werk laten doen.'

'Wat wil je?'

Ludde stapte af. Hij zette de stok die hij die ochtend had bewerkt naast zich tussen de bladeren.

'Kijken of ik gelijk had.'

'Waarin?'

'Of je hier ergens zou zijn. Ja dus. Je kunt vanaf hier prachtig dit hele gebied bestrijken,' Ludde wees naar de vallei, 'inclusief het huis.'

'Ja?'

'Daarom ben je hier.'

'Het is beter mij mijn werk te laten doen.'

'Ik ga zo weer weg. Mijn conclusie gisteravond was dat je een opdracht had. Je laat je eigen dochter niet voor niets ongerust zijn, want ongerust is ze.'

'En?'

'Omdat je ging lopen en omdat de hond met je meeging, dacht ik dat je niet ver weg kon zijn.'

'Ga verder.'

'En nu dat blijkt te kloppen zijn de mogelijkheden beperkt, zeker gezien de plaats waar je zit. Jović of Suad, maar ik denk Jović.'

'En dan?'

'Dan niets. Ik ga weer.'
'Het is beter hier niet meer te komen.'
'Dat zal ik zeker niet doen.'
'Hoe is het met je been?'
'Veel beter,' Ludde tilde de stok omhoog, 'ik heb een cadeautje gemaakt voor mezelf,' hij liet zijn vingers over het spiraalvormige patroon glijden dat hij die ochtend in de tak had gesneden, 'mooi, vind je niet?'
'Prachtig.'
'Je meent het,' Ludde lachte, 'ik ga.'

'Daar komt hij aan.'
De Geus zwaaide naar Ludde die op Werra's rug de laatste meters naar het huis afdaalde. Mirjana kwam naar buiten.
'Waar ben jij geweest?'
'Een eindje rijden. Ik was vroeg wakker.'
'Koffie?'
'Ja, lekker.'
'Hoe is het met je?'
'Prima,' Ludde stuurde Werra naast de waterput en stapte af, 'ik voel mijn been, maar ik heb een hulpstuk gemaakt, een stuk mooier dan die kruk.'
Hij gaf zijn stok aan De Geus die met gespeelde bewondering naar de elkaar kruisende inkervingen keek.
'Prachtig gedaan, Ludde,' zei hij spottend, 'ik heb met Mirjana afgesproken dat we een stuk lager gaan zitten, op die omgevallen eik, daar hebben we beter zicht,' De Geus gaf de stok terug en begon een voorzetlens op zijn camera te schroeven, 'jij kunt vanaf hier werken.'
'Prima,' Ludde kneep masserend in zijn kuit, 'wat is Mirjana aan het doen?'
'Koffiezetten. Ik dacht dat ik je vanochtend hoorde.'
'Ja, toen heb ik die stok gemaakt, iets nuttigers kon ik niet bedenken.'
'Nee,' De Geus ging naast Ludde zitten, 'misschien leer je nu eens je neer te leggen bij de feiten.'
'Zoals?'
'Zoals dat je been en je hoofd rust nodig hebben. Je ziet er rot uit.'
'Dank je, dat hoef je niet steeds te zeggen, dat weet ik zo ook wel. Daar komt de koffie. Heb je geen kater?'
Mirjana kwam naar buiten met drie dampende kopjes in haar hand.
'Nee, ik en de alcohol hebben elkaar gisteravond lieflijk omarmd, niet meer dan dat.'

'Laat dat maar zo blijven dan.'

'Waar hebben jullie het over?'

Mirjana zette de kopjes neer.

'Over gevaarlijke vrienden,' Ludde pakte zijn koffie, 'en dat ik er niet zo goed tegen kan om niet nuttig te zijn.'

'Je bent steeds zo negatief,' De Geus antwoordde met een ondertoon van ongeduld, 'het is wel degelijk nuttig om vanaf hier foto's te maken.'

Mirjana's antwoord aan De Geus was een kopie van wat ze al eerder had gezegd.

'Foto's die ergens in Nederland in een la verdwijnen.'

'En jij bent steeds maar cynisch. Je hebt vannacht kunnen zien dat ze in Nederland echt niet stilzitten, dat hele netwerk daar is opgerold.'

'Behalve Bekker dan,' Mirjana leek niet van plan zich de les te laten lezen, 'weet je zeker dat hij in Sarajevo is?'

'Nee.'

'Ik hoop dat hij zo snel mogelijk agressieve kanker krijgt.'

De Geus nam een slok.

'Cynisch en ook nog bloeddorstig.'

'Ach,' zei Mirjana, 'gerechtvaardigde haat moet je blussen met passende wraak.'

'Stil,' Ludde stak zijn hand op, 'ik hoor iets.'

De Geus keek om.

'Ik hoor niks.'

'Nee, je hebt het te druk met echtpaartje spelen. Ik hoor auto's.'

Mirjana knikte.

'Ik ook.'

'Dan ga ik,' De Geus pakte het fototoestel en rende min of meer de patio af.

'Die gaat ervandoor,' zei Mirjana, 'en hij vergeet zijn eten en drinken. Daar mag het vrouwtje voor zorgen.'

'Henri is een politieman, hij wil zijn werk doen, hij is niet zo gevoelloos als jij denkt.'

'Dat denk ik ook niet, hij weet alleen niet wat er in een oorlog gebeurt.'

'Hij is hier toen geweest, net zoals ik. Hij heeft ook dingen gezien.'

'Vanaf de buitenkant.'

'Die kant was erg genoeg.'

'De binnenkant was erger,' Mirjana nam een slokje uit het kopje dat De Geus achter had gelaten, 'maar toch ga ik hem nu achterna, ik wil een man die niet weet hoe hij zou zijn onder dat soort omstandigheden.'

Ludde keek haar even aan en wees toen naar de lucht.

'Ik denk dat ik dat snap. Het lijkt erop dat het weer gaat regenen.'

'Er liggen poncho's boven, ik haal ze wel even.'

Werra snoof toen Mirjana onder de bomen verdween. Ludde zette zijn kopje op de waterput naast de poncho die Mirjana daar had neergelegd, pakte zijn wandelstok en liep naar het paard toe.

'Jij zult in je leven ook wel van alles hebben gezien,' hij legde een hand op haar schoft, 'niet om het een of ander, maar ik ben blij dat je me dat niet kunt vertellen. En ik vertel jou ook niks, oké?'

Werra zwiepte met haar staart. Ludde ging het huisje binnen, pakte de verrekijker en het fototoestel van het aanrecht en liep weer naar buiten.

In het bochtige gedeelte van de weg, vlak voor het rechte stuk naar het witte huis, reden twee auto's. De eerste was de witte Mercedes van Jović. Het dak was open zodat de rode bekleding goed was te zien. Jović zat aan het stuur. Op de achterbank zaten twee meisjes.

De tweede auto had zwarte ramen, een mestkever op wielen. Ludde verplaatste de zoeker naar het terras, waar Suad stond die een beige broek en een veelkleurig overhemd aanhad. Een stadsmens op het platteland, dacht Ludde, inclusief blote voeten. Hij keek naar de plek waar hij dacht dat Pavić ongeveer zou moeten zitten en keek toen weer naar Suad, die ongetwijfeld op datzelfde moment door het vizier van de Snajperka werd bekeken, maar er gebeurde niets. Suad ging naar binnen.

Dat betekent dat Suad dus niet Pavićs doelwit is, dacht Ludde. Het idee dat het ook mogelijk was geweest dat hij had kunnen zien hoe Suad met een kogel in zijn rug voorover zou zijn gevallen, kon hem weinig schelen.

Hij richtte de camera weer op de Mercedes. Jović trapte hard op de rem, wat bij het huis in de harde wind een stofwolk veroorzaakte die omhoogkwam, om het huis kolkte en daarna wegdreef in de richting van het bos.

Suad kwam naar buiten. Hij leunde tegen de deurpost met een mes losjes in zijn hand. Jović opende het achterportier.

Het eerste meisje stapte uit. Ze droeg een rokje van spijkerstof en was misschien zeventien of zestien jaar. Ze had lang donkerblond haar, droeg schoenen met hoge hakken die er niet erg praktisch uitzagen en had een mouwloos T-shirtje aan.

Het tweede meisje was veel blonder dan het eerste meisje. Ze was erg klein en droeg een rode broek die op verschillende plaatsen was ingescheurd met daarboven een shirtje waarop een afbeelding van Jim Morrison was afgedrukt. Haar gezicht was bleek, hoewel dat misschien vooral kwam door haar donker aangezette ogen en de harde, paarse kleur op haar lippen. Ze was jonger dan het eerste meisje.

Jović deed het portier dicht, wreef zich in zijn handen, zei iets tegen Suad en ging het huis in. De meisjes volgden. De deur van de andere auto ging open. Ludde herkende Bekker onmiddellijk. Hij nam een foto, en daarna nog een op het moment dat Bekker en Suad elkaar een hand gaven, waarna Bekker licht hinkend naar de deur liep en samen met Suad naar binnen verdween.

Pavić had de auto's langs de weg omhoog zien rijden tot ze achter het huis waren verdwenen. Hoewel het richtkruis van de Snajperka secondelang stabiel op het hoofd van Jović had gerust had Pavić niet geschoten. Een dode Jović kon niet sturen, het risico voor de meisjes achterin was te groot.

Hij verlegde de loop naar het terras waarop het kleine meisje dat bij Jović achter in de auto had gezeten doelloos rondliep. Ze keek om toen er een inzwart meisje naar buiten kwam dat een stoel bij de rotan tafel schoof die Suad al eerder buiten had gezet, ongetwijfeld het meisje waar Mirjana het over had gehad, een paar dagen geleden. Pavić bedacht dat de wereld snel kleiner werd als er ook in Bosnië zwarte meisjes rond gingen lopen.

Uit het bos voor hem rende een fazant, die, zodra ze het open stuk had bereikt, haar vleugels spreidde en laag over de grond wegvloog. Achter haar verscheen de hond. Pavić floot. De fazant liet zich een eindje verderop in de struiken vallen. Toen de hond naast hem ging zitten, wees Pavić zonder iets te zeggen op de rots waarop ook zijn geweer rustte. De hond ging liggen met een berustende blik in zijn ogen.

De stam van de omgevallen boom was spekglad. Mirjana zette haar voeten voorzichtig neer. De Geus zat op de plank in de kruin. Toen Mirjana naast hem ging zitten, raakte hij haar even aan terwijl hij doorging met fotograferen.

'Bekker is er, ik zag hem net nog, in de kamer achter het terras.'

Mirjana hing haar rugzak aan een tak.

'Ik hoorde iets vreemds.'

De Geus nam nog een foto en liet het toestel zakken.

'Wat dan?'
'Pavićs fluitje voor de hond.'
De Geus legde zijn hand op Mirjana's knie.
'Onmogelijk. Heb je wel gehoord dat ik zei dat Bekker er is?'
'Ja.'
'Dus ik had gelijk, dat hij toch is gekomen.'
'Ja.'
De Geus kneep zijn wenkbrauwen samen. Boven zijn neus verscheen een rimpel.
'Ik zag Jović met twee meisjes. Bekker reed achter ze. Ik heb goeie foto's. Suad was er al, samen met dat afromeisje.'
Mirjana liet ineens haar aanstekelijke lachje horen dat er al een tijdje niet meer was geweest.
'Wat klink je chagrijnig, mijn gedachten zaten nog bij mijn vader,' ze kroop tegen De Geus aan, 'heb je tijd om me een zoen te geven, politieman die altijd gelijk heeft?'

'Zet deze flessen op tafel,' Suad schopte tegen een kratje, 'en daarna naar boven om andere kleren aan te doen, alle drie.'
'Ik heb geen andere kleren.'
'Die liggen voor je klaar. Aan het werk.'
Danijela pakte een fles slivovitsj en een fles whisky. Ayanna volgde haar met drie glaasjes. Selma bleef onbeweeglijk staan, haar ogen waren ergens ver weg. Jović stond naast Bekker voor het raam. Bekker keek naar het scherm van zijn telefoon.
'Ik heb al sinds gisteren geen bereik meer, vreemd.'
'Ook niet op je tablet?'
'Nee,' Bekker stopte zijn telefoon schouderophalend in zijn broekzak, 'slechte dekking, denk ik.'
'Daar heb ik hier anders geen problemen mee, kom we gaan naar buiten, Suad is al bezig.'
Jović wees naar Suad die een bundel rood-blauw doek voor de voeten van Ayanna gooide.
'Zet dit scherm op,' zei hij, 'aan de kant van de wind. En leg stenen op de poten, anders waait het weg.'
Ayanna bukte zich. Bekker bekeek haar. Jović stootte hem aan.
'Hoe vind je de koopwaar?'
'Gemiddeld,' zei Bekker, 'als je ze afzet tegen mijn doelgroep.'
'Dat zeg je om de prijs te drukken. Die zwarte heeft een verrassing en die kleine is speciaal voor jou. Maagd, een beetje een jongetje.'

'Ze lijkt me niet in orde. En zij is een beetje doorsnee.'

Bekker wees naar Danijela die weer binnen was gekomen.

'Wat je doorsnee noemt, en Selma is alleen maar onder de indruk, dat komt wel goed. Ik dacht dat je een voorkeur had voor dat soort kinderen,' Jović draaide zich om naar Suad, 'zet muziek op, kom hier jij.'

Hij sloeg een arm om Danijela en leidde haar weer naar buiten. Bekker volgde. Suad zette de geluidsinstallatie aan. Een oosters klinkende vrouwenstem waaierde uit over het terras en de vallei. Danijela kwam terug. Ze liep door de kamer naar de keuken waar Selma tegen het aanrecht stond.

'We moeten andere kleren aan.'

Het beeld in het vizier van de Snajperka was gevuld met het rood-blauw van het zonnescherm waarachter schaduwen bewogen.

'Te onzeker,' Pavić haalde in zichzelf mompelend zijn vinger van de trekker, 'te onduidelijk, en net stond dat meisje ervoor.'

Achter hem klonk gerommel dat weer wegstierf. Pavić richtte zijn verrekijker op het huisje van zijn broer, waar Ludde op het muurtje zat. Hij speelde met zijn stok. Het paard drentelde heen en weer. Ze leken zich samen te vervelen. Boven de berg klonk opnieuw gerommel dat het lied dat vanaf het witte huis te horen was even wegdrukte. De hond keek op toen vlak voor hem een regendruppel op de bladeren viel. Pavić pakte zijn geweer en plaatste het richtkruis in de twee meter ruimte tussen het scherm en de terrasdeuren van het huis.

Selma hield een rood jurkje voor haar lichaam. De zoom viel net over haar kruis.

'Ik doe dit echt niet aan, al slaan ze me dood.'

Ayanna legde een strik in de veter die de beide voorpanden van haar bustier strakker over haar borsten trok.

'Dat zullen ze dan wel doen, en ze zullen er nog plezier in hebben ook.'

'Jij lijkt alles wel goed te vinden.'

Ayanna bukte zich, deed een paarse kous om haar voet, rolde die naar boven en haakte de zoom aan de jarretel die vanaf de gordel om haar middel naar beneden hing.

'Wat kan er met mij nog meer gebeuren dan er al is gebeurd?'

'En als ze erachter komen wat je daar hebt?'

Selma wees naar haar eigen onderlichaam.

'Dat weten ze.'

'Is dat normaal bij jullie?'

'Bij ons niet, bij jullie niet. Nergens niet.'

Ayanna leek geen zin te hebben verder op de kwestie in te gaan, zodat Selma na een tijdje een andere vraag stelde.

'Was jij vannacht ook al hier?'

'Ja.'

'Met die enge vent?'

'Ja.'

'Om wat te doen?'

'Hij was vroeger kok, vertelde hij. Hij kookt vandaag. Ik moest hem helpen met de voorbereiding.'

'O, gelukkig. Ik dacht dat hij misschien iets wilde met je.'

'Dat zat er wel achter. Hij was nogal nieuwsgierig naar mijn extraatje, om het zo maar uit te drukken, en hij is bang voor Jović.'

'Hoezo?'

'Ik mocht niks zeggen, alleen dat we gekookt hebben.'

'En je kon hem niet tegenhouden.'

'Dat heb ik niet geprobeerd, ik heb hem zijn gang laten gaan.'

'O.'

'Ja, dat moet nou eenmaal als ik iets wil.'

'Ik zou dat niet kunnen.'

'Ik ook niet. Weet je wat ik dan doe?'

'Nee.'

'Ik probeer het gezellig te maken.'

Selma zuchtte.

'Ik weet wel,' zei ze toen, 'dat ik terugsla als ze iets met me doen wat ik niet wil, reken maar dat ze daar bij mij thuis over mee kunnen praten. Wat moet jij verder nog aan?'

'Dit,' Ayanna pakte een klein leren broekje waarvan de rits van zoom tot zoom over het kruis liep, 'wat doet Danijela zo lang onder de douche?'

'Zichzelf bewonderen voor de spiegel, denk ik. Ga je dat echt dragen?'

'Ja,' Ayanna wees naar Selma's jurkje, 'en doe jij dat nu maar aan, wat heb je aan nog meer blauwe plekken?'

Selma ging op het bed zitten.

'Zonder iets eronder zeker. Zijn ze in Somalië allemaal zo gemakkelijk?'

'Vergeleken met Somalië is alles gemakkelijk. Wat denk je dat ik hier doe, zei ik toch al? Kijk wie we daar hebben.'

Danijela kwam vanuit de douche de kamer binnen. Ze droeg een blauw, kanten vestje dat met een gesp voor haar borsten was vastgemaakt, een ruimvallend broekje, ook van kant, en blauwe kousen die vlak onder het broekje eindigden. Haar gezicht zat vol rode vlekken.

'Je hebt gehuild.'

'Ja.'

'En wat doen we nu?'

'Opmaken en naar beneden.'

'Kunnen we niet weg?'

Selma deed het raam open. Ayanna kwam naast haar staan.

'Ik blijf hier, die Hollander is mijn paspoort naar een rijk land. Maar als je wilt, til ik je op het dak.'

'Dat durf ik niet.'

'Waar zouden we heen moeten?' Danijela's stem klonk mat, 'als het al het lukt om in Sarajevo te komen hebben ze ons zo weer te pakken, en ik zou niet weten waar ik anders heen moest.'

De zangeres klonk westerser, melodieuzer.

'Ik weet niet wat ze zingt,' zei Bekker, 'maar ze grijpt me.'

Jović stak zijn glas omhoog.

'Ze komt uit Belgrado, maar jij snapt haar ziel, zo te horen. We houden allemaal van haar, toch Suad?'

Ook Suad stak zijn glas omhoog.

'Of denk jij dat ze een dom meisje is uit Belgrado?' Jović pakte het pistool dat voor hem op de tafel lag, 'weet je wat ik doe met iemand die dat denkt?'

'Dat weet ik,' Suad nam een slok uit zijn glas, 'die schiet je dood.'

'Juist!'

Jović haalde de trekker over. De kogel trok een langgerekt rafelig spoor door het rotan van het tafelblad, ketste af op het terras en sloeg een gat onder in de muur. De nagalm van het schot ging over in het gerommel van het naderende onweer. Jović legde het pistool neer, pakte zijn glas, proostte, en gooide het glas leeg achter in zijn keel. Er vielen regendruppels op de tegels. Jović ging staan.

'We gaan naar binnen, de koopwaar keuren en de prijs in ontvangst nemen.'

De Snajperka was doorgeladen. De pijl van het richtkruis wees naar de rug van Suad die in de open ruimte tussen het huis en het windscherm stond, zijn magere lichaam afgetekend in zijn kleren die door de wind tegen hem aan werden gedrukt. De Nederlander liep achter Suad langs met twee flessen in zijn hand. Jović bewoog als een donkere vlek op het doek.

Pavić ademde rustig in en uit, net zo ontspannen als de hond die met zijn kop alert omhoog naast hem lag. Het begon harder te regenen toen Jović, half achter Suad, in het vizier stapte. Pavić trok de trekker een millimeter naar zich toe tot hij de lichte weerstand voelde die hij moest overwinnen. Suad deed een stap, maar Jović bleef te veel achter hem. De Snajperka schoof een fractie naar rechts. De Nederlander ging naar binnen. Jović volgde. Suad keerde zich om en staarde naar boven, de bergen in. De hond stak zijn oren omhoog en gromde. Pavić tilde de loop van het geweer op naar de hals van Suad.

'Boem.'

Hij haalde zijn vinger van de trekker.

'Ik had moeten schieten, vind je dat?' Pavić legde zijn hand op de rug van de hond die schuin naar hem omhoog keek, 'hij heeft het verdiend, maar dat geldt helaas voor velen.'

Hij ging staan, haalde zijn poncho uit de plunjezak, trok die over zijn hoofd, liet zich in kleermakerszit tegen de rots achter zijn rug zakken en legde een slip van de poncho over de hond en over het geweer, waarna hij het heupflesje pakte en aan zijn mond zette.

Toen het onweer losbarstte ging de regen over in een kletterbui vol hagelstenen. Het witte huis was niet meer te zien. Ludde legde de camera op het hooi naast het paard en ging zitten. Vanaf het dak van het huisje stroomde een waterval van regen en ijs op de patio, waar het zich verzamelde in een stroom die naar de doorgang in het muurtje gutste. Het paard stapte rusteloos heen en weer.

Ludde kwam overeind toen hij de stemmen hoorde van De Geus en Mirjana die, beiden gekleed in een poncho, aan de andere kant van de kolkende waterstroom stonden die vanaf de patio het bos inliep. De Geus tilde Mirjana op, stapte over het water, zette haar weer neer en sprong achter haar aan over het muurtje tot onder het afdak. Werra deed een paar zenuwachtige stappen opzij.

'Zo,' zei Ludde, 'gevlucht?'

'Ze zijn naar binnen gegaan. Er valt niets meer te zien.'

'Behalve door het zijraam.'

Mirjana deed haar poncho uit.

'Zou jij dat doen, bij dat huis voor het raam gaan staan?'

'Ja, dat zou Ludde doen,' ook De Geus trok zijn poncho over zijn hoofd, 'maar gelukkig kan hij dat niet door zijn been.'

'Hoezo gelukkig?'

'Omdat je dan het risico loopt op een confrontatie waar niemand iets aan heeft.'

'Je hoeft er niet vlak voor te gaan zitten.'

De Geus maakte duidelijk dat hij niet verder op de kwestie in wilde gaan toen hij Ludde een vraag stelde.

'Wat heb jij gedaan?'

'Een paar foto's genomen, maar dat heeft geen enkele zin, die foto's maken jullie ook al.'

'Bekker is er.'

'Ja, die heb ik gezien, maar wat die meisjes doen is me een raadsel, die mannen zitten alleen maar samen te zuipen.'

'En naar muziek te luisteren,' zei Mirjana, 'die vrouw heeft haar lippen zo opgespoten dat ze bijna net zo groot zijn als haar borsten.'

'Wie bedoel je?'

'Die muziek die ze draaien, dat is een beroemde zangeres uit Belgrado, turbofolk noemen we dat hier, wat ze zingt,' Mirjana's gezicht drukte misprijzen uit, 'het is volgens mij helemaal niet zo'n slecht idee om vanaf de andere kant te gaan kijken,' ze stootte De Geus aan, 'wat we daar aan foto's kunnen maken is meegenomen, hier zijn we inderdaad overbodig omdat Ludde hier al zit.'

'Als het droog is. Wie heeft er zin in een gebakken ei?'

Ludde stak zijn hand op.

'En koffie,' Mirjana pakte een sigaret, 'die meisjes zitten daar, en wij drinken koffie.'

De Geus keek Mirjana even aan, draaide zich om en rende met lange passen door de neergutsende regen het huis in.

Mirjana boog zich voorover naar Luddes aansteker.

'Wat zou jij doen als je dat been niet had?'

Ludde stopte de aansteker in zijn zak.

'Die meisjes zitten mij ook dwars. Maar Henri heeft gelijk, ik zou er een puinhoop van maken.'

'Jij bent toch een held?'

'Eerder een heethoofd met geluk. Ik kan slecht tegen wat ik als onrecht zie.'

'Dat lijkt me wel een goede combinatie, een heethoofd die vecht tegen onrecht.'

'Dat is niet wat ik zei.'

'Een soort Don Quichot.'

Ludde keek haar onthutst aan. Mirjana lachte.
'Grapje,' zei ze, 'zijn jij en Henri vrienden?'
'Ja, vrienden die niet bij elkaar op de verjaardag komen.'
'Heb jij de hond nog gezien?'
'Nee.'
'Ik dacht dat ik Pavić naar hem hoorde fluiten, toen ik naar Henri liep.'
Ludde keek recht voor zich uit.
'Dat lijkt me sterk.'
'En er was een poncho weg, er lagen er vier en net waren het er nog maar drie.'
Mirjana tikte de as van haar sigaret. Achter het raampje van de keuken bewoog De Geus heen en weer.
'Henri is een goede man, voorzichtiger dan ik. Ik heb veel aan hem te danken.'
Ludde keek naar Mirjana om te controleren of ze zich liet afleiden door wat hij had gezegd.
'Ik mag dus blij zijn met hem.'
'Ja, je moet hem geen pijn doen.'
'Dat weet alleen de toekomst. Ik ken hem net een paar dagen,' Mirjana nam nog een trekje van haar sigaret en gooide het restant in het water dat van de patio stroomde, 'en voor hetzelfde geld is het andersom. Mannen veroorzaken meer pijn dan vrouwen.'
Ze liep naar de stapel hooi en pakte een roskam.
'Heb jij dat vliegengordijntje voor Werra gemaakt?'
'Ja.'
'Zou Henri ook zoiets doen?'
'Nee, dat denk ik niet. Henri is meer een stadsmens.'
Mirjana zette de roskam in de nek van het paard.
'Dat belooft dan veel goeds.'
'Ach,' Ludde ging staan en rekte zich uit, 'hij kan goed eieren bakken.'
Mirjana knikte beamend.
'En pannenkoeken.'
Ze lachten allebei nog toen De Geus in de deuropening verscheen.
'Jullie moeten komen kijken, Van Aammen geeft een persconferentie.'
Ludde en Mirjana renden door de regen naar binnen. Op de tablet van De Geus zagen ze een tafel waarachter drie politiemannen zaten.
'Dat is Jorrit van Aammen,' De Geus wees naar de man in het midden, 'de journalisten zijn alleen geïnteresseerd in de top.'

Ludde boog zich naar het scherm.
'Wat bedoel je?'
'Van Aammen heeft een hoge ambtenaar opgepakt, in Den Haag. De journalisten willen weten of die al die tijd zijn gang kon gaan omdat hij door de politiek werd beschermd.'
'En?'
'Wat denk je?'
'Dat het wel diezelfde ambtenaar zal zijn die nogal goed was in het verliezen van filmrolletjes.'
'Ach,' De Geus lachte een beetje, 'Ludde Menkema ontwikkelt zich tot cynicus.'

Suad schoof de uien van de snijplank in de pan. De olie siste. Ayanna sneed een lapje vlees in stukken. Suad keek om zich heen.
'Waar is Jović?'
'In de kamer.'
'Mooi, dat geeft ruimte.'
Hij ging achter Ayanna staan en legde zijn handen op het leren broekje dat om haar billen spande.
'Straks bedien jij mij,' zei hij, 'Danijela doet Petar en Selma de Hollander.'
Hij liep terug en deed het vlees bij de uien.
'Zorg ervoor dat de glazen vol blijven.'
Ayanna knikte.
Danijela hield haar handen in elkaar geschoven voor haar broekje. Selma stond naast haar.
'Dus dat is wat we moeten voorstellen,' fluisterde ze, 'dienstmeisjes.'
'Juist,' Suad wees, 'geef me dat bord eens aan.'
Danijela pakte een bord met stukjes kip en liep daarmee naar het vuur. Suad pakte het bord van haar over, zette het weg en legde zijn handen onder haar borsten.
'Heerlijk,' zei hij, 'dat gevoel van zacht en zwaar.'
Danijela bleef als een lappenpop voor hem staan tot hij zich weer omkeerde naar het fornuis en het kippenvlees in de pan gooide. Daarna wees hij naar een schaal.
'Selma, breng die schaal naar binnen.'
Selma liep de kamer in. Bekker liet zijn ogen over haar benen flitsen. Ze zette de schaal op tafel.
'Suad was vroeger kok,' Jović boog zich naar Bekker, 'maar in de oorlog kwam hij erachter dat je voedsel beter met woekerwinst kunt

verkopen dan opbakken. Hij is hier gisteren al naartoegegaan met die zwarte om het eten voor te bereiden.'

Op de schaal lagen verschillende soorten kleine stukjes vlees op een laag van gebakken aardappelen, paprika en ui. Suad kwam uit de keuken met Ayanna en Danijela in zijn kielzog. Jović zette een lege fles slivovitsj naast zich neer, opende een andere en schonk de glaasjes vol. Danijela ging naast hem staan. Bekker trok Selma naar zich toe. Zijn hand schoof over de binnenkant van haar bovenbeen. Suad wenkte Ayanna dichterbij.

'De dames kunnen aan het werk.'

Danijela bukte zich tussen Jović en Bekker door naar de schaal. Ze pakte een vork en een lepel, schoof die onder het vlees en vulde Jovićs bord. Daarna deed ze een stapje achteruit. Ayanna deed hetzelfde bij Suad. Selma beet op haar lippen toen ze zich vooroverboog. De zoom van haar jurk schoof op tot boven de aanzet van haar billen. Bekker trok zijn hand terug. Jović stak zijn glas omhoog.

'Proost dames, dat jullie een gelukkig leven mogen leiden,' hij draaide zich om naar Bekker, 'proost, op onze lucratieve handel in vrouwelijk onroerend goed, proost kok Suad, dat mijn god de jouwe snel mag vermorzelen.'

Hij gooide de drank naar binnen en schonk zijn glas weer vol waarbij een flinke scheut slivovitsj op de grond terechtkwam. Bekker stak een worstje in zijn mond voor hij met zijn glas het glas van Jović aantikte.

'Op jullie prachtige land, met heerlijk vlees,' hij stak zijn glas op naar Ayanna, 'je mag dan zwart zijn, maar toch ben je mooi,' hij proostte naar Danijela, 'en op jou, oosterse schoonheid, ik heb een rijke man voor je met rijke wensen, en jij,' Bekker legde zijn vrije hand op Selma's billen, 'jij mag bij mij komen wonen.'

Het onweer zakte af, maar het regende nog steeds. Ludde zette de bordjes achter zich op het aanrecht en liep met behulp van zijn stok naar de deur. De Geus scrolde door de foto's.

'Ze zijn goed gelukt,' zei hij, 'Bekker heeft een probleem als hij terug is in Nederland.'

Mirjana ging naast Ludde in de deuropening staan.

'Het is bijna droog,' zei ze, 'en wat betreft Bekker, ik help het je hopen. Hier komt dat soort mannen overal mee weg, de oorlogsmiljonairs voorop.'

De Geus legde het fototoestel neer.

'De mensen in Bekkers omgeving vinden misbruik op wereldschaal normaal,' zei hij, 'die verdienen hun geld door kinderen in Verweggistan voor een habbekrats voor ze te laten werken. Bekker zal wel denken dat je ze dan net zo goed in huis kan halen, dan krijgen ze in ieder geval nog te eten.'

'Zolang de politie nog solidair is met de zwakken is niet alles verloren,' Ludde ging naar buiten en keek naar boven, 'het klaart echt op, wat gaan jullie doen?'

'We volgen jouw suggestie, we gaan naar de overkant.'

'Draai je om.'

Danijela deed wat Jović vroeg.

'Buk je.'

Ze bukte. Haar billen drukten naar achteren.

'Laat zien dat je goed naar me hebt geluisterd.'

Danijela trok het kruis van haar broekje opzij.

'En, wat vind je, geschoren en wel,' Jović keek naast zich naar Bekker, 'een mooi exemplaar toch?'

Danijela ging zo snel ze kon weer staan. Ze schoof het broekje op zijn plaats en strengelde haar vingers in elkaar voor haar lichaam terwijl ze naar de magere Nederlander keek, van wie het gezicht eruitzag alsof het ooit aan beide kanten plat was geslagen. Over zijn lange, puntige kin liep een spoortje vet. Danijela deed een stapje achteruit.

'Ze is wel iets waard.'

Jović knikte instemmend.

Danijela probeerde te vergeten dat ze bijna naakt was.

'Jij.'

Toen Jović naar Ayanna wees, wilde Suad haar naar voren duwen, maar hij was te laat omdat ze op haar hoge hakken al doelbewust om de tafel heen naar Bekker op weg was. Ze tilde haar been op en zette haar voet in zijn kruis. Bekker schoof achteruit, weg van de scherpe hak. Jović bulderde van het lachen.

'Dat kun je bij hem beter niet doen, hij staat liever aan de andere kant.'

Ayanna verstond hem niet, of ze deed alsof. Ze draaide haar opgetrokken been naar buiten, pakte de rits van haar broekje, trok die naar beneden, bracht haar andere hand onder haar billen door naar voren en trok de rits verder open. Het broekje viel in haar kruis in twee delen uit elkaar. Suad keek gefascineerd toe. Jović schoof een eindje opzij. Toen Ayanna aan de strik in de veter van haar bustier trok, haar borsten naar buiten sprongen en ze daarna haar hand naar haar kruis bracht, deed

Danijela haar ogen dicht. Toen ze ze weer opendeed, zag ze dat Bekker Ayanna's voet had beetgepakt en die naast zich op de grond had gezet. Een bliksemflits verlichtte het raam. Jović leunde gespannen voorover, zijn handen op zijn knieën.

'En?' vroeg hij, 'deze kwam zo bij me binnenlopen, helemaal uit Afrika. Ze is hier nogal een bezienswaardigheid, maar dat zal bij jullie wel meevallen.'

'Hoe oud is ze?'

'Dat weet ze zelf niet, een jaar of twintig misschien?'

'Te oud.'

'Hoezo te oud. Waar vind je een mooie, zwarte jongen met borsten? Vaak hebben die types van die mannenkoppen, zij niet, ze is prachtig. Stel je voor, een feestje ergens bij jou in een landhuis, en zij loopt daar als dienstmeisje.'

'Ik wil haar best hebben,' Bekker trok zijn broek recht, 'maar niet voor die prijs.'

Ayanna deed de rits van haar broekje dicht. Jović schonk het glas van Bekker vol.

'Ze gaan alle drie in één koop, vriend, laten we naar Selma gaan, dat is meer jouw ding.'

Toen De Geus en Mirjana in een van de bochten een stuk lager dan het witte huis de weg waren overgestoken, legde Pavić zijn verrekijker neer. De hemel was lichtgrijs, maar kleurde in het oosten donker. Op de bovenverdieping van het witte huis waren de ramen verlicht, net als die van de kamer die aan het terras grensde.

De hond stak zijn neus in de plunjezak. Pavić pakte een stuk brood, brak dat in tweeën, gaf de ene helft aan de hond, nam zelf een klein hapje van de andere en spoelde dat weg met een slok uit zijn heupflesje. Toen hij opkeek, zag hij dat het zwarte meisje op het terras stond met een doek om haar schouders die tot op een klein broekje hing dat glom in het licht dat vanuit de kamer op haar viel. Ze rekte zich uit.

Pavić legde zijn heupflesje weg, schoof op zijn buik, pakte het geweer, laadde door en richtte de loop op de opening tussen de schuifdeuren. Het meisje met het lange, donkerblonde haar ging naast het donkere meisje staan met haar armen kruiselings voor haar lichaam en haar handen op haar schouders.

Het vizier bleef op de deuropening gericht tot de Nederlander verscheen, die de twee meisjes naar binnen wenkte en de deuren dichtschoof.

'Zo, genoeg gelucht.'
Jović tikte met een fles op de tafel.
'Zitten, we moeten Selma nog.'
Bekker hinkte naar de bank.
'Hoe oud ben je Selma?'
Selma's armen hingen naast haar lichaam dat in haar te ruime jurkje nog magerder en kleiner leek dan het was. Haar blote voeten stonden tegen elkaar.
'Ze is veertien.'
Bekker wreef zich in zijn handen.
'Veertien.'
'Ja, veertien en maagd.'
Jović ging staan en gaf Selma met de buitenkant van zijn hand een tikje tegen haar wang.
'Of ben je geen maagd meer?'
Selma schudde nauwelijks zichtbaar haar hoofd.
'Het is een ratje, ze is gewend aan klappen,' Jović wees naar de bloeduitstorting op Selma's been, 'dat vind jij toch niet erg?'
Bekker nam een slok.
'Ik ga geen psychiatrisch geval africhten.'
Jović trok Selma's jurkje omhoog.
'Kijk maar, als je betaalt is dit voor jou, zolang je wilt. En ze houdt je huis ook nog schoon, toch Selma?'
Hij gaf haar een duw zodat ze naast Bekker op de bank belandde.
'Denk er maar over, alle drie of niemand.'
Vanuit de keuken klonk het geluid van sissend vlees.

Ludde keek vanaf het muurtje van de patio naar het terras van het witte huis dat fel was verlicht. De schuifdeuren waren gesloten. Hij zette zijn stok naast het muurtje op de grond, liet zich zakken, liep achter Werra langs naar het huisje, haalde zijn regenjas uit zijn bagage, liep weer naar buiten en pakte de halster. Werra sjokte naar hem toe. Ludde klopte haar op haar flank.
'We gaan, Werra,' zei hij, 'een beetje dichterbij kijken kan geen kwaad, er valt vanaf hier toch niets te zien.'
Hij deed de halster om, leidde Werra naast de waterput, klom op haar rug en dreef haar de nadruppende regen in, naar de doorgang in het muurtje waar een gele modderstroom zich traag een weg naar buiten baande. Bij de bosrand, waar het steil naar beneden ging, boog hij zich achterover zodat de takken over hem heen zwiepten. Het paard zette

haar voorpoten schrap en liet zich glijden tot ze het gedeelte bereikte waar het vlakker was. Ludde tikte haar aan. Werra ging over in een sukkeldraf.

Na een tiental minuten bereikten ze de tweede afdaling naar het riviertje, waar het water over de rotsen spatte. Werra aarzelde, maar weer was een tikje van Ludde voldoende om haar vooruit te laten gaan, door het water heen, naar de andere kant, de helling op.

'Wanneer gaat die man eens zitten, het lijkt wel een vrouw met dat gedraaf naar de keuken.'

Bekker schoof zijn stoel naast Jović, die aan de tafel met glazige ogen naar de fles in zijn handen keek. Tegenover hem draaide Selma met een vinger rondjes over de rand van een bord. Danijela zat naast haar. Suad kwam de keuken uit met een schaal in zijn handen. Zijn stem schalde doordrenkt van alcohol door de kamer.

'Waar is hier het feest?'

Jović tilde de fles een eindje op en liet die daarna weer zakken. Suad ging naast Selma zitten. Hij stak zijn glas omhoog.

'*Zum wohl,*' zijn ogen zweefden rond, 'drinken jullie.'

Bekker stak zijn arm omhoog, in een komisch bedoelde Hitlergroet.

'Proost!'

Jović tikte met de fles tegen Danijela's glas. Ze nam met een zenuwachtige giechel een slokje. De fles schoof op naar Selma. Het meisje leek het niet te zien.

'Proost!'

Selma's vinger bleef rondjes draaien over het bord.

'Proost.'

Jovićs stem was hard geworden, ineens zonder een spoor van dronkenschap. Behalve het geluid van de regenwaterval die vanaf de dakgoot op het terras kletterde, werd het stil. Selma staarde voor zich uit en bleef dat doen toen Danijela haar aanstootte. Ze huiverde, de haartjes op haar armen kwamen overeind.

'Proost,' Jović boog zich voorover, 'proost meisje, drink.'

Selma trok haar lippen op, bijna zoals de rat waarmee Jović haar had vergeleken. Haar ogen waren fel. Ze pakte de rand van de tafel, alsof ze zich af wilde duwen, en spuwde. Het vocht droop over Jovićs hand. Hij keek ernaar, verbaasd en zette de fles toen rustig en dreigend neer.

Het geluid van de waterval buiten leek te verdwijnen. Jović ging staan. Hij liep bedaard om de tafel. Selma dook in elkaar, met haar gezicht bijna in de etensresten op het bord. Danijela leek Jović te willen tegenhouden, maar toen ze de blik in zijn ogen zag, schoof ze bij Selma vandaan. Jović trok Selma's hoofd achterover. Zijn andere hand sloot zich om haar kin. Zijn duim klemde zich vast, vlak onder haar oor, op haar kaak. Zijn wijsvinger deed hetzelfde aan de andere kant.

'Zo doe je dat bij een rat,' zei hij, 'Suad, laat haar drinken.'

Hij kneep. Selma's hoofd worstelde om los te komen, maar Jović had geen enkele moeite haar in bedwang te houden. Bekker keek geamuseerd toe. Danijela liet zich van haar stoel glijden en kroop op de bank tegen Ayanna aan, die een arm om haar heen sloeg. Selma was alleen.

Jovićs vingers wrongen zich tussen haar kiezen zodat ze gedwongen werd om haar mond open te doen. Suad ontkurkte de fles, hield de opening boven Selma's mond en schonk. De drank stroomde langs haar hals haar jurkje in.

Selma schoot plotseling naar voren, haar mond ging helemaal open, zodat Jović zijn greep op haar kin verloor. Haar tanden beten zich vast in het gestrekte vel tussen zijn duim en wijsvinger. Ze gromde als een dier. Haar hoofd rukte naar achteren, en plotseling stroomde er bloed langs haar kin dat wegliep langs het pad dat de drank al op haar huid had getrokken. Toen Danijela omhoogkwam, trok Ayanna haar beschermend dichter tegen zich aan. Bekker deed niets. Hij keek alleen. Suad zette de fles neer. Jović keek verbijsterd naar het meisje dat beet zo hard als ze kon, terwijl ze als een hond die een haas gevangen heeft met haar hoofd schudde, tot ze, even plotseling als ze was begonnen, weer losliet.

Jović greep naar zijn hand. Selma gooide haar stoel achterover en rende naar de deur. Jovićs ogen schoten van zijn hand naar Selma.

'Pak dat kreng!'

Selma was al buiten. Suad sprong op. Bekker deed nog steeds niets.

'Er gaat er een vandoor.'

De Geus had het fototoestel al op het meisje gericht dat langs de geparkeerde auto's naar beneden het asfalt van de weg opvloog.

'Doe iets.'

Mirjana fluisterde, fel en indringend. Ze kwam omhoog.

'Doe iets, daar heb je Suad.'

De Geus trok haar naar beneden. Met zijn andere hand fotografeerde hij lukraak verder.

'We kunnen niets,' zijn stem klonk autoritair, 'laat me mijn werk doen.'

Mirjana liet zich aarzelend zakken. De Geus richtte zijn camera op Suad die in Jovićs auto stapte. De motor sloeg aan. Jović verscheen in de deuropening met een theedoek om zijn hand. Het meisje viel op het moment dat de auto vooruit schoot. Ze sprong weer op en keek om, naar Suad, die misschien honderd meter achter haar reed en slaakte toen een gil die door het dal keer op keer leek te worden teruggekaatst alsof ook het stervende onweer had besloten dat iedereen haar mocht horen.

Werra steigerde verontwaardigd toen Ludde ineens achterover aan haar leidsels hing. In de verlichte opening van de deur van het witte huis stond Jović. De gil van het meisje bereikte Luddes hersenen, waar deze samenviel met de gil die daar al opgeslagen lag, op de grens van zijn geheugen. Hij schudde zijn hoofd in een poging te verwerken wat er in hemzelf gebeurde.

De auto vloog met slippende banden over het rechte stuk van de weg. Verderop, lager in het dal, vlak voor de eerste bocht, gilde het meisje, de tweede keer. Ludde zette zijn hakken in Werra's flanken. Ze brieste, kwam in beweging en ging over in een galop die hem over het vlakkere gedeelte naar de met manshoge struiken overwoekerde klim bracht, vlak voor de weg.

Ludde keek omhoog. Boven hem braken takken. Weer gilde het meisje, vlakbij nu. Ludde spoorde Werra aan, maar ze gooide haar achterhand omhoog, weg van de geluiden voor haar. Vanaf de weg klonk een vloek. Er werd een portier dichtgeslagen. Werra stapte achteruit. Ludde stuurde haar naar rechts, langs de voet van de helling, parallel aan de weg, tot hij bij een open gedeelte zonder struiken kwam waar hij haar weer de helling opdreef, en ze opnieuw weigerde met alles wat ze in zich had. Ludde hoorde de auto. Hij duwde Werra met zijn lichaam naar boven. Werra deed een stapje, stopte en steigerde. De auto reed voorbij. Werra gleed weg. Ludde liet zich vallen, weg van het paard, dat bokkig overeind bleef terwijl ze glijdend wegzakte tot ze de vlakke grond bereikte waar ze trillend bleef staan. Ludde keek verdwaasd naar de stok in zijn hand. Het duurde een paar seconden voor hij overeind kwam, naar Werra liep, zijn hand uitstak naar haar hals, haar halster afdeed en haar een tikje gaf. Ze draaide zich om en draafde weg. Ludde keek haar na tot ze in het donker verdween, hing de halster aan een tak en klom naar boven, steunend op zijn stok, tot hij op de weg was, op weg naar het witte huis. Tussen de jagende wolken was het daglicht verdwenen.

Suad trok Selma uit de auto en gaf haar een duw in de richting van de deur waar Jović haar opving. Jović gooide de theedoek die hij om zijn hand had op de grond. Het vel tussen zijn duim en wijsvinger vertoonde een gapende wond waarvan in de rafelige randen de afdrukken van Selma's tanden waren te zien. Hij tilde zijn hand op om te slaan. Suad hield hem tegen.

'Ik zag een paard.'

Jović liet zijn hand zakken.

'Een paard?'

'Ja, zonder zadel.'

'Losgebroken.'

'Waarschijnlijk, maar ik blijf toch maar even buiten.'

Jović pakte Selma's arm.

'Je doet maar. Ik ga dit kind manieren leren.'

Achter het raam stond Bekker die het meisje dat was weggelopen had vastgepakt. De Geus nam foto's, de een na de ander. Mirjana keek toe, door haar tranen heen. Het meisje boog bij Bekker weg, maar hij rukte haar overeind zodat haar hoofd vlak onder zijn kin terechtkwam, een kin die Mirjana kende en haatte. Jović kwam tevoorschijn. Hij sloeg het meisje, twee keer, rustig en methodisch, links en rechts, op haar gezicht. Mirjana opende haar rugzak. Haar vingers grepen de kolf van haar pistool. Ze ging staan, als in een droom, haar ogen gericht op het raam. De Geus keek opzij. Zijn hand vloog naar Mirjana's pols. Ze vloekte in haar eigen taal, zacht, maar duidelijk. De Geus boog haar pols naar beneden. Mirjana zakte door haar knieën.

'Laat los, leg dat ding neer.'

De Geus fluisterde. Hij bleef Mirjana's pols naar beneden drukken tot ze zich gewonnen gaf en ze zich nog steeds huilend liet zakken. Het pistool viel tussen haar voeten. De Geus legde het aan de andere kant naast zich neer en sloeg een arm om haar heen, maar ze kroop bij hem vandaan.

'Ze hebben daar binnen meer wapens dan jij,' De Geus bleef fluisteren, 'ze zijn met z'n drieën, we pakken ze heus wel, ze gaan de bak in, ik beloof het je.'

Mirjana's ogen werden groot. Ze probeerde op te houden met huilen. Ze slikte, ze wilde iets zeggen, maar er kwam niets. Ze stak haar hand uit, ze wees. De Geus draaide zich om. In het donker, vlak over de rand van de weg, bewoog een schim.

'Wie is dat?'

De Geus pakte zijn camera, richtte en drukte af. Mirjana kroop weer naar hem toe.

'Ludde.'

De Geus liet zijn camera zakken. Hij begon te vloeken, vol ongeloof en woede. Mirjana lette niet meer op hem. Ze staarde naar Bekker die, alleen nu, een beetje voorovergebogen door het raam naar buiten keek.

Links viel een lichtvlek op de grond, vanuit het raam, een lichtvlek waarin een schaduw bewoog. Ludde dacht niet na over waarom hij deed wat hij deed. Jović zong een lied, met lange dronken uithalen. Vanuit de bomen druppelde water. De krekels lieten zich voorzichtig weer horen.

Ludde zette een volgende stap, zijn hand zocht de muur, waar het donker was. Uit een raampje golfde de geur van gebakken vlees, vermengd met de geur van uien. Ludde schoof naar links tot hij de deur voelde. Hij legde zijn hand op de klink, maar na een paar seconden liep hij verder, tot om de hoek, vlak bij het verlichte raam, waar hij zich liet zakken. Zijn hoofd naderde het kozijn. Hij schoof vooruit, op zijn tenen. Zijn hoofd kwam omhoog, maar hij dook onmiddellijk weer weg. Hij hoorde iets. Het licht achter het raam ging uit.

'Niet genoeg gehad?'

Iemand zette iets hards in zijn nek. Iemands naar alcohol stinkende adem golfde over hem heen. Voorzichtig, langzaam, keek Ludde om. Suad hield het pistool op dezelfde plaats zodat de loop verschoof, vanaf Luddes nek, omhoog langs zijn oor, naar zijn slaap. Ludde kroop achteruit. Suad riep iets. De deur ging open.

'Het is die Hollander.'

Jović kwam naar buiten. Hij bleef vlak voor Ludde staan.

'Menkema van de vrouwenhulp.'

Suad plooide de vingers van zijn vrije hand om Luddes pols en liet ze zakken tot ze bij de stok in Luddes hand waren, zodat hij die los moest laten. Jović balde een met bloed bedekte vuist en raakte hem vlak onder zijn borstbeen, zo hard hij kon. Ludde sloeg dubbel.

'Ben je hier alleen?'

Ludde kwam omhoog. Zijn adem gierde. Jović sloeg nog een keer. Ludde kotste. Suad ging achteruit.

'Ben je alleen?'

Ludde knikte. Er droop gal langs zijn kin.

'Waar is dat vriendje van je?'

Jovićs vuist balde zich opnieuw. Suad trok Ludde verder overeind.

'Laten we hem naar binnen brengen, Petar, voor je hem doodslaat.'

Jović likte aan het bloed op zijn vingers. Ludde zocht steun bij de muur. De bitterheid van de gal vermengde zich in zijn mond met de weeïge smaak van bloed. Jović gromde. Hij pakte Luddes stok en sloeg. Ludde viel op zijn knieën en kroop als een hond in de richting van de verlichte deur waarin Bekker stond.

De deur ging dicht. De Geus liet zijn adem ontsnappen. Mirjana keek naar hem omhoog.

'En nu? Wat doen we nu?' ze kookte van woede, 'jouw ideeën volgen? Zullen we de openbaar aanklager bellen?'

'Die ongedisciplineerde imbeciel,' De Geus stopte de camera en de verrekijker in de rugzak, 'nu zullen we wel iets moeten gaan doen.'

Het eerste wat Ludde zag toen hij naar binnen strompelde, was het donkere meisje dat haar ogen rustig onderzoekend over hem heen liet glijden, alsof ze dagelijks mannen onder het bloed zag die naar kots stonken. Ze stond in de deuropening van de keuken. Suad duwde Ludde in een stoel.

'In de bovenste la ligt touw, pak dat voor me.'

Hij wees naar Ayanna die de keuken inging, de la opendeed en een bol oranje gekleurd touw pakte.

'Bind zijn enkels vast.'

Ayanna liep naar Ludde toe. Ze bukte zich. De man op de stoel zakte opzij. Zijn hoofd hing voorover. Zijn voeten gleden bij hem vandaan.

'Schiet op, voor hij valt.'

Ayanna sloeg het uiteinde van het touw om een stoelpoot, leidde het touw verder om een enkel en legde een knoop waarbij ze de enkel naar de poot trok. De man drukte zijn voet tegen de grond. Ayanna keek op. De man had zijn ogen open, onzichtbaar voor Suad. Hij keek haar aan. Om zijn gezwollen lippen meende ze een lachje te zien, of een zenuwtrek. Tussen de enkel en de poot bleef een paar centimeter ruimte. De man deed zijn ogen weer dicht. Ayanna bracht het touw over naar de andere enkel, knoopte die op dezelfde manier vast en kwam overeind.

Suad gaf zijn pistool aan Jović, nam het touw van haar over en wikkelde dat lukraak verder om Luddes lichaam. Ayanna liep naar de bank waar de twee andere meisjes zaten. Bekker stond bij het raam. Jović legde het pistool neer, pakte Luddes stok, zette zijn voeten een eindje uit elkaar, zoals hij dat steeds deed voor hij sloeg, en haalde uit. Deze keer was het Bekker die hem tegenhield.

'Laten we praten.'

Jović gooide de stok op de grond.

'Hij moet praten. Ik wil weten of hij alleen is.'

Ludde keek op, zo goed en kwaad als het ging. Over zijn tanden liep bloed.

'Beneden,' zijn stem kraakte als de stem van een oude man, 'bij zijn vriendin.'

'Heb je het over De Geus?'

Bekker hurkte neer zodat hij Ludde aan kon kijken.

Ludde knikte.

'Bij een vrouw?'

Ludde probeerde te antwoorden, maar dat lukte niet. Bekker kwam weer overeind.

'Jullie zijn stomme beesten,' hij keek misprijzend naar Jović, 'hoe denk je verdomme inlichtingen van iemand te krijgen als je hem eerst zijn bek dichtslaat?'

Jović liet zich op een stoel zakken en bracht het vel tussen zijn duim en wijsvinger naar zijn mond.

'Wat zei hij?'

'Dat De Geus bij een vrouw is.'

'Mirjana Pavić.'

'Wie?'

'Je kent haar, Mirjana Pavić, waar ze logeerden. Die slet neukt met die andere klootzak.'

Bekker wendde zich weer tot Ludde.

'Kun je je hoofd bewegen?'

Ludde knikte.

'Is De Geus bij Mirjana Pavić?'

Ludde knikte opnieuw.

'Waarom?'

'Verliefd, hij wilde naar haar toe.'

'Ha, je kan praten. Waarom ging jij met hem mee terug?'

'Het is zijn auto.'

'En hoe kom jij hier dan boven?'

'Op haar paard.'

'Waar is dat beest dan?'

Ludde knikte in de richting van het dal.

'Nou?'

'Weggelopen.'

Bekker draaide zich om naar Suad.

'Klopt het dat jij een paard zag?'

Suad knikte. Ludde schraapte zijn keel. Een nieuwe golf van misselijkheid overviel hem, maar hij slaagde erin de gal die omhoogkwam weg te drukken. Het praten ging gemakkelijker.

'Ik hoorde muziek. Ik ging kijken. En toen zag ik hem,' hij keek naar Suad, 'met dat meisje, en toen gebeurde dit allemaal.'

Bekker keek om naar Jović.

'We hebben een probleem,' zei hij, 'dit is Ludde Menkema.'

'Dat weet ik, de vrouwenheld.'

'We moeten van hem af. Voorgoed.'

'Hoezo?'

'Omdat het Ludde Menkema is. Hij is overal bekend, zeker in Nederland en Duitsland. Als hij de kans krijgt om zijn verhaal te doen zitten we voor de rest van ons leven vast, dus...' Bekker kwam handenwrijvend omhoog, 'dus moet het op een slimme manier. Ze zullen hem zoeken. En ze moeten hem vinden, anders blijft het hier wemelen van de politie.'

De hond was alweer een tijdje weg. Bij het witte huis leek alles kalm te zijn. Pavić schoof achteruit tegen de rots. De druppels uit de bomen tikten op de bladeren, zodat het eentonige getsjirp van de krekels ritme kreeg. In Pavić was alles rustig.

'Vanmiddag stond boven een raam open, kijk maar,' De Geus had zijn mond zo dicht mogelijk bij het oor van Mirjana gebracht, 'met een beetje geluk is dat nog steeds zo.'

Hij draaide het scherm van zijn camera naar haar toe.

'Hoe kom je daar?'

'Zij zijn met zijn drieën. Wij met z'n tweeën. Wij hebben een pistool. De onderste trap komt uit naast de keuken, eigenlijk direct in de kamer.'

'Ik vroeg hoe je daar wilt komen.'

'Langs de regenpijp.'

'Kun jij dat?'

'Ja, ik ben een stadsjongen.'

'En dan?'

'Als ik binnen beneden ben, sms ik je. Jij bonst op de buitendeur en maakt dat je wegkomt. Zij komen naar de deur, langs de keuken, ik arresteer ze.'

Mirjana zuchtte.

'Politiepraat. Je zult ze moeten neerschieten, God, wat een puinhoop.'

'Zo,' zei Jović, 'laten we de vluchtweg afsluiten.'

Hij draaide de buitendeur op slot en deed het gordijn voor het zijraam dicht.

Bekker trommelde nadenkend op de tafel. Zowel hij als Jović leken de meisjes te zijn vergeten.

'Kun je je nog herinneren dat je me dat monument liet zien dat die sluipschutter voor zijn vrouw heeft opgericht?'

Jović beantwoordde de vraag van Bekker pas nadat hij was gaan zitten en hij zich met zijn ongeschonden linkerhand een glas had ingeschonken.

'Dat staat er nog. Die sluipschutter was trouwens Pavić, die man van wie dit huis ooit was, wat is daarmee?'

'Dat lijkt me een mooie plek om Menkema te laten springen. Zelfmoord, een veteraan die zijn herinneringen niet meer aankon.'

'En die andere, die bij hem was?'

'Die laten we voor wat hij is. Voor die Menkema mist en voor ze hem daarna hebben gevonden zijn we zeker een dag verder, misschien wel meer. Zeg dan als rechercheur nog maar iets zinnigs over zijn verwondingen, als hij door de wilde zwijnen is aangevreten, tenminste zolang we hem verder met rust laten en geen kogels in hem achterlaten.'

Jović tikte waarderend met zijn glas op de tafel.

'Dat is een goed plan. En die daar?' hij wees naar de meisjes op de bank, 'dat zijn ook getuigen.'

'Die neem ik gewoon mee. De Nederlandse politie gaat niet zo snel op bezoek bij het soort mensen waar zij bij in huis komen. En als ze ooit bij de immigratiedienst hun verhaal kunnen doen, ook geen probleem, die zoeken alleen een reden om ze terug te kunnen sturen, en bovendien...' Bekker stak een stukje vlees in zijn mond, 'niemand gelooft een hoer, dat is iets psychologisch.'

Selma lag tegen Danijela aan op de bank met haar ogen dicht en haar benen opgetrokken. Danijela hield haar vast zoals ze een jonger zusje vast zou houden, terwijl ze intussen gebiologeerd naar Ludde keek die voorover in het touw hing. Vanaf de wond aan zijn slaap stroomde een dunne lijn rood vocht. Af en toe viel er een druppel op zijn shirt. Danijela's ogen gleden naar beneden, onder de tafel door, naar Luddes voeten die over de vloer vooruit kropen tot het touw om zijn enkels strak stond, waarna ze naar achteren gingen, en weer naar voren.

Ludde deed zijn ogen open toen Bekker voor hem ging staan.

'Je stinkt,' Bekker snoof overdreven, 'hoe voelt dat, de laatste avond van je leven?'

Ludde deed zijn ogen weer dicht. Bekker strompelde naar de bank, trok Selma overeind, duwde haar tot vlak voor Ludde, ging achter haar staan en trok haar jurk omhoog.

'Kijk eens held, doe je ogen open,' hij greep in Selma's kruis en kneep zijn vingers naar binnen, 'kijken zei ik, jij klootzak met je mooie principes.'

Zijn stem sloeg, aangevuurd door de alcohol, over van opwinding. Zijn ogen glinsterden triomfantelijk. Jović schoof zijn stoel dichterbij, met een fles in zijn hand. Hij keek met een zekere afkeer naar het meisje dat gedwongen door de spinnige hand in haar kruis krampachtig tegen Bekker werd aangedrukt, en richtte zijn aandacht daarna op Ludde.

'Hij zei dat je moest kijken.'

Jović hield de fles schuin boven Luddes hoofd zodat de slivovitsj in zijn haar stroomde, door zijn wenkbrauwen kroop en zijn ogen bereikte die direct begonnen te tranen. Hij kneep ze verder dicht, maar de tranen bleven komen. Hij knipperde. Zijn ogen werden zichtbaar, ogen die rood en verwilderd door een waas van bloed en bijtende alcohol naar Selma keken die door Bekker naar hem toe werd geduwd. Hij schopte haar benen uit elkaar. Ludde draaide zijn gezicht opzij. Jović ging wankelend staan, alsof hij ineens genoeg had van de situatie. Hij greep Bekkers schouder om zijn evenwicht te bewaren. Bekker liet Selma los. Jović gaf haar een duw in de richting van de bank waar Danijela haar opving, haar donkere ogen vol afschuw en angst. Jović greep Bekkers arm.

'Hoe zit dat met betalen?'

Bekker maakte een ongeduldige beweging.

'Rustig maar, het geld ligt in de auto, ik haal het op.'

'Ik wil dat geld ook wel zien.'

Suad stond met een aangeschoten, tevreden blik met zijn rug tegen de muur naast het raam.

Bekker liep naar de deur, draaide die van het slot en ging naar buiten. Jović keek weer naar Ludde.

'Wat ik niet begrijp,' zei hij, 'is wat jou bezield heeft om hierheen te komen.'

Hij sloeg, bijna terloops.

'Ik heb altijd al gedacht dat jij meer van slaan houdt, dan van neuken,' Suad liet zijn opmerking volgen door een hikkend geluid, 'logisch dat je geen kinderen hebt.'

Jović liet zijn hand zakken. Ludde opende zijn opgezwollen ogen. Jović liep naar Suad.

'Wat zei je?'

Suad week terug.

'Wat zei je, mietje?'

Jovićs stem sloeg over. Suad trok zich nog verder terug.

'Ik maakte een grapje.'

'Hier is een grapje.'

Jović gooide zijn bovenlichaam over zijn heup waardoor zijn been omhoogkwam. Zijn voet raakte Suad vlak onder zijn broeksband. Suad kromp in elkaar, maar hij kwam verrassend snel weer overeind en zakte door zijn knieën, zijn lichaam iets gebogen. Tussen zijn vingers danste een mes.

'Kom op dan,' er klonken tranen van pijn en woede in zijn stem, 'kom op met die vuile Servenkop van je...'

Jović leek tot bezinning te komen.

'Je bent dronken, mijn huis uit.'

'En jij er zeker met mijn geld vandoor.'

Het mes flitste naar Jovićs maag, maar Jović week op tijd terug. De deur ging open. Bekker kwam binnen met een koffertje in zijn hand.

'Ruzie?'

Hij duwde Suad achteruit. Daarna gaf hij het koffertje aan Jović.

'Hier, geld, dat is belangrijker. Als we elkaar gaan afmaken blijft er weinig van ons over. We moeten dit hier,' hij draaide zich om en tikte op Luddes hoofd, 'nog kwijtraken. We hebben nog veel te doen. Wie van jullie twee heeft er iets goed te maken?'

Suad rechtte zijn rug.

'Sorry Petar, dat was geen leuk grapje.'

Jović liet zijn vuisten zakken.

'Nee,' zei hij, 'dat was geen leuk grapje.'

'Mooi, geregeld,' Bekker wreef zich in zijn handen, 'ga je geld tellen, zou ik zeggen.'

Jović liep naar de tafel. Suad stak zijn mes weg, ergens onder zijn hemd en ging tegenover Jović zitten die het koffertje opendeed. In het koffertje lag een stapel biljetten, bij elkaar gehouden door een elastiek.

'Dollars,' zei Suad, 'jij telt ze?'

'Ja.'

'Ik moet nog wat afwerken.'

Suad wenkte Ayanna. Ayanna liep achter hem aan. Bij de ingang van de keuken, net uit het zicht van Jović, duwde Suad haar de trap op.

'Wacht boven.'

Hij liep de keuken in, rommelde daar een tijdje met de pannen, en sloop toen achter Ayanna aan.

'Dat was Bekker, hij haalde een koffertje uit zijn auto.'

De Geus trok zijn hoofd terug achter de muur aan de achterkant van het huis. Mirjana ging op haar tenen staan en gaf hem een zoen.

'Beloof me dat je ze neerschiet,' zei ze daarna, 'ze hoeven niet dood, maar maak ze onschadelijk. Als je dat niet doet, pakken ze jou, en dan was dit de laatste zoen die je in je leven zult hebben gekregen.'

'Eerst kijken of ik iets kan zien.'

De Geus verdween om de hoek. Mirjana volgde hem. De Geus liet zich naast het raam zakken en stak zijn hoofd voorzichtig naar voren. Na een tijdje kroop hij achteruit.

'En?'

'Ik zag Ludde,' De Geus duwde Mirjana terug achter het huis, 'ik ga naar boven. Hou je mobieltje in de gaten.'

Hij stak zijn hand uit. Mirjana gaf hem haar pistool. De Geus pakte de regenpijp die een halve meter verwijderd van de hoek over de achtermuur van het huis liep. Hij trok.

'Stevig genoeg, hoop ik.'

Hij ging achteruit en nam een aanloop. De eerste meters liep hij als een hagedis tegen de muur omhoog, tot hij de pijp greep en doorging in een ren naar boven waarbij hij zijn handen zo snel als hij kon een voor een over de pijp verplaatste. De pijp kraakte.

Mirjana ademde pas weer uit toen ze De Geus' gestalte tegen de sterren boven het huis af zag steken. Hij verdween. Even later zat ze op haar hurken bij het raam. Tussen het kozijn en het gordijn zat een kier. Ze keek naar binnen. Ludde zat op een stoel, slordig vastgebonden. Het bloed op zijn gezicht glom in het licht van de lamp boven de tafel waaraan Jović zat met een geopend koffertje voor zich. Bekker zat tegenover hem. Mirjana kroop verder naar de deur en haalde haar mobieltje tevoorschijn.

Jovićs vingers streelden over het geld. Bekker leunde achterover in zijn stoel. Zijn handen lagen in zijn kruis. Zijn ogen rustten beurtelings op Danijela en op Selma. Jović deed het koffertje dicht.

'Het klopt.'

'En nu zijn ze dus van mij.'

'Ja, veel plezier ermee.'

Danijela stak bedeesd een hand omhoog.
'Mag ik iets vragen?'
'Jij mag iets vragen.'
'Mag ik hem iets te drinken geven?'
Ze wees naar Ludde.
Jović begon te lachen.
'Hij heeft net gedronken, meer dan goed voor hem is.'
'Ik bedoel water.'
'Wat vind jij, Bekker, mag zij hem water geven?'
'Een beetje galgenwater? Ach ja, doe maar, maar daarna kom je met mij mee.'
Danijela liet Selma los die zich als een kat opkrulde in de hoek van de bank. Ze liep naar de keuken en kwam terug met een glas water. Ludde keek haar aan met een dankbare en tegelijkertijd vragende blik. Om hem heen hing de bittere geur van gal. Danijela zette het glas tegen Luddes lippen. Hij dronk. Er stroomde water over zijn kin.
'Sorry,' Danijela veegde met haar andere hand over zijn shirt, 'ik haal wel een doekje.'
'Je haalt geen doekje, meekomen.'
Bekker stond op. Danijela verkrampte. Het glas glipte uit haar vingers zodat het brak, op de grond. Bekker vloekte. Danijela bukte zich. Haar vingers vlogen over de vloer, op zoek naar de resten van het glas tot ze weer omhoogkwam, naar de keuken rende en terugkwam met een vegertje. Ze knielde opnieuw naast Ludde.
'Hou op met die onzin, hier komen.'
Bekker liep naar haar toe. Danijela keek op.
'Ik moet het toch opruimen?'
Haar stem piepte.
'Meekomen.'
Bekker trok haar omhoog. Danijela legde de veger op Luddes handen en liet zich strompelend vallen, tegen de tafel, in de hoop dat Bekker daardoor niet zou zien dat er tussen de haren van de veger glas glinsterde, dat even later onder Luddes vingers verdween.

Het hout van de trap onder zijn voet boog door, maar kraakte niet. De Geus liet zijn andere voet voorzichtig neerkomen op de volgende trede. Hij verschoof zijn hand over de muur tot hij weer stabiel stond en zette daarna een volgende stap, even voorzichtig als daarvoor.

Beneden, op de eerste verdieping, hoorde hij de onvaste stem van Suad. De Geus trok de slede van het pistool naar achteren. Het rook op de trap naar gebakken vlees en naar vocht. Helemaal beneden ging de muziek weer aan, dezelfde zangeres als die hij die middag had gehoord.

Bekker gaf Danijela een duw.

'Daarheen,' hij wees naar de openstaande deur van het kamertje dat achter de keuken in de kamer was ingebouwd, 'jij komt er tot nu toe te gemakkelijk vanaf. Ik heb een baantje voor je bij een rijke man, je kon het slechter treffen. Ik zal je laten zien wat je daar moet doen, behalve stofzuigen.'

Danijela liep naar de deur die Bekker haar had aangewezen. Hij liep achter haar aan. Jović opende het koffertje en legde het stapeltje geld opnieuw voor zich neer. Danijela verdween door de deur.

Toen niet lang daarna de geluiden klonken die Selma had verwacht, deed ze haar handen voor haar oren. Ludde tilde zijn hoofd op. Selma keek naar hem. Hij produceerde iets wat hij bedoelde als een bemoedigende lach, maar wat meer op een grimas leek. Selma sloot haar ogen. In de kamer waren alleen de geluiden uit het kamertje te horen tot Jović opstond en de deur dichtdeed.

Een vrouwenstem zei iets. De Geus begreep niet wat. Er ging een rits open. Hij daalde behoedzaam verder af, tot bijna onder aan de trap, vlak voor de deur die de trap van de gang afsloot.

Hij duwde de deur op een kier. De gang was leeg. Vanuit de kamer links van hem klonk weer een stem, Suads stem. De Geus liet zich zakken tot zijn voet de vloer raakte. De deuropening was vlak naast hem. Hij keek om de hoek, het pistool in zijn twee handen, schuin omlaag voor zijn lichaam. Het donkere meisje steunde voorover met haar handen op het bureau. Ze had haar benen uit elkaar. Suad stond achter tegen haar aan, met zijn rug naar De Geus.

Het meisje keek om, ze zag hem, ze opende haar mond, maar ze maakte geen geluid. De Geus stapte in de deuropening. Het meisje kwam overeind. Suad duwde haar terug. Zijn hand ging naar de voorkant van zijn broek terwijl het meisje tussen haar armen door naar De Geus bleef kijken, met starende ogen. Suad verstrakte. Hij draaide zich om. De Geus bracht zijn handen omhoog. Het pistool wees naar Suad. Suad zei niets. Hij bewoog ook niet totdat De Geus een beweging maakte met het pistool, en Suad zijn armen omhoog deed.

'Boven liggen riemen, haal ze op. Doe het zacht.'

De Geus maakte een hoofdbeweging naar Ayanna. Ze zette haar voeten op de grond, ging staan en deed de rits van haar broekje dicht. De Geus keek naar Suad. Ayanna liep naar de gang, op haar tenen.

'Hou op met dat gejank, je stoort me.'

Jović gooide het koffertje met een nijdige klap dicht toen Danijela uit het kamertje kwam en op de bank ging zitten. Haar gezicht was rood. Ze huilde met lange uithalen, als het kind dat ze was. Selma greep haar vast. Danijela werd stiller toen ze merkte dat Selma verstrakte. Ze keek naar boven, in de ogen van Bekker. Hij zwaaide met een gevlochten leren riempje voor Selma's gezicht.

'Zo kleine meid,' Bekker klonk gecontroleerd opgewonden, 'omdat het de eerste keer mooi moet zijn is het nu jouw beurt.'

Selma kroop weg in zichzelf, haar armen strak om Danijela's lichaam. Bekker tikte haar met het uiteinde van de riem op haar hoofd.

'Staan meisje, als de baas je roept, moet je komen, als de baas wil dat je iets doet, dan doe je dat.'

De riem schoot uit. Er klonk een knal.

'Staan.'

Selma stak haar benen uit, voorzichtig zoekend, alsof ze naast de bank in een ravijn zou kunnen verdwijnen. Bekker trok het riempje als een rozenkrans tussen zijn vingers door.

'Naar het kamertje.'

Selma begon te lopen. Jović keek op van zijn geld.

'Doe je wel de deur dicht?'

Selma bleef staan. Bekker sloeg met de riem, niet hard, maar toch verscheen er een doorlopende rode streep over haar beide kuiten. Het leek Jović niet meer te interesseren. Hij zette zijn handen onder zijn hoofd en deed zijn ogen dicht.

Danijela was gestopt met huilen. Ze keek naar de man in de stoel van wie ze de naam niet kende, naar zijn vingers die met de glasscherf in het touw rond zijn pols kerfden, tot ze schrok omdat haar blik via zijn opgezwollen gezicht naar zijn ogen ging en hij haar een knipoog gaf, waarna hij een vuist balde en daarmee een beweging maakte die ze begreep, een beweging die betekende dat ze moed moest houden, dat ze iets kon doen. Ze keek naar Jović die leek te slapen. Ze keek naar de flessen op de tafel. Ze kwam een eindje overeind. De man in de stoel kuchte. Jović keek op. Danijela liet zich weer zakken. De ogen van Jović vielen dicht. De man schudde zijn hoofd. Zijn vingers werkten door. Zijn lippen bewogen.

'Wacht.'

Danijela kon niet horen wat hij zei, hij maakte geen geluid, maar zijn lippen vormden een woord dat ze dacht te begrijpen, eerst in het Duits, en toen in het Engels.

'Wacht.'

Danijela huiverde. Ze had het koud. Het geluid vanuit het kamertje achter de keuken was zacht maar indringend, te indringend om te negeren. Maar toch wachtte ze. Er stond een fles nog geen meter van haar af, vlak voor Jović. Ze had nog nooit iemand geslagen, maar ze wist hoe het moest, uit de film, de fles omhoog, hoog boven zijn slapende hoofd, en dan slaan, zo hard ze kon, en als de fles brak, dan kon ze steken. Ze keek weer naar de man. Het touw om zijn pols leek losser, maar ze wist het niet zeker. Jovićs hoofd zakte met een schok omlaag. Zijn ogen gingen open. Luddes vingers stopten.

'Heeft u een dochter?'

Danijela werd gedurende een paar seconden overstemd door een rauw, jammerend geluid dat uit het kamertje kwam. Jović staarde haar aan. Hij legde zijn hand op het koffertje.

'Hoe kunt u dit doen als u een dochter heeft?'

'Ik heb geen dochter. Hou je mond.'

'Mijn moeder heeft dat geld niet gekregen.'

'Ik zei dat je je bek moest houden.'

Danijela deed haar ogen dicht en repeteerde wat ze moest doen, opspringen, de fles pakken, de fles omhoog, en dan slaan tot ze niet meer kon.

Ayanna ging het kamertje binnen waar ze had geslapen. De kleren vlogen van haar lichaam. Ze deed haar spijkerbroek aan, haar T-shirt, alles wat van haarzelf was en liep daarna in een wereld die haar als een droom voorkwam naar de andere kamer, pakte een paar van de riemen die daar op de grond lagen en liep de trap af.

De man stond nog in dezelfde houding, het pistool met twee handen recht voor zich uit, gericht op Suad. Ayanna liep achter hem langs en bukte zich. Ze sloeg een riem om Suads enkels. Ze dacht aan de touwen bij de man beneden toen ze de riem aantrok, met alle kracht die ze in zich had. Suad wankelde, maar hij bleef staan. Hij leek niet in staat iets te zeggen.

'Armen op je rug.'

De man maakte een beweging met zijn pistool. Suad deed wat hij zei. Ayanna trok ook deze riem zo strak als ze kon. De man met het pistool kwam naar voren, schoof haar aan de kant en controleerde wat ze had gedaan. Hij keek tevreden, glimlachte naar haar en liet zijn pistool zakken.

Ayanna ging voor Suad staan. Ze balde een vuist, met haar andere hand eromheen, naast haar lichaam, bijna alsof ze een golfclub vasthield. Ze schatte de afstand. Suad leek te weten wat er zou gaan gebeuren, de andere man ook. Ayanna's armen vlogen omhoog en opzij. De elleboog van haar rechterarm raakte Suads kin. Zijn ogen draaiden weg. Hij zakte in elkaar. Ayanna knielde naast hem neer. Haar hand verdween in zijn overhemd. Ze kwam weer omhoog met een mes. De man met het pistool glimlachte weer, breder nu. Daarna stak hij zijn hand uit. Hij praatte zacht.

'De Geus.'

'Ayanna.'

'Jij blijft hier. Als hij weer bijkomt en lastig wordt, dan sla je hem maar weer bewusteloos, je weet hoe je dat moet doen, zo te zien.'

Mirjana drukte haar oor tegen het luik voor het raam achter de keuken. Ze hoorde het geluid van vlees dat geraakt wordt, door een slager op een snijtafel gegooid, een dof en week geluid, waarna het stil was, tot ze hetzelfde geluid opnieuw hoorde. Ze trilde van woede.

De Geus sloop naar boven, de trap op, naar het raam. Hij hees zich op het dak, liet zich zakken naar de dakgoot, pakte de rand, kroop naar de regenpijp, liet zich even soepel als hij naar boven was geklommen naar beneden glijden en schoof met zijn rug tegen de muur om het huis naar het raam. Hij keek naar binnen. Ludde zat nog in zijn stoel. Zijn voeten leken los. De Geus liep naar de deur. Mirjana stond een eindje verderop, bij een luik. Ze wenkte. Ze wees. In haar ogen stond paniek.

De Geus boog zich voorover naar het luik. Hij luisterde een paar seconden en kwam weer overeind. Hij zei eerst niets. Zijn gezicht stond gespannen. Mirjana greep zich aan hem vast.

'We moeten naar binnen. Wat doe je hier?'

'We kunnen niet zomaar naar binnen.'

'We kunnen die kinderen niet in de steek laten.'

'Nee. Ik zag Ludde. Hij heeft zijn voeten uit het touw.'

Mirjana rende naar het raam. Ze liet zich zakken met haar ogen voor de kier.

'Hij zit er nog. Jović slaapt. Ik zie maar één meisje, op de bank.'

'Ik heb Suad.'

Mirjana ging staan, zo snel ze kon.

'Wat zei je?'

'Ik heb Suad. Dat donkere meisje was bij hem, ze waren op de eerste verdieping.'

Mirjana lachte door haar tranen heen.

'Daarom ben je naar beneden gekomen. Je hebt hem echt? Hoe?'

'Hij leek nogal overdonderd. Dronken. Dat meisje sloeg hem totaal buiten westen.'

Bekker keek vol welbehagen naar Selma's lichaampje. Zijn tong danste naar buiten en naar binnen terwijl hij de riem naar achteren zwiepte.

De binnenkant van Luddes hand bloedde, daar waar het glas keer op keer langs was geschuurd. Danijela schrok toen Jovićs hoofd uit zijn slaap omhoog schokte. Ludde hield zijn vingers stil. Zijn pols lag op de armleuning, het touw er nog overheen. Jović draaide zich om naar de geluidsinstallatie. De zangeres begon opnieuw aan hetzelfde lied, een lied over een moeder. Jović nam een slok. Hij had tranen in zijn ogen. Danijela keek naar Ludde, naar zijn voeten die allebei vrij waren. Ze dacht aan Selma en ze dacht aan zichzelf. Ze dacht aan de man, de Nederlander, die haar had behandeld als een dier, een ding waarmee hij kon doen wat hij wilde, zoals hij dat nu ook met Selma deed. Ze dacht aan Selma toen ze in Jovićs hand beet, nog maar even geleden. Ze dacht aan Ayanna, die liet gebeuren wat moest gebeuren om er maar geen last van te hebben, maar zo werkte het niet. Ze moest iets doen. Ze moest zorgen dat de man in de stoel verder kon gaan, met zijn glasscherf, zonder dat Jović dat zag, en dus gebruikte ze het enige wapen dat ze had en dat ze kende. Ze begon te praten, zoals ze altijd praatte wanneer ze dat kon of wanneer dat nodig was.

'U huilt, meneer Jović,' ze hoorde de angst, maar ook de moed, in haar eigen stem, 'komt dat door dat lied? Denkt u aan uw moeder?'

Jović keek haar met zijn half slapende, dronken ogen aan. Ludde trok zijn pols omhoog tot het touw hem tegenhield. Hij zette kracht. Danijela praatte door.

'Is uw moeder al oud?'

Ludde draaide zijn pols strak in het touw. Het touw rafelde. Jović gromde als een hond.

'Hou op over mijn moeder.'

'Wat is er dan met haar? Is ze ziek?'

'Ik zei dat je op moest houden.'

Danijela zag Luddes voeten, vrij van het touw, en ze zag het touw van zijn pols vallen voor ze weer in Jovićs ogen keek.

'Heeft zij u geleerd om meisjes te verkopen om ze te laten verkrachten?'

Jović stond op. Hij bleef naar haar kijken. Hij balde zijn vuist.

'U slaat graag, dat zei Suad toch?'

Ludde bewoog zijn duim onder zijn vooruitgestoken hand op en neer, een praatgebaar dat Danijela begreep.

'Hoe kunt u er tegen, wat er hier gebeurt, ziet u dan niets?'

Jović liet zijn vuisten zakken.

'Wat ik niet zie, dat bestaat niet,' zei hij, 'en dat geldt voor mijn moeder ook.'

Danijela had geen idee waar ze haar moed vandaan haalde, maar het werkte. Ze keek naar zichzelf, in een flits, naar de kleren die ze aanhad. Ze dacht weer aan Bekker, net in het kamertje. Ze dacht aan haar moeder. Ze zag de man die uit de stoel was gekomen, achter Jović, die niets zag. De man stond. Hij tilde zijn benen op, een voor een, als een oefenende danser. Hij had een stok in zijn handen, een stok met een spiraalvormig patroon. Ook Danijela ging staan. Ze greep de fles. Jovićs ogen waren niet slaperig meer. Danijela sloeg de fles op de tafel. Het glas spatte rond. Ze keek naar de punten die nog aan de hals zaten en stak. Jović deed glimlachend een stapje achteruit, daarna deed hij een stapje opzij. Danijela's hand met de fles volgde zijn bewegingen. Jovićs linkervuist kwam omhoog, naar haar gezicht. De arm waarin Danijela de fles vasthield, bewoog mee in een automatische poging om hem af te weren, maar dat was precies wat hij wilde. Zijn rechtervuist sloeg tegen haar hoofd. Ze zakte weg. De fles viel. Ze zag de man naar voren komen voor ze niets meer zag.

'Nu wij.'

Jović draaide zich om.

De loop van de Snajperka rustte op de rots. Pavić keek door het vizier naar het terras, dat stil was zoals alles stil was omdat de hond weer lag te slapen en de wind was gaan liggen. Hij had Mirjana al een tijdje niet meer gezien, al vanaf het moment dat ze naar de andere kant van het huis was verdwenen, niet lang nadat De Geus naar boven was geklommen en ook later niet, toen die weer terug was gekomen. Het beviel hem niet. Hij bewoog zijn vingers om het bloed te laten stromen. De hond huilde in zijn slaap, zijn poten schokten, tot hij plotseling wakker werd, ging staan, zijn kop naar voren stak en een poot omhoogtrok in de houding waarmee hij een prooi aanwees. Zijn ogen waren gericht op het witte huis.

Jović liet zijn vuist uit zijn dekking schieten, maar Ludde boog op tijd opzij, zodat Jović miste. De stok zwiepte omhoog en raakte Jovićs arm. Jović vloekte. De deur van het kamertje vloog open. Bekker kwam naar buiten. Ludde zocht steun tegen de tafel. Zijn stok kwam hard van boven naar beneden. Het uiteinde verdween in Jovićs hand. Jović trok. Tegelijkertijd schreeuwde hij naar Bekker.

'Je pistool!'

Toen Bekker terug rende, het kamertje in, liet Ludde de stok los, waardoor Jović zijn evenwicht verloor en achterover viel, op de bank. Ludde aarzelde niet. Hij zette zijn voet op Jovićs borst en sprong over de bank, naar de andere kant, naar de deur van het terras. Zijn lichaam draaide in de lucht. Zijn schouder raakte het glas, dat boog voor het brak. Zijn handen zaten beschermend om zijn hoofd toen hij over de tegels van het terras rolde. Er droop bloed langs zijn armen. Hij kwam omhoog.

'Stop!'

Jović stond achter het gebroken glas, nog in de kamer. Hij had een pistool in zijn hand. Ludde liet zijn armen naast zijn lichaam vallen toen Jović naast zijn voeten schoot en de splinters van de kapotgeschoten tegel wondjes onder in zijn benen trokken.

'Het einde van de reis.'

Jovićs stem was rustig.

'Kom hier.'

Ludde bewoog zich niet.

'Wil je dood?'

Ludde keek naar beneden, naar de flarden van zijn broek en naar zijn benen daaronder, die rood waren van het bloed. Toen keek hij Jović aan.

'Je wilde toch geen kogel in mijn lijk?'

'Kom hier.'

'Nee.'

Jović bewoog het pistool. De loop wees naar Luddes buik.

'Nee.'

Ludde was bang. Hij keek naar de donkere bomen achter de rand van het terras, waar Pavić zat, en daarna naar de sterren daarboven. Hij deed een stap achteruit, langzaam, weg van Jović, en, toen hij zag dat

Jović hem volgde, nog een, en nog een, zodat Jović steeds verder het terras opkwam. Hij wachtte. Er gebeurde niets.

Jović had het pistool losjes in zijn hand, bungelend naast zijn lichaam. Het terraslicht verlichtte hem, een acteur uit de hel. Hij stopte het pistool in zijn riem, stak zijn vingers in elkaar en knakte ze om. Het gekraak van de loskomende botjes resoneerde in Luddes oren. Hij week verder achteruit tot hij de balustrade aan de rand van het terras in zijn rug voelde. Om Jovićs lippen hing een lachje dat hij kende. Jović deed weer een stap. Het licht zat nu achter zijn lichaam, zodat zijn gezicht donker was, maar zijn ogen bleven glinsteren.

Ludde keek over Jović heen naar de bergen. Hij liet zich zakken tot hij zat en wachtte terwijl hij weer omhoogkeek, deze keer biddend. Hij riep Pavić, niet hardop, alleen in zijn hoofd.

Jovićs mond ging open. Er klonk een doffe tik. Er kraakte iets als een tak, vlakbij, in Jovićs lichaam, dat naar voren sloeg. Direct daarna volgde een donkerder geluid dat van boven uit de bergen rolde. Jović greep naar zijn borst, zijn mond ging langzaam open. Ludde kromp in elkaar, zijn ogen gericht op de man voor hem die zich naar het licht draaide en een hand omhoogbracht naar zijn mond, waar op een ademtocht die klonk als het borrelen van een regenpijp bloed uit spoot dat op de tegels van het terras spatte. Jovićs knieën weken uit elkaar. Hij hoestte. Uit zijn neus spetterde bloed, dat tientallen vlekjes maakte voor Luddes voeten. Jovićs pistool kwam omhoog. Ludde liet zich vallen. Hij schopte. Het pistool viel, cirkelde over de tegels, raakte een tafelpoot en bleef liggen. Ludde zag het met uiterste precisie. Jović sloeg zijn handen voor zijn mond. Hij zakte op zijn knieën. Tussen zijn ogen stond een frons, alsof hij nadacht over iets.

Bekker verscheen in de deuropening. Ludde sprong overeind. Hij rende naar de rand aan de andere kant van het terras, daar waar hij wist dat het lager was. Hij keek om.

Bekker lette niet op hem. Hij keek gebiologeerd naar Jović die bezig was terug te kruipen naar de deur. Er borrelde bloed uit zijn rug, in golven die steeds korter werden, steeds minder fel. Hij zakte door zijn armen, zijn gezicht raakte de tegels. Zijn rechterknie kwam los van de grond. Zijn lichaam viel tot hij op zijn zij lag. Ludde sprong van het terras voordat Jović voor de laatste keer hoestte. Toen hij neerkwam voelde hij de pijn in zijn been, een pijn die hij daarvoor vergeten was. Hij ging op zijn knieën zitten. Zijn ogen waren op dezelfde hoogte als de tegels. Jović lag stil. Bekker stond in de deuropening, zijn pistool naar binnen gericht. Ludde klom weer naar boven. Zijn been schoof over de balustrade. Van binnen, uit het huis klonk een schreeuw. Bekker schoot. Toen Ludde naar hem toe rende, vergat hij zijn pijn opnieuw.

Op de bank lag een van de meisjes. Bekker schoot vanaf de terrasdeur. De kogel begroef zich in de muur achter De Geus. Er rende iemand over het terras. Bekker schoot weer, nu naar buiten. De Geus richtte zijn pistool.

'Handen op je hoofd.'

Bekker dook voorover, achter de bank en begon direct te praten, met een stem die hij nauwelijks onder controle had.

'In die kamer rechts van je ligt een meisje.'

De Geus stopte.

'Ik kan haar vanaf hier raken.'

De Geus besloot dat hij moest praten, dat hij Bekker bezig moest houden.

'Ken je de Savornin Lomarks?'

'Ja.'

'Die zijn de afgelopen nacht gearresteerd.'

Bekker zei niets. De Geus ging door.

'Hoe denk je dat het komt dat je telefoon het niet meer doet?'

Bekker vloekte.

'Dat bordeel in Venlo is opgerold. Ik heb foto's van je, van eergisteren, toen je dat meisje daar afleverde. En die keurige hoge ambtenaar waar je contact mee had, is opgepakt, in Den Haag. Nu krijg je tien jaar. Als je dat meisje neerschiet, krijg je levenslang. Je kunt nergens heen.'

'Je had beter je mond kunnen houden,' Bekkers stem klonk ineens onaangenaam zeker, alsof hij een besluit had genomen, 'nu weet ik waar ik aantoe ben. Je hebt gelijk, ik kan nergens heen, behalve naar een plek waar jij me ook niet zult kunnen vinden. Ik ga staan. Over drie tellen. Ik loop naar dat meisje. Als je schiet, moet het raak zijn. In mijn hoofd misschien, maar ook dan weet je niet zeker of ik de trekker niet nog over kan halen. Neem je dat risico?'

Bekker wachtte niet op een antwoord. Hij telde tot drie en stond op. In de deur naar het terras verscheen Ludde. Ook hij had een pistool, het pistool van Jović. Ook hij richtte op Bekker, op zijn rug. Bekker keek om.

'Nog een,' zijn stem klonk op een vreemde manier triomfantelijk, alsof alles wat er gebeurde in zijn voordeel was, 'Menkema is opgestaan.'

Hij grinnikte, wereldvreemd.

'Menkema, jij kunt dat kind zien, Selma heet ze. Ligt ze er niet mooi bij? Ik ga naar haar toe, ze is van mij, ik heb haar betaald.'

Hij liep door naar het kamertje met zijn pistool op de deuropening gericht. Ludde en De Geus deden niets. Bekker verdween naar binnen en deed de deur achter zich dicht. De Geus draaide zich om. Mirjana stond achter hem. Ze keken elkaar aan tot Mirjana naar de bank liep en zich over Danijela boog.

'Breng haar naar boven, naar dat andere meisje.'

Mirjana keek op.

'Ze is bewusteloos. Ik moet mijn vader zoeken.'

'Pavić?'

'Ik hoorde zijn geweer.'

Ludde liep ook naar Danijela.

'Pavić is buiten. Hij heeft Jović doodgeschoten. Ik heb hem gezien.'

Mirjana kwam overeind.

'Jij hebt hem gezien?'

'Ja, vanochtend.'

'En je hebt niets gezegd?'

'Dat mocht niet.'

'Ik wil weten hoe het met hem is, ik ga hem zoeken.'

Ludde legde een hand op Danijela's hoofd. Ze ademde diep in en uit. Ludde aaide haar. Alles aan zijn lichaam deed pijn. De Geus ging naast de dichte deur van het kamertje staan.

'Je kunt niet weg, Bekker. Kom naar buiten, je handen op je hoofd.'

Er gebeurde niets. De Geus keerde zich om naar Ludde.

'Wat doen we?'

Ludde keek naar een stukje geronnen bloed op zijn hand.

'Ik weet het niet,' zei hij, 'hij zal wel komen, hij zal wel moeten.'

Er bewoog iets, een eindje naast het pad, hoger de helling op. Mirjana stopte. Ze floot. De hond rende op haar af. Hoger op het pad stond een man. Zijn gezicht werd verlicht door de sterren, het gezicht waarop een duivel zijn stempel had gedrukt, het gezicht dat Mirjana het liefste zag. Ze schudde de kop van de hond aan zijn oren heen en weer. Pavić zette zijn geweer naast zich neer, haalde een heupfles tevoorschijn vanonder zijn poncho, nam een slok en liep toen het pad af tot hij bij Mirjana was. Ze deed haar armen uit elkaar. Haar vader greep haar schouders en trok haar tegen zich aan.

'Heb jij Jović doodgeschoten?'

Pavić aaide over Mirjana's rug.

'Ja, ik moet naar hem toe.'
'Naar wie?'
'Naar Jović.'
Hij liet Mirjana los en liep weg. De hond rende voor hem uit. Pavić klom omhoog over de balustrade, het terras op. Mirjana volgde hem naar Jovićs lichaam. Hij legde een vinger in Jovićs hals. De terrasdeuren gingen open. De Geus kwam naar buiten.
'Pavić, je bent er dus toch,' De Geus fluisterde, 'nog nooit iemand gezien die zo welkom was.'
'Hoe is het binnen?'
'Bekker heeft nog een meisje, hij heeft zich met haar opgesloten in het kamertje achter de keuken.'
'En nu?'
'Wachten wat hij doet. Misschien kun je beter buiten blijven, Bekker weet niet dat je hier bent,' De Geus pakte Mirjana's arm, 'dat meisje is bijgekomen, breng haar naar boven als je wilt, dat donkere meisje is daar ook, en Suad.'
Mirjana liep naar de bank. Ludde zat naast Danijela. Ze leken allebei ziek.
'Kom,' Mirjana stak haar hand uit, 'je kunt hier beter weggaan, ik breng je naar je vriendin.'
'Wie?'
'Boven, dat donkere meisje.'
Danijela vloog overeind.
'Ayanna, maar Suad is daar ook.'
De Geus legde geruststellend een hand op haar hoofd.
'Die is uitgeschakeld.'
'Uitgeschakeld?'
'Ja,' zei De Geus, 'je vriendin heeft hem neergeslagen.'
'En Selma?'
'Selma is nog daar.'
De Geus wees naar het kamertje.
Danijela sloeg haar handen voor haar gezicht. Mirjana pakte haar vast.
'Kom,' zei ze, 'je moet hier echt weg.'
Danijela liep met haar mee naar boven. Ayanna zat op het bureau. Voor haar, op de grond, lag Suad. Ayanna ging staan. Danijela keek haar aan. Ayanna keek terug.
'Hoe is het beneden?'
Danijela wriemelde nerveus met haar vingers.

'Die Nederlander heeft Selma nog.'
'En jij?'
Danijela begon te huilen. Ayanna liep naar haar toe.
'Kom,' ze sloeg een arm om Danijela heen, 'we gaan naar boven, je gewone kleren aandoen, dan ga je je beter voelen.'
Ze verdwenen samen. Mirjana controleerde de riemen waarmee Suad was vastgebonden en ging daarna naar beneden, het terras op.

Bekker trok Selma met haar rug tegen zich aan. Zijn rechterarm haakte om haar middel. Zijn andere hand zette het pistool in haar hals. Hij duwde haar voor zich uit.
'Je houdt je rustig.'
Bekkers mond was vlak bij haar oor.
Hij zette zijn voet tegen de deur. De deur ging open. In de kamer stond De Geus. Hij tilde zijn pistool op, maar liet het direct weer zakken. Selma's lichaam hing als een schild voor Bekker. Op de huid onder haar gescheurde jurk zaten striemen. Bekker bewoog de hand waarin hij het pistool had, zodat De Geus het zou zien.
'Ik heb dit hoertje. Als je iets doet, wat dan ook, dan schiet ik. Eerst in haar, dan in jullie.'
De Geus keek naar Ludde en daarna weer naar Bekker. De geur van bloed hing tussen hen in. Bekkers schaduw speelde over de deur. Ludde probeerde omhoog te komen, maar hij moest zich laten zakken toen de kamer om hem heen begon te draaien. Zijn maag kromp in elkaar. De Geus antwoordde, maar alles wat hij kon bedenken was de platitude die hij al eerder had gebruikt.
'Je kunt nergens heen.'
Bekker giechelde. Hij deed een stap opzij langs de muur. Het lichaam van Selma schoof als een pop met hem mee. Hij deed weer een stap naar rechts, voetje voor voetje verder, in de richting van de buitendeur.

'Schiet.'
Pavić schudde zijn hoofd. Zijn ogen volgden de situatie binnen in de kamer.
'Ik ben geen moordenaar, ik ben militair.'
Mirjana's antwoord klonk eerder wanhopig dan boos.
'Je lijkt Henri wel. En Jović dan?'
'Dat was een opdracht.'
'Dan doe ik het.'
Mirjana greep naar de Snajperka. Pavić hield haar tegen.

'Kun je dat?'
'Wat?'
'Dat meisje niet raken, en hem wel? Het moet in één keer, anders schiet hij alsnog.'
'Wat moeten we dan?'
'Kijken wat er gebeurt. Er komt altijd een tweede kans.'
'Hij moet dood, daar heb ik recht op.'
Pavić keek onderzoekend naar zijn dochter.
'Weet je dat zeker?'
'Nee.'
Pavić trok liefkozend een krul van Mirjana's haar naar beneden en liet die weer los, zodat de krul weer naar boven sprong.
'Als je op de weg gaat staan, in een van de bochten, dan weet je waar hij zit. Achter het stuur.'
'Mag ik jouw pistool?'
'Daar.'
Pavić wees naar de plunjezak.
Mirjana sprong over de balustrade. De hond ging achter haar aan toen ze wegrende.

Bekker schoof verder langs de muur tot bij de tafel.
'Stop het geld in de koffer.'
De Geus kwam in beweging.
'Niet jij, Menkema moet dat doen. Hou je pistool naar beneden.'
Ludde kwam overeind. Hij steunde op de stoelleuningen tot hij bij de tafel was.
'Schiet op.'
Het pistool in Selma's hals maakte een dwingende beweging. In Bekkers stem klonk ineens weer de dronkenschap die hij eerder kwijt was geweest.
'Ik ben niet zo snel,' Ludde keek Bekker strak aan, 'niet dat ik daar veel aan kan doen.'
'Je had je met je eigen zaken moeten bemoeien.'
'Ik kan een smeerlap nou eenmaal moeilijk laten lopen.'
Weer maakte het pistool een beweging. Luddes handen speelden met het stapeltje bankbiljetten dat nog naast het koffertje lag.
'Je vrienden in Nederland zitten bij de politie, in een cel.'
'Stop dat geld in de koffer.'
'Je bent je decoratie kwijt.'
'Ik zei dat je verdomme dat geld in de koffer moet doen.'

'Als je schiet, dan schiet Henri ook en dan ben je dood. Hoe voelt dat, dat je binnenkort dood bent?'

'Doe wat hij zegt, Ludde,' de stem van De Geus had de autoritaire klank van de politiechef, 'je naait hem op.'

Ludde deed het geld in de koffer terwijl hij naar Selma keek. Ze keek wezenloos terug. Ludde lachte naar haar. Bekker rukte Selma steviger tegen zich aan.

'Aanpakken.'

Selma stak haar hand uit. Ludde gaf haar het koffertje. Bekker schuifelde verder, ineens weer slepend met zijn been. De buitendeur kwam dichterbij. Selma's lichaam schuifelde mee. Het koffertje hing aan haar arm, bijna op de grond. Bekker drukte het pistool dieper in haar hals toen hij bij de deur was aangekomen die half geopend op het onderste scharnier hing. Hij keek naar Ludde.

'Start mijn auto. De sleutels zitten erin.'

Ludde liep naar de deur, deze keer zonder dat hij iets zei en zonder dat hij zich vast hoefde te houden. Hij keek in Bekkers ogen toen hij zich langs hem en het meisje wurmde. Ze was koud. Ludde liep naar de auto, stapte in, startte, keerde de auto en reed achteruit tot het portier zich voor de openstaande deur van het huis bevond.

Bekker kwam naar buiten. Hij zwiepte Selma rond zodat haar lichaam hem bleef beschermen, liet zich achter het stuur zakken en trok Selma op zijn schoot. Haar benen hingen buiten de auto. Bekker bracht het pistool over in zijn andere hand. De loop lag nu in Selma's nek. Hij schakelde. Toen lachte hij, een harde bevrijdende lach. De auto sprong weg. Selma's benen verdwenen naar binnen. Het portier knalde dicht. De Geus richtte zijn pistool, maar liet het direct weer zakken.

'Te link,' zei hij tegen niemand, 'we pakken hem wel, ooit, hij kan nergens heen.'

Pavić sprong van het terras.

'Mirjana is daar.'

Hij wees naar de weg, voorbij de koplampen van Bekkers auto.

De Geus schrok.

'Mirjana, wat doet die daar?'

'Ze doet wat ze denkt te moeten doen. Waar zijn Jovićs sleutels?'

'Geen idee.'

Pavić draaide zich om en rende het huis in. Hij schreeuwde.

'Waar is de sleutel van Jovićs auto?'

'Om zijn hals!'

Danijela rende de trap af, naar binnen, door de kamer, het terras op. Haar handen graaiden door het bloed onder Jovićs overhemd. Ze trok een kettinkje tevoorschijn en scheurde dat los. Pavić griste de sleutel uit haar hand. Hij vloog terug, door het huis en sprong in Jovićs auto. De Geus rende achter hem aan.

Ludde liet zich tegen de deurpost zakken. Hij keek naar zijn handen die allebei trilden. Pavić reed met slippende banden weg. De Geus worstelde zich door de passagiersdeur naar binnen. De auto van Bekker was vlak voor de eerste bocht.

Ludde zakte weg. Danijela boog zich over hem heen. Ze pakte zijn hand en lachte een klein lachje dat voelde als een godsgeschenk. Toen Ludde zichzelf overeind dwong, hielp ze hem mee.

'Wil je iets drinken?'

'Water.'

Ze strompelden samen naar de keuken.

Ludde draaide de kraan open, stak zijn hoofd onder de waterstraal, droogde zich af, gooide de handdoek die vol bloedvlekken zat op de grond en liep de kamer in. Zijn stappen waren doelbewust. Hij pakte de Snajperka, zette de instellingen terug op zijn eigen waarden en liep de trap op. Hij voelde niets meer, geen pijn, geen stijfheid, geen woede.

Bovenaan de tweede trap opende hij een raam. Voor hem lag de weg, verlicht door de sterren en door de koplampen van twee auto's, de eerste van Bekker die in het bochtige gedeelte van de weg was aangekomen, de tweede van Pavić, die nog op het rechte stuk reed. Ludde liet zich zakken en legde de loop van de Snajperka op het kozijn.

Mirjana knielde neer aan de rand van de vijfde bocht, de scherpe bocht waarvoor Bekker af zou moeten remmen. Ze stak het pistool recht voor zich uit, met twee armen en twee handen. Ze keek over de loop. De auto kwam uit de vierde bocht, hoog op zijn wielen, met koplampen als roofdierogen.

Bekker gaf gas. De schaduwen van de bomen draaiden over het asfalt. Verderop, hoger, reed nog een auto. Achter Mirjana, boven het dorp, spatte een bliksemflits naar beneden. Haar eigen schaduw tekende zich een seconde voor haar af, op de weg. Achter het raam van de auto, aan de linkerkant, achter het stuur, zag ze iemand. Klein en bleek. De auto was nog twintig, dertig meter bij haar vandaan. Het licht van de bliksem was weg. De koplampen schenen recht in haar ogen. Ze hoorde Pavić.

'Weet je het zeker?'

De hond sprong omhoog, de helling op, woedend, blaffend. De auto remde. De voorwielen schoven over het asfalt. De achterkant draaide naar de afgrond, twee, drie meter verderop, tot de wielen weer grip kregen. De loop van Mirjana's pistool trilde in het licht dat recht op haar af kwam. Ze rolde opzij. Een wiel schoot over de plek waar ze net nog had gezeten, een seconde eerder. Mirjana schoot, in een reflex. De kogel vrat zich door het metaal, een jankend geluid dat boven het geluid van de knal van het pistool uitscheurde. De auto schoof naar links, naar rechts, maar was vrijwel direct weer op zijn oude spoor. Mirjana begon te rennen, achter Bekker aan.

Selma zag buiten de auto iemand wegrollen, een vrouw. Ze hoorde een knal en iets wat zich binnen in het portier vastvrat. Ze voelde de armen van de man aan weerskanten van haar lichaam, de man die achter haar zat. Ze rook de geur van kruit. Ze keek naar zichzelf, bijna naakt, koud, ze keek alsof ze alle tijd had terwijl ze tegelijkertijd haar gedachten door haar hoofd voelde razen. De man trapte de koppeling in, zijn hand ging naar de versnellingspook. Ze zag zijn hand. Ze zag zijn gezicht weerspiegelen in het raam, een man die ze niet kende, een man met een scherpe kin en te grote handen die nu op het stuur lagen, handen waarmee hij haar eerder, nog maar een halfuur eerder, had geslagen omdat hij daar zin in had, handen die een riem gebruikten alsof ze de hond van haar buren was, ze had hem gezien, door haar oogharen, gezien hoe hij haar raakte, hoe hij met een kleine polsbeweging de riem liet neerkomen waar hij wilde, pijn direct daarna, onder haar borsten, aan de bovenkant van haar benen die ze niet bij elkaar kon doen door het touw, zijn stem die zei dat ze een rat was, een rat die moest gehoorzamen.

Selma liet zich zakken, tegen zijn arm. Hij duwde haar terug. Ze schoof onderuit. Ze tilde haar linkerbeen op en liet haar voet naar beneden schieten, haar naakte voet naar het rempedaal dat de wielen blokkeerde, ze schoten weer los, ze slipten. De auto gleed. De man gooide haar opzij, op haar rug, haar benen in de lucht. Selma zag alles duidelijk, helder, traag. Ze schopte. Haar hak raakte hem op zijn kin, precies waar ze dat wilde. Zijn hoofd sloeg naar links. De auto schoot de helling op. In het licht van de lampen bogen boompjes door, ze kraakten, ze ratelden onder tegen de bodemplaat, ze zwiepten tegen de ramen. Selma gooide zich voorover. Haar klauwende vingers grepen naar woedende ogen. Ze zette een knie op het stuur.

De auto week verder af naar rechts, de voorkant schoot de lucht in toen een wiel een steen raakte. Er brak iets door het raam. Een boom, een dikke boom deze keer, tegen de zijkant. De neus draaide naar beneden. Ze botsten, weer een rots, een scherpe krakende knal, ontploffingen, de witte zakken van de airbags die open knalden vanaf alle kanten, ze deelden klappen uit, de auto sprong, danste, stond stil.

Een scherpe chemische geur verspreidde zich door de auto, maar Selma merkte dat niet. Haar handen zakten van Bekkers gezicht, haar ogen draaiden weg.

Bekker kwam overeind. Hij keek om. Hij zag een auto, Jovićs auto, een kleine honderd meter achter zich. Hij duwde tegen het portier. Het zat vast. Hij sloeg. Het raam verbrijzelde. De koplampen van zijn auto schenen naar beneden, de weg op, die onder hem baadde in het licht. Bekker legde zijn handen op het dak, werkte zich naar buiten en liet zich glijden tot hij op de weg was, waar hij hinkend, slepend met zijn been, begon te rennen naar het veilige donker, in de bocht verderop.

Ludde keek door het vizier. Hij laadde door. Het pijltje volgde Bekker op de helverlichte bergweg. Luddes vinger lag op de trekker. Tussen Bekker en de volgende bocht lag nog vijftig meter. Ludde richtte op de rotswand, een paar meter voor Bekker. Hij schoot. Bekker dook naar de grond en rolde door naar de schaduw van een struik.

Mirjana wierp rennend een blik op de verwrongen auto op de helling. Ze aarzelde. Bekker was verdwenen. Het geluid van de Snajperka was weg. Mirjana keek achter zich, naar de lichten van de tweede auto die niet ver meer waren. Bekker was ergens voor haar. Ze hield in, en liep, kalmer nu, langs de kant van de weg.

Onder een struik bewoog iets. Bekker kroop voor haar uit. Mirjana schreeuwde, een triomfantelijke kreet. Bekker draaide zich om. Hij schoot. Mirjana sprong opzij, een zinloze beweging, dat wist ze, maar ze deed het toch. Een kogel van de Snajperka jankte door de lucht en landde op een rotsblok vlak voor Bekker, maar hij begon toch te lopen, en hij liep door. Mirjana stak haar pistool naar voren, haar handen om de kolf, haar ogen over de loop. Haar armen gingen naar rechts, langzaam, tot ze Bekker zag. Er jankte weer een kogel van de Snajperka voorbij. Bekker greep naar zijn been. Hij kromp in elkaar. Ook Mirjana schoot. Bekkers lichaam schokte vallend naar voren, de schaduw in van de volgende bocht. Hij verdween.

Mirjana rende de helling op, springend, glijdend, ze klampte zich vast aan alles wat ze tegenkwam. Toen ze boven was keek ze naar beneden, het duister in aan de andere kant van de bocht waarin Bekker was verdwenen. Op het vaag glimmende asfalt onder haar was niets te zien. Alleen boven de bergen in het oosten was licht, de lampen van Pale misschien, of de zon. Ze legde een hand op de rug van de hond toen die naast haar verscheen. Er jammerde iemand. Bekker was uit de schaduw gekomen. Zijn lichaam zwaaide heen en weer, dronken van de dood. Mirjana keek. Bekker strompelde verder tot hij oploste op een plek waar het te donker was om hem nog te kunnen zien.

'We kunnen beter stoppen,' De Geus wees naar Bekkers auto op de helling, de lichten nog steeds op de weg gericht, 'we weten niet waar ze zijn.'

Pavić stuurde naar de kant. Hij zette de motor uit. Het werd stil. De weg was leeg.

Ludde keek om. Danijela stond achter hem. Hij stak een hand naar haar uit. Ze hielp hem om omhoog te komen. Een licht prikkelende geur van kruit waaide door het raam van het huis naar buiten. Ludde legde zijn hoofd tegen het hoofd van het meisje dat hij niet kende, maar dat aanvoelde als een dochter. Ze pakte hem vast. Ze huilden samen.

Selma lag achter het verbrijzelde raam. De Geus stak zijn hand naar binnen.

'Ze leeft nog.'

Selma deed haar ogen open. Haar lippen bewogen. De Geus boog zich naar haar toe, maar toen ze iets wilde zeggen begon ze te klappertanden. De Geus ging staan om zijn trui uit te doen, wachtte tot Pavić het portier open had getrokken en Selma naar buiten had getild, waarna hij zijn trui over haar hoofd schoof. De zoom kwam bijna tot op haar knieën. Pavić legde een hand op haar hoofd.

'Hier wachten,' zei hij, 'doe niets.'

Selma's handen verdwenen in de mouwen van de trui waarna ze haar armen om haar lichaam sloeg.

De lichtband boven de bergen was breder geworden, de sterren bleker. De weg lag een paar meter lager. Mirjana keek langs de rots, telde tot drie en rende omlaag naar de weg tot ze achter een boom was. Er floot iemand. Pavić. De hond keek om.

'Blijf.'

De hond jankte.

'Zoek.'

De hond sprong vooruit en verdween binnen een paar seconden om de volgende bocht. Direct daarna blafte hij, fel en kort. Mirjana maakte zich rennend zo klein mogelijk tot ze weer naar boven ging, de helling op, rustig deze keer. Toen ze boven was keek ze over de rand. In het bleke licht, beneden, lag Bekker, zijn benen op de weg, zijn hoofd iets omhoog, tegen een boom. Naast zijn voeten lag het pistool. De hond stond voor hem, alert, zijn voorpoten uit elkaar. Mirjana liet zich naar beneden glijden tot ze naast Bekker zat. Ze keek. Bekkers ogen waren bijna dicht, maar er schemerde wit tussen zijn oogleden. Onder zijn rug was de aarde donker van het bloed. Zijn beige broek was rood, links bij zijn bovenbeen. Mirjana tilde een ooglid op. De pupil draaide naar haar toe. De lippen trilden. Mirjana boog zich voorover.

'Weet je wie ik ben?'

Ze liet het ooglid los, maar de pupillen, ook die in het andere oog bleven naar haar kijken.

'Ik ben je engel, Mirjana Pavić. Ik was veertien toen ik je zag, maar je zag mij niet. Op die dag heb ik mezelf beloofd dat ik je ooit naar de hel zou brengen, en die dag is nu gekomen.'

Ze klopte naast zich op de grond. De hond ging liggen. De nacht was bijna voorbij. Mirjana stak een sigaret op en keek naar de rook die wegdreef over Bekkers lichaam. Op zijn hoofd speelde een vlekje van de zon. In de bocht verscheen Pavić samen met De Geus. De hond stond vrolijk blaffend op. Mirjana wenkte. Toen Pavić en De Geus bij haar waren zakte De Geus op zijn hurken en legde een vinger in Bekkers hals.

'Dood,' zei hij, 'de tweede vandaag.'

Pavić rekte zich uit.

'Ach, de wereld is er beter op geworden.'

De Geus ging naast Mirjana zitten. Haar krullen waaierden breed om haar bleke gezicht waartegen haar lippen, half geopend, rood afstaken.

De zon droogde de plassen op de weg. Boven de vallei klom onzichtbaar een vogeltje omhoog.

'En nu?'

De Geus keek naar Pavić.

'En nu wat?'

'Wat doen we met twee lijken in een vallei in een vreemd land?'

'Dit is geen vreemd land. Ik regel dit.'

'Met wie? De politie?'

Pavić schudde zijn hoofd.
'Een vriend.'
Het vogeltje begon te zingen. Pavić keek omhoog en keek daarna naar Mirjana, die even glimlachte en doorliep naar Jovićs auto waar Selma op een steen zat te wachten. Mirjana ging naast haar zitten en sloeg een arm om haar heen.

Vanaf de tussenverdieping klonk het geluid van een douche. Ludde stond in de deuropening. Jovićs auto kwam uit de bocht. Ludde deed niets. De auto kwam dichterbij tot hij stopte, vlak bij het huis. Pavić en De Geus stapten uit. De Geus tilde het kleine meisje naar buiten. Ze droeg een jurkje van ruwe wol. Ludde liep naar boven en klopte op de deur waarachter nog steeds de douche stroomde.
'Ze hebben haar!'
De deur vloog open.
'Waar?'
'Buiten.'
Danijela rende naar het raam. Ayanna kwam uit de douchecabine met een handdoek om haar middel. Ludde strompelde terug naar de trap.

'Dag vriend.'
De Geus greep Ludde bij zijn beide schouders en schudde hem hardhandig heen en weer, wat aan Ludde een grimas van pijn ontlokte. Pavić stond een paar meter verder met een telefoon aan zijn oor naast Mirjana die met haar armen nog steeds om Selma heen tegen de muur leunde.
Pavić stopte zijn telefoon weg en liep naar De Geus. Hij wenkte. De Geus liep achter hem aan, naar het terras, naar het lichaam van Jović. Ze tilden het op en brachten het door de kamer naar buiten, tot achter het huis. Pavić veegde zijn handen af aan zijn broek.
'Overal afblijven vanaf nu. Verzamelen op het terras,'

Er daalde een helikopter. De kruinen van de bomen rond het veld bogen weg in de wind. Al voor de wielen de grond raakten, sprongen er mannen naar buiten, die gebogen wegliepen, onder de wieken vandaan, naar het huis. De wieken vielen stil. Een van de mannen kwam de kamer binnen en ging tussen de schuifdeuren naar het terras staan. Danijela zat bij Selma en Mirjana, buiten in de zon. Ayanna hing gespannen over de balustrade. Ludde liep naar haar toe.
'Is er iets?'

'Een helikopter.'
'Ben je bang?'
'Ik heb geen papieren.'
'Ik help je. Moet je kijken.'
'Helikopters betekenen oorlog.'
'Vandaag niet.'
Uit de helikopter stapte een kleine, dikke man die op Pavić toeliep die aan de bosrand was verschenen. Naast hem stond het paard. Pavić stak een hand uit. Ayanna stootte Ludde aan.
'Dat is vast een generaal of zo.'
'Waarom denk je dat?'
'Hij loopt als een generaal.'
'Hoe lopen die dan?'
'Net als die bij ons.'

Pavić klom over de balustrade het terras op. De hond sprong achter hem aan. De kleine man volgde met een behendigheid die je niet van hem zou hebben verwacht. Ze liepen naar De Geus. De man stelde zich voor.
'Prole.'
Ludde duwde Ayanna naar de tafel.
'Ga bij de meisjes zitten. Hou je rustig.'
Hij stak zijn hand uit. De Geus introduceerde hem.
'Ludde Menkema.'
Prole nam zijn hand aan.
'Nederlands staatsvijand toch? Welkom in Bosnië en Herzegowina. U ziet er gehavend uit.'
'Er zijn er hier meer die verzorging kunnen gebruiken.'
Prole riep iets naar de man bij de deur.
'Er komt zo een arts. En eten. U zult wel honger hebben, en zin in koffie.'

Suad zat met handboeien om achter in een legerauto. Voor zijn voeten, op de laadvloer, lagen de lichamen van Jović en Bekker. Suad keek voor zich uit. De soldaat achter het stuur nam een slok uit een heupflesje en hield dat daarna voor Suad, maar Suad zag niets.

ZATERDAGAVOND

Ludde gaf een brandend sigaartje aan Mirjana die naast hem in het donker aan het stuur van de Lada Niva zat.

'Ze komen er wel bovenop, alle drie,' Ludde stak ook zelf een sigaartje aan, 'gelukkig dat de moeder van Danijela direct kwam.'

'Die van Selma niet. Ligt dat kind ook nog alleen in het ziekenhuis.'

'Morgen gaan we er weer heen, ik wel tenminste. Zoek jij een baan?'

Mirjana keek opzij.

'Als au pair?'

'Nee. Ik heb iemand nodig voor mijn opvanghuis. Jij lijkt me een perfecte directeur.'

'Dat wil je echt gaan doen.'

'Ja. Ik kan die meiden moeilijk in de steek laten.'

'Een opvanghuis voor meisjes.'

'Ja.'

Mirjana draaide het erf op.

'We hebben het er nog wel over. We moeten ook nog iets voor Ayanna regelen.'

Het kampvuur laaide hoog op. De hemel boven het huis fonkelde. Mirjana zette een paar flesjes bier bij de fles slivovitsj die naast Ludde stond en ging naast De Geus op het andere stropak zitten. Ludde maakte een flesje bier open. De Geus pakte Mirjana's hand terwijl hij zich naar Ludde vooroverboog.

'Geen borrels meer?'

Ludde schudde zijn hoofd.

'Nee, dit is beter tegen de dorst. Ligt Ayanna in bed?'

'Ja. Heb jij Pavić gezien?'

'Nee, de hele dag al niet.'

'Wat hebben die militairen jou gevraagd?'

'Hetzelfde als wat ze jou gevraagd hebben, denk ik, wat we wilden, wat we gedaan hebben, in wiens opdracht, dat soort dingen.'

'En hebben ze je ook verteld dat dit nooit is gebeurd?'

'Ja.'

Ludde zakte op de grond, met zijn rug tegen het stropak. Vanuit de boomgaard klonk het geroffel van de poten van de hond, die even later om het vuur sprong, iedereen begroette en daarna in de schuur verdween. Pavić verscheen tussen de bomen. Hij ging achter Ludde zitten, pakte de fles slivovitsj, spuwde de kurk in het vuur en zette de fles aan zijn mond.

'Klaar.'

Hij veegde zijn lippen af.

'Hebben ze jullie verteld dat de dag van gisteren er nooit is geweest en hebben jullie dat begrepen?'

'Ja.'

'Hebben jullie ook begrepen dat Bekker in Sarajevo door zijn criminele vrienden is geliquideerd?'

Pavić wachtte tot ook De Geus aarzelend had geknikt voor hij doorging.

'Hij had een kogel in zijn been en een kogel in zijn schouder. Eén van die kogels kwam uit mijn Snajperka. Geen van beide kogels was dodelijk, op zich. Willen jullie weten waar welke kogel zat?'

'Ik raakte hem in zijn been,' zei Ludde, 'ik wilde hem helemaal niet raken, het was een slecht schot. Ik richtte voor hem, om hem te laten stoppen.'

Mirjana luisterde niet. Ze was opgesprongen. Ze wees omhoog, de vallei in, waar een rode gloed boven de bomen hing.

'Ons huis.'

Ludde zette zijn stok naast zich neer, duwde zich omhoog en ging naast Mirjana staan. De Geus verscheen aan haar andere kant.

'Het staat in brand.'

De gloed leek te verdwijnen, tot er een explosie klonk en er miljarden vonken, aangevuurd door vlammen die hoog boven de bomen uitschoten, de donkere hemel in werden gejaagd. Mirjana keek om naar haar vader. Hij grimaste zijn kiezen bloot en stak de fles omhoog.

'Ik dacht, dochter,' zei hij, 'dat dit hier ook wel een mooi plekje is, plaats genoeg.'

Eerdere delen uit de Ludde Menkema-reeks van Lupko Ellen:

1. *Moddergraf*
2. *Wraaktocht*
3. *Herenboer*